한국인 어디로 가는가

한국인 어디로 가는가

한국 역사와 문화를 돌아보고, 한반도 통일과 미래를 제안하다

초판 1쇄 인쇄일 2018년 1월 31일
초판 1쇄 발행일 2018년 2월 7일

지은이 정우진
펴낸이 양옥매
디자인 임흥순 고유진
교 정 조준경

펴낸곳 도서출판 책과나무
출판등록 제2012-000376
주소 서울특별시 마포구 방울내로 79 이노빌딩 302호
대표전화 02.372.1537 **팩스** 02.372.1538
이메일 booknamu2007@naver.com
홈페이지 www.booknamu.com
ISBN 979-11-5776-518-8(03330)

이 도서의 국립중앙도서관 출판시도서목록(CIP)은 서지정보유통지원 시스템 홈페이지(http://seoji.nl.go.kr)와 국가자료공동목록시스템(http://www.nl.go.kr/kolisnet)에서 이용하실 수 있습니다.
(CIP제어번호 : CIP2018000954)

한국인 어디로 가는가

정우진 지음

책과나무

추천사

Prof. Jung's book is an unprecedented book about Korea's past, present, and future. In a remarkably compact manner, he describes the cultural, geographical and economic factors that have made Korea such a pivotal nation in the world and he spells out how Koreans today can take advantage of this position to launch Korea towards a new century with confidence. Readers will be drawn to the unique combination of an overarching vision for what is possible with extremely concrete suggestions as to what must be done today and what must be done in the short term.

정우진 교수의 책은 대한민국의 과거, 현재, 그리고 미래까지 내용을 담은 전례 없는 책이다. 그는 세계에서 매우 중추적인 국가로서의 위상을 갖게 된 한국을 만든 문화적, 지리적, 경제적 요인을 놀랍도록 조밀한 방식으로 설명하고, 오늘날 한국인들이 자신감을 가지고 새로운 세기를 향해 이러한 입장을 어떻게 활용하여 새 출발할 수 있는지를 설명한다. 독자들은 오늘 해야 할 일과 더불어, 단기간에 해야 할 일에 대한 매우 구체적인 제안에 끌릴 것이며 이러한 포괄적인 비전의 독특한 조합에 매력을 느낄 것이다.

Dr. Emanuel Pastreich, 경희대 국제대학 부교수

이마뉴엘 페스트라이쉬 박사

머리말

세계 역사의 유구한 흐름 속에서 한국인은 어디서 와서 지금은 어디쯤 가고 있으며 또 어디로 가야 할까? 우리 대한민국 국민이면 모두가 한결같이 궁금해 하고 한번쯤은 생각해 보았던 주제일 것이다. 이 책은 그러한 한국인의 정체성에 대해 간략한 과거 역사를 통해 다시 한번 생각해 보고, 더불어 현재 대한민국이 당면한 문제점들을 짚어보며, 미래의 한국이 가야 할 길을 제시한 책이다.

동아시아에서 한국, 중국, 일본의 3국은 오랜 역사 속에서 서로가 영향을 주고 받으며 많은 부분을 공유해 왔다. 그리고 엄밀하게 말하면 한반도 문화는 동아시아 지역의 오랜 역사 속에서 가장 주도적인 역할을 해온 중국 문화권에 속해 있었다. 한국 문화와 사상의 근간이라 할 수 있는 한자, 유교, 불교, 도교적인 요소까지 모두 중국에서 넘어 온 것이기 때문이다. 그래도 한국에는 무언가 중국, 일본과는 다른 문화적으로 특이한 점이 많이 있지 않을까? 이 책은 바로 그 부분에 대해서도 말하고자 한다.

우리는 지금 한국만의 색다른 문화가 현재 전 세계에서 어떤 인기를 얻고, 어떻게 각광받고 있는지, 그 이유는 무엇인지 들여다볼 필요가 있다. 한국은 경제적으로 크게 발전하고, 전 세계에서 종합적인 국력이 10위 안에 들 정도로 강대국이 되었다. 인구 면에서나 해외자본들이 국내에 투자해서 생기는 소득이나 국내에서 개인이나 기업이 창출하는 모든 생산력까지 포함해서 1조 4천 억 달러 정도로, 세계 11위가 된 GDP 측면에서 볼 때 그러하다. 한국의 미래는 매우 밝다. 통일 이후까지 생각하면, 한국은 세계에서 굉장히 주목 받을 만한 잠재력을 가진 나라이다.

한류라고 통칭하지만, 한국의 음식 문화, 패션, 영화, 드라마, K-POP, E-게임, 웹툰은 이미 전 세계의 주목을 받고 있고, 아시아 각지, 유럽, 북미, 중남미, 중동, 아프리카 등지의 많은 젊은이들이 한국으로 몰려들고 있다. 과거 14-15세기 이태리에서 르네상스 운동이 일어나 전 세계에서 많은 인재들이 플로렌스로 몰렸듯이, 9-11세기 당시 세계에서 가장 중요한 교역의 중심지로 떠오른 동로마 콘스탄티노플이 중앙 아시아, 유럽, 흑해, 지중해 등 주변지역의 많은 인재를 끌어 당겼듯이, 또 17세기 한때 모든 유럽사회의 인재들이 네덜란드 암스테르담으로 몰려들어 경제와 문화의 융성을 가져왔듯이, 한국에서도 지금 그런 현상이 일부 벌어지고 있다.

전혀 들어보지 못한 나라 사람들이 한국을 알고 싶어하고, 한국어를 배우고 한국 노래를 듣고 싶어한다. 미국이나 프랑스, 영국 등 유럽각지에서 상당한 지식인층을 중심으로 한국영화 팬 클럽이 형성되어 있기도 하다.

그런 의미에서 한국의 역사와 그 원류는 무엇인지 알아보고, 한국의 현 문화는 과거 역사 속에서 어떤 흐름을 타고 발전되어왔는지, 이러한 수천 년의 역사와 문화 공동체인 남한과 북한, 즉 한반도의 통일이 어떻게 세계에 기여할 수 있는가를 살펴보는 일은 매우 의미 있는 일이다.

현재 한반도는 북한의 핵 문제로 인하여 남북 간에 긴장이 고조되어 있고, 그 해결책을 찾기도 매우 힘든 상황으로 전개되고 있다. 하지만 동질성을 가진 민족과 유구한 역사의 영속성에 비추어 볼 때 이 또한 그렇게 멀지 않은 시간에 해결될 일이다. 그러한 큰 맥락 속에서 어떻게 우리 민족끼리 충분히 대화의 장을 열고 현명하게 이러한 난관에 대처할 수 있을까에 대해서도 논의하고자 한다.

한반도에서의 남북 간 긴장완화를 위해서도, 또 우리 민족이 하나로 뭉쳐 세계로 나아가기에 앞서서, 현실적으로 실현 가능한 지역공동체로서의 한중일 동아시아 공동체(East Asia Community) 설립에 한국이 주체가 되어 어떤 역할로 기여할 수 있을 것인가에 대해서도 제안해 보았다. 그리고 앞으로의 세계 평화를 주도하고 인류의 미래에 희망을 줄 수 있는 동아시아를 주축으로 하는 동아시아 신 문명론이 어떻게 펼쳐져야 하는가에 관해서도 이야기를 나누어 보고자 한다.

2018년 1월

정우진

차례

1부

대한민국이 걸어온 길

1.
한국 역사의 시작과 동북아 역사 개요

한국문화의 원류(Root)에 대해 말하자면 역사를 거슬러 올라가야 한다. 또한 문화 자체가 역사의 산물이므로 한반도 역사는 중국과 일본을 빼고 말하기는 불가능하다. 이 3국은 수천년 동안 이웃하며 상호 많은 영향을 주고 받아 왔다. 그러나 한국인은 분명히 중국민족과는 다른 인종이다. 한국인이 어디서 어떻게 왔는지는, '인류의 아프리카 기원설'로 유명한 마크 스톤킹(Mark Stoneking)과 프레드릭 델핀(Frederick Delfin)의 연구를 통해 알 수 있다. 이들은 아시아 인종의 중요 DNA 타입이 동아시아 지역에 어떤 모습으로 분포되었나를 분석하여 한국인의 기원을 대략적으로 보여주었다.

현대 유전학의 발달에 의해 각 인종의 원류를 찾는 여러 방법이 시도되어 왔고, 표본검사의 대상에 따라 많은 차이가 있어 논란도 일었다. 그 중 스톤킹과 델핀의 공동연구로, 가장 집단 유전학의 오차 범위가 적다고 여겨지는 미토콘드리아(Mitochondria) DNA 분석과 분자 생물학 기법 적용에 의하면, 동북아시아인 대부분이 가지고 있는 하플로그룹(Haplogroup- DNA 변형을 추적하여 조상의 혈통을 그룹으로 분리) D는 32%의 남한 사람에게 보이고(북한은 실험에 포함되지 않았지만 조금 더 높은 퍼센티지로 추정됨), 동남아시아인과 폴리네시아인이 가지고 있는 하플로그룹 B는 남한인구의 20%가 지니고 있는 것으로 보인다. 에스키모나 북미, 중미, 남미에 흩어져 살았던 원조 고대 동북아시아인(고 몽골로이드인)을 선조로 하는 아메리칸 인디언들이 가지고 있는 하플로그룹 A는 8%라는 사실을 봐도, D와 A를 가진 40% 정도의 한국인의 피에는 동북아시아 쪽의 피가 섞인 것을 알 수 있다. 그러므로 한국인 일부는 이들의 후예로서 한반도로 이동하지 않았나 추론된다. 그리고 이 분석에 따르면 한국인과 일본인은 전 세계에서 드물게 매우 유사한 인종이라는 사실도 알 수 있다.

한국인의 원류와 동북아 고대사

인류의 한반도 유입 경로

아래 지도는 인류가 어떻게 한반도와 일본으로 전파되었는가를 보여 준다. 몽골로이드인은 황인종을 의미한다. 처음에는 고 몽골로이드 황인종이 동북부 시베리아 쪽에서 내려와서 한반도를 거쳐 일본으로 갔고, 그 후 상당기간이 지난 후에는 기마민족인 퉁구스어족의 일파가 북부 중앙아시아에서 한반도로 남하한 것을 보여 준다. 그 중 한반도 북부와 중국 동북부에 정착해서 살다가 한반도로 다시 남하해 유목에서 농경으로 바꾼 예족, 맥족과 기존의 한반도 남부의 농경 토착민이 일찍 합쳐진 것이 한민족의 주된 원류(Origin)로 추정된다.

현 인류의 가장 직접적인 조상인 호모 사피엔스가 20만 년 전에 아프리카 동부, 지금의 에티오피아 '오모 키비시' 지역에서 처음 출현했다(최근에

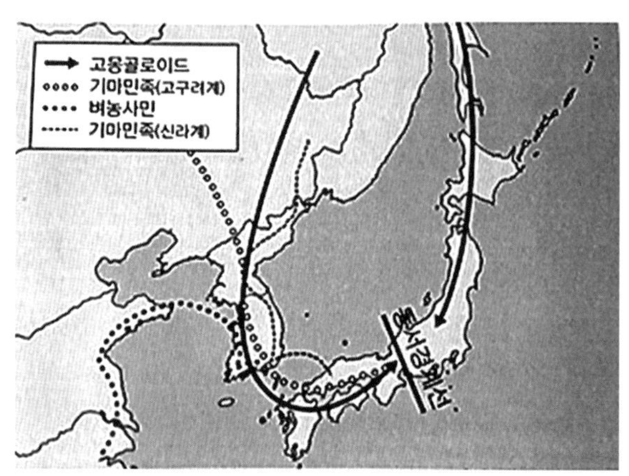

민족 이동의 경로(출처 : 김운용, 풍수화 출판 : 맥스 미디어 p. 298)

한국인의 원류
동이족 : 기마민족으로 만주지역에서 부여, 고구려를 형성했다. 남으로도 이전하여 예·맥·삼한 계통의 토착민이 사는 한반도로 이주하여 백제, 신라, 가야를 형성하고 읍루, 왜 지역에까지 진출해서 살았다(한나라 이후에만 국한된 개념으로 산동반도, 허베이 등에 흩어져 살던 그 전의 동이족 개념과는 다름).

는 모로코 지역에서 30만 년 전의 호모 사피엔스 화석과 부싯돌의 사용흔적도 발견했다). 그전의 네안데르탈인(35만 년 전 출현)이 호모 사피엔스와 그 중 가깝고, 북경원인(50-70만 년 전 출현), 자바원인(50-100만 년 전 출현)과 같은 직립 보행하는 원시인(호모 에렉투스)들은 원숭이 정도와 확연히 구별되는 정도인데다 멸종을 면하지 못하였다. 그러므로 많은 학자들은 현 인류와 가장 가까운 인종은 호모 사피엔스라고 추정한다.

호모 사피엔스가 아프리카 중북부에서 더욱 북쪽으로 북상해서 일부는 이집트에 머물고, 또 일부는 유프라테스강과 티그리스강이 만나는 비옥한 초생달 지역인 메소포타미아, 지금의 이라크 지역으로 올 때까지 15만 년이 걸렸다. 거기에서 다시 5만 년 전에 동진과 서진을 하며 크게 움직이기 시작했다. 그때 거기서 서진한 사람들이 백인종(Caucasian)이고, 동진한 사람들이 황인종인 고 몽골로이드인이다.

고 몽골로이드인은 계속 동진하다가 도저히 더 전진하기 어려운 파미르 고원에서 천산산맥, 곤륜산맥(남쪽으로 계속 청장 고원, 티베트 고원, 히말라야-카라코람 및 힌두쿠시 산맥), 그 사이인 타림 분지의 타클라마칸, 고비 사막 같은 초 거대한 지형 지물을 만나 이쪽을 피해 또 갈라졌다. 이들은 북방계(고 아시아족과 신 아시아족)와 남방계 몽골로이드(남부 중국, 베트남, 타이, 미얀마)로 갈라졌다. 고 아시아족은 아이누, 축치, 코리약, 길리약족 등으로 또 나뉘었고, 신 아시아족은 돌궐, 흉노, 선비, 거란, 몽고, 만주족 등 알타이어족 계통과 핀, 위그르, 사모예드족의 우랄어족 계통으로 다시 나뉜다.

중앙아시아 스텝(Steppe) 지역을 따라 시베리아 북쪽으로 4만 년 전부터 이동했던 한 부류는 그때 마침 빙하기가 닥쳐서 아주 혹독한 환경의 동토 속에 갇혀버렸다. 이 부류는 신생기 4기 홍적세 때에 마지막 뷔름 빙하기가 닥쳐서 4만년 전에서 1만년 전까지 3만년을 꼼짝없이 갇혀 있었다. 그러자 피부가 까맣던 사람들이 눈(Snow) 빛의 반사에 맞추기 위해 점점 피부색이 옅어지고, 추위를 극복하기 위해 코는 납작해지고 입술도 얇아졌다. 또한 햇빛의 반사에 의한 자외선 방지 차원에서 눈은 가늘게 찢어지고 귀도 얇아지는 등 극심한 추위와 환경에 견디기 위해서 얼굴이 변했다.

그 얼굴은 우리가 지금 흔히 볼 수 있는 몽골인의 전형이다. 그 전에는 바다가 없었던 지역에도 빙하기가 1만 년 전에 끝나 빙하가 녹고 따뜻해지면서 바다가 생겼다. 현 지구의 지형과 가장 가깝게 형성된 것이 지금부터 1만 년 전인 이때이다.

한편, 시베리아 북쪽에 있던 고 몽골로이드인 중에서 일부는 만 팔천 년 전에 알래스카 쪽을 넘어가서 오늘날 아메리칸 인디언이 되었다. 당시는 베링해가 연결되어 있어서 빙하기가 끝나기 전에 소위 얼음이 덮여 있지 않았던 통로(Ice Free Corridor)를 따라 넘어간 것이다. 또한 북미의 태평양연안을 따라 간단한 배로 이동하기도 했다. 빙하기가 끝나자 동토에 갇혀 있던 고 아시아족(북방계 고 몽골로이드)은 시베리아 북동부에서 남하해서 한반도로 들어오기 시작했다(한국인의 약 8% 정도를 구성).

신 아시아족의 일부인 알타이어족 계통의 천신족인 퉁구스족은, 특히 주종을 이루는 한민족의 원류인데 이들은 상당기간을 북부 중앙아시아 바이칼 호수 주변에 머물렀다. 이들은 여기서 신석기시대를 지내고 청동기를 개발하고 사용한 인종으로(GM 유전자중 노란색 ab3st 추적으로 부리야트족과 밀접한 연관) 이들이 계속 한반도 북부지역으로 남하하면서, 기존의 고 아시아족과 충돌해 그들을 해변가나 다른 주변으로 쫓아내기도 한다(단군신화의 곰 토템, 호랑이 토템 족과 연관).

그 후, 이들 중에서 한반도 북방으로 이동해 머물며 고조선과 부여의 주축세력이 된 예족과 맥족을 포함해, 이들이 한반도로 남하해서 삼한의 토착세력과 합쳐져 한민족의 근간이 된다(약 32% 정도로 추정). 그리고 그 후에는 중국 남방 쪽에서도 인도 남부 타밀족(드라비다 어족)으로부터 농경문화를 받아들인 남방계 몽골로이드 사람들이 말레이인종과 섞여 중국인화되는데 이들이 중국 남부지방을 거쳐 북상해 산동반도를 거쳐 한반도로 많이 들어온다. 이쪽에서의 인구 유입은 가장 늦게까지 계속 진행된다(약 20% 정도).

상기 지도에 있는 Y염색체 M175와 M122 유전자의 이동경로를 보면, 동남아시아 북부에서 타이족이 한동안 정착생활을 한 후에, 중국남부 몽골로이드 인종과 혼합되고, 10,000년 전부터 한반도의 서북부, 즉 중국대륙의 동북부로 대규모 이동을 했다가 다시 한반도로 남하했거나, 또는 올라오면서 산동반도를 통해 한반도로 이주했을 가능성을 보여 준다. 즉, 남부 아시아에서 일단 한참 북상을 했다가 그 후 오랜 세월을 지내면서 전쟁이나 시대의 변혁에 따라 다시 한반도를 거쳐 일본으로까지 남하했을 가능성이 매우 크다.

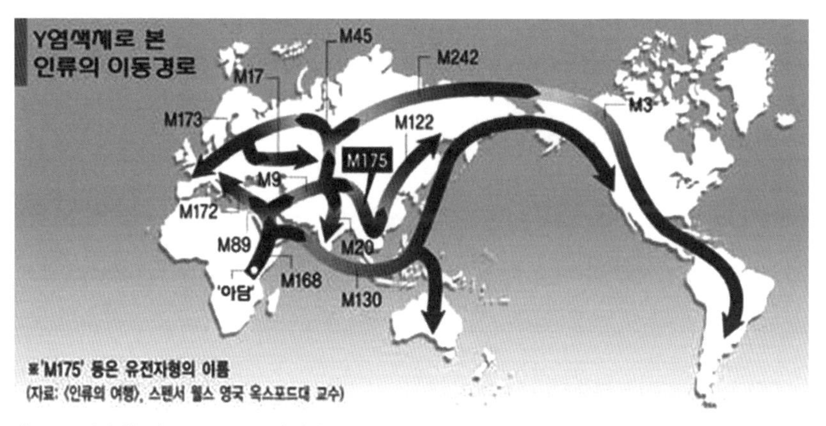

참조 : 스펜서 웰즈(Spencer Wells)의 유전자 지리 프로젝트(The Genographic Project)

참고로 아프리카 쪽에서 이동을 시작했던 검은 피부를 가지고 있었던 사람들은 사우디아라비아에서 인디아남부, 스리랑카, 말레이반도 남부로 해서 인도네시아, 뉴기니, 오스트레일리아(애보리진), 또 그 중 일부는 말레이 인종(Malay Negrito)과 섞인 후에 필리핀 쪽 해양지대와 폴리네시아 쪽으로 빠진 사람들로 계속 검은 피부를 유지했다.

한편, 산동반도 쪽으로 들어온 인도 남부의 타밀족(드라비다어족) 일파의 영향을 받은 중국계 남방인들은 고 몽골로이드인과 섞이면서 황인종이 되었다. 이때 중국계 남방인들은 타밀족의 농경문화를 받아들이는데, 중국이나 한반도에 아직도 많은 흔적들이 남아있다. 주로 언어와 관련된 것으로, '아빠', '엄마', '나', '너', '맘마', '잼잼', 같은 가장 원초적인 영유아 어휘들이다. 이런 타밀어(드라비다어) 흔적과 그 후 장시간에 걸쳐 진행된 중국 남방인의 한반도 유입의 영향으로, 중국 남부의 오(吳)음계의 발음 체계 일부가 아직도 한반도에 남아있다.

대표적인 예로 중국 북경 표준어의 초성 "J" 음가가 중국 남방이나 베트남 등의 오음계(吳音系)와 한국어 음가로는 똑같이 "K" 음가로 발음되는 경우가 많고, 북경 표준어에서는 보기 드문 각양 각종의 "ㄱ, ㅋ, ㅂ, ㅍ" 등 받침 음가들이 남방계(광동, 광시, 베트남어 포함) 한자 음가와 한국어에 동일하게 많이 나타나고 있다. 이것은 중국남부의 농경문화와 인종이 한반도에 대규모로 많이 유입된 증거라고 볼 수 있다. 이처럼 인종은 섞이고, 서로 영향을 주고 받게 되어 있으며 굉장히 유기적인 것이다. 또 그렇게 해서 서로 자극을 받고 인류 문화에 발전이 있는 것이다.

중국문명과 한국문화의 형성

한반도 지역을 포함한 만리장성 너머, 극동 아시아에 사는 사람들을 중국에서는 자기들 편의상 동이족이라고 했다(나중에 일본을 따로 왜라고 불렀지만). 즉, 신 아시아족이 한반도로 남하하기 전에 여러 곳으로 퍼졌는데, 그 중 이 퉁구스 계통의 천신족인 동이족들이 요하강(랴오허) 상류와 요하강 하류를 따라 문화를 이루었고 그것을 요하문명(遼河文明) 이라고 한다.

위 지도에 문명 발달 과정이 연대 순서대로 표기되어 있다. 모두 이 요하강(辽河江) 유역에서 시대를 따라 문명을 이루었다. 한국 문화의 원류이자 동이족 중심의 홍산문화도 여기에 있는데 굉장히 중요하다. 우리 한국문화는 내몽고 적봉(赤峰 츠펑) 지역의 홍산(红山)문화, 싱룽와(兴隆洼)문화, 자오바오거우(趙寶溝)문화, 심양을 중심으로 한 신러(新乐)문화에서 기원했다.

이들이 어떻게 한반도에 정착했는지, 왜 그 사람들이 중국인의 원류가 아닌 한국인의 원류인지 하는 의문이 들 것이다. 물론 중국에도 영향을 미쳤다. 그러나 대부분 이 지역에서 활동하던 주류는 한민족의 원류라고 말할 수 있다. 이쪽에서 발생한 청동기나 즐문토기 같은 문명의 잔재들이

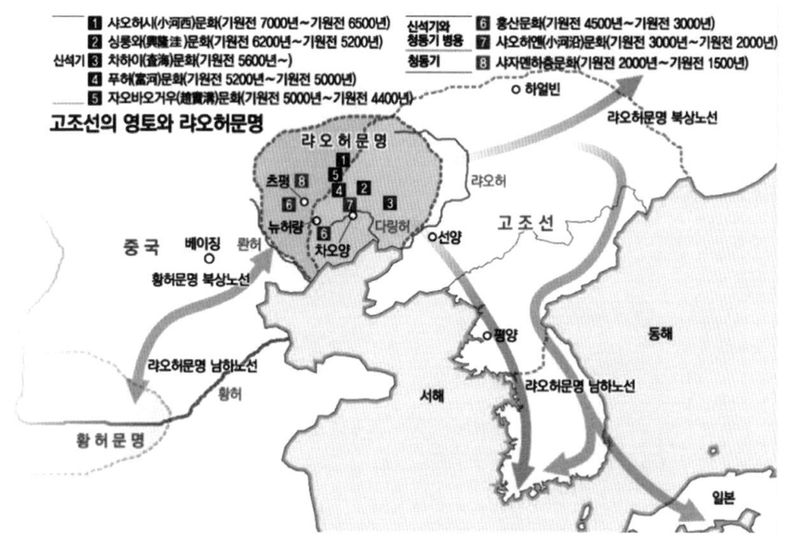

지도 출처 : 권재현, "단군조선, 동북아문명의 공동발원지", 동아일보, 2007-09-27.
지도해설 : 홍산문화(6번-옥기, 곰 토템, 적석총 특징)–랴오허문명(전체적 특징-비파형 청동검, 빗살무늬 토기)-수렵과 채집에서 농경과 목축으로 변환하고 문화와 문명의 차이 기준인 문자와 금속 사용, 뉴허량(牛河梁)에서 여신묘와 거대한 제사 시설의 초기 국가단계 진입, 샤자뎬(夏家店-8번) 하층문화에서 초기 청동기 발견

똑같이 한반도에서도 발견되고 있다는 사실이 이를 증명한다. 즉, 큰 줄기를 이루어 가는 이주 경로의 흔적과 문명이 남긴 도구의 전달 통로를 확인하면 된다.

한편 참고로 중국 쪽에서 발견되는 토기는 앙소(仰韶), 마가요(馬家窯), 용산(龍山), 대문구(大汶口), 하모도(河姆渡) 문화 할 것 없이 전부 채도(彩陶)와 흑도(黑陶)가 주종을 이루고 있다. 다음 지도에서 보이는 바와 같이 즐문토기와 같이 제조기법이 확연히 다른 적갈색의 무문토기는 그다지 발견되지 않고 있다. 중국 역사 전체를 놓고 보아도, 이 지역은 만리장성 밖의 다른 민족의 문화지역이라고 계속 여겨져 왔고, 중국인들이 소위 말하는 화하족(华夏族)이 이룬 중화문명과는 거리가 멀었던 지역이다.

지도 출처 : 홍익희. "한민족 이야기(10)-한반도에서 퍼져 나간 빗살무늬토기", 조선pub, 2016-06-17

한반도 내 문명과 계급의 발생

인류는 수렵과 채집에서 농경문화로 바뀌면서 정착하기 시작했다. 또 중요한 것은 양순한 동물들을 집 근처와 집에서 기르기 시작하면서(Domestication) 정착이 심화되고, 잉여 생산물이 생기면서 직접 식량생산에 가담하지 않아도 되는 전문가 집단의 형성이 가능해졌다. 그리고 이 모든 집단을 지배하는 종족의 리더가 생기기 시작하면서 각 씨족간 서로 이익을 지키고 더 가지려는 욕심 때문에 싸우게 된다. 그러다 보니 더욱 힘센 집단을 중심으로 부족국가 연맹을 이루고 계급은 점점 더 심화된다. 계급과 집권세력이 형성되면서 군대를 동원해 힘을 겨루기 시작하고, 전쟁에서 이긴 쪽이 진 쪽을 노예로 부린다. 그렇게 노예가 생기면서 대규모 노역사업이 가능한 국가가 비로소 형성된다.

그런데 이처럼 국가가 형성되기 시작한 시점을 대체로 청동기 시대로 보고 있다. 청동기는 기원전 4500년에 태동했고, 완전히 청동기 문화로 들어선 것은 기원전 2000년이다. 석기를 쓰는 사람들은 돌을 깨서 쓰거나(타제석기), 갈아 썼는데(마제석기), 청동기가 생기면서 돌과는 비교가 안 되는 막강한 힘이 생기고, 권력자가 등장하며, 국가가 탄생했다고 추정된다.

한반도에는 고인돌(Dolmen-기원전 12세기에서 기원전 2세기 사이)이라는 부족의 장이 죽었을 때 큰 돌을 세우는 장묘문화가 있다. 문화를 구분할 때 죽은 사람의 무덤을 어떻게 만드느냐가 중요한데 한반도에만 35,000개의 고인돌이 있고 전 세계 고인돌(Dolmen)의 40%가 한반도 내에 존재한다. 만주와 한반도 인근지역을 합해서는 고인돌의 무려 70%가 상기 빗살무늬

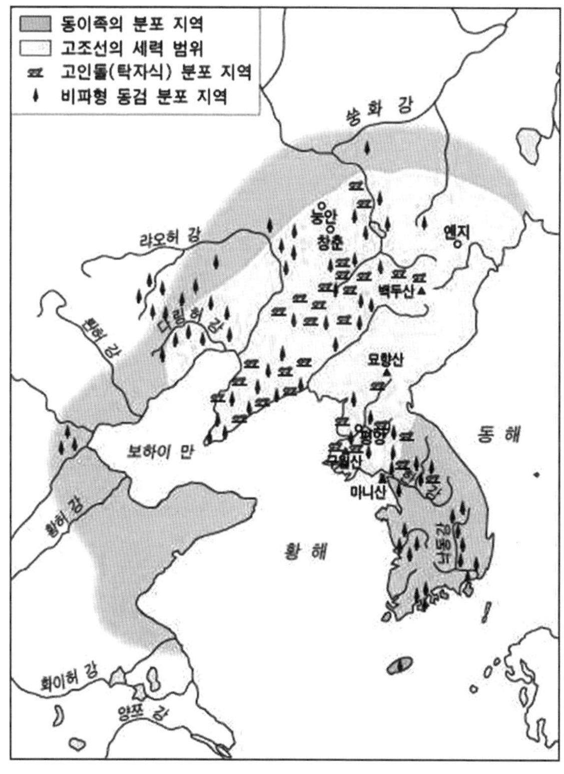

지도 출처 : 국사편찬위원회·국정 도서 편찬 위원회, 고등학교 국사(2002~2008), 교육 인적 자원부 p.35.

토기의 지도와 같은 루트를 따라서 동일 지역에 몰려 있다. 고인돌의 분포지역과 확산된 지역을 살펴보면, 한민족의 기원과 주류 인종이 어떤 지역에 몰려 살았고, 어떤 지역으로 이동하였는가를 잘 알 수 있다.

씨족이나 부족의 장을 상징하는 것이 청동검과 고인돌이다. 이 둘을 통해 부족국가를 이루었는지 아닌지를 확인할 수 있다. 그런데 이 둘은 만주지역에서부터 대거 연결되어 한반도 남부까지 이어져 내려온다. 원래는 한국인의 무대가 요동, 요서였는데 나중에 일본까지 건너갔음을 알려준다. 바로 이 요하강 지역이 우리 고대사의 문명 발원지이고 최초의 국가형태를 갖춘 고조선이 있는 지역이다.

신 아시아족인 퉁구스 계통의 하늘에서 내려온 부족(천신족)과 곰 토템을 갖고 있는 고 아시아부족의 결합을 상징하는 것이 단군신화이다. 신화에는 진실이 숨어있기 마련인데 단군신화는 새로 진입한 부족과 기존의 잔류하던 부족이 어떻게 합쳐졌는지를 보여준다. 고조선 전에는 우리나라도 전설의 나라가 있다. 중국의 삼황 오제를 대체할 만한 나라로 환국과 배달국이다. 고조선이 생겨날 때가 중국 역사에서는 상(은) 시대에 해당한다.

단군은 원래 제정일치 사회였던 고조선을 다스리던 제사장과 부족장 이름이고 퉁구스족 '알타이어' 단어 중 하늘이란 뜻인 "탱그르"에서 나온 파생어이다. '알타이'라는 말은 몽고말로 황금을 뜻하는 말로, 핀란드 언어학자 람스테드(Ramstedt)가 처음 연구해 밝혔다. 전통적으로 아시아와 유럽을 가르는 지역구분을 할 때는 우랄산맥을 기준으로 한다. 우랄 산맥을 경계로 우랄어를 구사하던 민족이 핀란드, 위구르 지역으로 갔고, 알타이산맥(중앙아시아에서 몽골, 북쪽으로 러시아 스텝지역, 남서쪽으로는 서남아시아를 나누는 산맥)을 경계로 '알타이어'를 쓰는 퉁구스족이 만주, 한반도, 일본열도 등으로 이주한다. 그리고 이와 비슷한 언어를 쓰는 투르크어족 역시 중앙아시아와 그 서남 쪽 소아시아로 이동했으리라 추정된다. 그들이 모두 우리 한민족과 비슷한 언어를 썼다는 설이 있다.

한반도 역사를 보면 한무제가 쳐들어와 고조선을 뒤이은 위만 조선을 멸망시키고 한사군(BC 108년)을 설치했다고 하는데 그 위치도, 역사적 사실도 확실치는 않다. 학자들 간의 의견이 분분하지만, 최근 북한 평양 지역에서 발견된 목간으로 인해 낙랑군은 지금의 대동강 유역인 평양임이 점점 확실해지고 있다. 한무제가 동이를 견제하고 한나라가 주도하는 세계 질서에 편입시키려는 의도로 낙랑군(BC 108–AD 313년 고구려 미천왕 때 멸망), 진번군, 임둔군, 현도군 등의 4군을 설치했지만 낙랑군만 제외하고 나머지는 통폐합 과정을 거쳐 25년도 채 유지하지 못할 정도로, 동이의 손으로 다시 돌아가게 되었다.

한나라는 AD 220년 멸망했지만, 낙랑은 그 후로도 살아남아, 후기 고조선 때부터 가장 번화한 수도였던 평양 지역 중심의, 조계지와 같은 경제적 거점을 유지한다. 그러나 정치, 군사적 역할은 매우 미약한 것으로 보인다. 아마도 점점 평양지역에 국한된 중국인들의 대규모 집단 거주지와 같은 형태로 변한 것이 아니었나 싶다. 그렇게 보면 한사군이 아니라 낙랑군이라고 해야 맞다.

그러나 3세기 중반의 공손 정권의 낙랑 재정비, 새로운 대방군 설치와 그 행정력이 위나라(위, 촉, 오 삼국 중 하나)로 계승되어 한반도 북부의 부여, 고구려뿐 아니라, 한반도 중부의 백제 견제도 가능해진다. 이러한 낙랑군, 대방군의 존재와 역할로 인해, 한반도 내에서의 통합세력이 3–4세기 가량 지연되어 출현하고, 고구려, 백제, 신라로 분리 성립된 고대국가의 중흥 역시 상당히 늦게 진행된다. 일본 지역이 야마토를 중심으로 중국의 영향권에서 상당히 벗어나, 더 원활하고, 독자적이고, 통합적으로 고대국가 수립을 진행해 왔다는 사실과 비교해보면 낙랑과 대방군의 그 견제의 힘이 더욱 확실히 느껴진다.

당시 한반도 북부의 강력한 나라였던 고구려도 AD 313년에서야 비로소 낙랑을 물리친다. 그런데 일본 열도에는 일단 중국에서와 같은 지속적인 강력한 초대강국(위, 전연, 북연, 북위, 수, 당)의 위협이 없었고, 대부분 각 지역에 소 왕국이 점거하고 있는 정도였다. 당시 일본이 점점 고대국가로 자리잡는 속도와 국력의 증강이, 한반도 내에서의 삼국간 투쟁과 대 중국 투쟁에 소모된 힘에 반비례해, 더욱 힘을 받고 매우 강한 형태로 나타났을 가능성도 배제할 수 없다.

한반도와 일본의 국가 형성

BC 300년경 야요이시대부터 진행된 중국 남동부와 주로 한반도로부터의 1차 대규모 인구이동으로 AD 1년경부터는, 이미 일본 열도 내의 인구는 약 300-400만으로 추산된다. 따뜻한 기온과 수경재배, 넓은 경작지로 인해 인구나 농업생산력을 비교해보면, 한반도 내의 어느 고대 부족 왕국의 합(인구 약 160만 추산)보다도 몇 배 더 큰 숫자이다. 신라와 가야에서 지배세력으로 머물다 일본열도로 건너가서 몇 백 개의 수많은 작은 부족을 통합해 정착했던, '도래인 스진 일왕' 때부터 일본은 최초의 의미 있는 "통일 왕국"을 형성하여 지속적으로 국력과 왕권을 확장해온 것으로 보인다.

2차 대규모 인구이동으로, 4세기 후반부터 고구려의 남하정책으로 밀려난 주로 백제와 가야의 피난세력이 대거 도일했다. 한편 중국의 5호 16국 시대(AD 304-439)에 화북 지방에서 흉노, 선비, 갈, 저, 강 등 북방의 여러 세력간 다툼이 있었는데, 이들 중에서 탁발선비가 북위로 통일되는 과정에서 밀려나, 가장 선비족과 치열하게 싸우다 패배하여, 남쪽으로 피난한 일부 흉노세력이 한반도 동남부와 일본에까지 진출하게 된다. 그리하여 먼저 도일해서 큐슈 지방에서 자리를 잡고 있었던 북부여, 백제계인 야마토 지방 정권과 힘을 합쳐 초기 "스진 일왕"의 "통일 왕국"을 무너뜨리고 새로운 무장세력의 힘으로 정권교체를 이루게 된다. 이 최초의 강력한 야마토 통일세력은 결국 6세기 초에 비로소 완전한 일본 내의 "통일 국가"를 형성하게 된다.

당시 4세기 후반부터 진행된 후기 고분시대의 오진, 닌토쿠 등의 세계 최고로 거대한 능묘의 규모를 봐도(물론 메이지 때 새로 확대하고 손을 본 것이기도 하지만), 일본 야마토의 국력이 얼마나 컸는지 알 수 있다. 신라왕족의 야마토 정권에 의한 볼모사태(AD 426년 박제상과 미사흔)와, 백제왕족의 일본에서의 숙위 제도 등을 봐도, 또한 6세기 중반까지도 영산강 유역은 일본과의 강력한 연대를 가진 마한의 독자 세력이 백제의 지배를 받지 않은 사실에서도 드러난다.

그리고 그 한참 후에 진행된 일이지만 삼국사기 신라본기에 나오는 신라에 대한 몇 차례에 걸친 침입과 정벌계획(AD 600년, 602년)을 포함해 지속적인 조공요구 등을 미루어보면, 이미 야요이 시대 말기(AD 300년)부터 급작히 팽창된 일본 야마토의 국력은 당시 한반도의 그 어떤 정치세력보다도 우위를 점하고 있었다고 말할 수 있다.

한민족이 최초로 이룬 국가는 고조선이다. 고조선은 연나라 유민인 위만이 준왕을 몰아내 준왕이 남쪽의 진국으로 밀려 내려가고, 우여곡절 끝에 결국은 한나라에게 망한다. 그 고조선의 뿌리에서 나와 이어받은 국가가 부여이다. 부여 역사는 만주벌판 쑹화강에서 시작되었는데, 우리 민족의 가장 중요한 뿌리임에도 불구하고, 과거 중국의 중화사상과 일본의 식민사관의 지대한 영향으로 관련기록이 많이 사라지고 지속적으로 최소화, 왜곡, 조작되었다.

물론 아주 급속도로 그 주변 종족과 고구려 역사와 문화에 흡수되기도 했지만, 고조선의 그 뿌리는 부여로 이어졌다. 부여 중에서도 북부여는 해모수가 건설한 국가인데, 여기서 갈라져 나와 졸본 부여라고 이름을 짓고 동명성왕이 펴져 나간 것이 고구려의 시초이다. 여기에서 또 분파해 나와 온조와 비류가 남하하여 마한을 일부 정복한 곳이 백제가 되었다. 백제왕가의 성은 전부 부여씨였고 그 뿌리를 이어받아 후에 성왕(聖明王 성명왕)은 백제를 '남부여'라고 했다.

한반도 내 인구의 유입

삼국사기 신라본기에는 백제가 멸망한 후에 당나라 소정방은 백제 의자왕을 비롯해 왕족, 고관 93명을 포함해서 신민들 12,000명을 끌고 당나라 낙양으로 돌아갔다고 하며, 일본서기에는 일본으로 4,000명의 백제인이 이주했다고 쓰여 있다. 고구려 멸망 후인 당 고종 때는 고구려의 부흥을 막기 위해 보장왕을 비롯해 약 20만 명(당시 28,300 가구)을 멀리 떨어진 양쯔강 이남으로 이주시켰다. 그리고 일본조정은 일본에 있었던 보장왕의 아들 약광을 위시하여 1,799명의 이주민을 위해 지금의 사이타마현에 고마군을 설치했다.

한사군의 낙랑군 호구조사에 의하면 AD 1년을 기준으로 낙랑이 40만 명인데 이를 토대로 추산하면, 마한 지역이 50만, 진한이 20만, 변한이 20만, 고구려가 30만 정도 된다. 또 한서지리지에 의하면, 서기 2년 한무제 인구조사 때에 한나라의 인구가 59,594,978 명이다. 이 당시 일본의 인구는 하기 매디슨 인구조사표에 의하면 300만 명으로 추정되는데, 한반도와 그 북방을 포함한 인구 160만의 거의 두 배로서, 이 정도의 인구 차이가 오늘날까지 지속된다.

당시의 세입은 인구와 직결되어 있었음을 감안하면 국력의 차이도 이를

Year	0	1000	1500	1600	1700	1820
China	59.6	59.0	103.0	160.0	138.0	381.0
India	75.0	75.0	110.0	135.0	165.0	209.0
Japan	3.0	7.5	15.4	18.5	27.0	31.0
Korea	1.6	3.9	8.0	10.0	12.2	13.8
Indonesia	2.8	5.2	10.7	11.7	13.1	17.9
Indochina	1.1	2.2	4.5	5.0	5.9	8.9
Other East Asia	5.9	9.8	14.4	16.9	19.8	23.6
Iran	4.0	4.5	4.0	5.0	5.0	6.6
Turkey	6.1	7.3	6.3	7.9	8.4	10.1
Other West Asia	15.1	8.5	7.5	8.5	7.4	8.5
Total Asia	174.2	182.9	283.8	378.5	401.8	710.4

아시아 인구, 0-1820년(단위 : 100만)
출처 : 매디슨(Angus Medison) 인구조사표

통해 알 수 있다. 당시 인구에 대한 논란은 많이 있지만 그 중 영국의 수량 경제사학자 매디슨(Angus Maddison) 인구조사는 타당성 있어 보인다.

인구의 유입은 그 이후에도 많이 일어난다. 중국에서는 항상 전쟁이 많이 일어났고 전쟁에서 패하면 노예가 되었다. 여기에 대규모 노역이나 전란을 피하고자 이주하는 사람들로 인해 인구의 이동과 유입이 이루어진다. 유민들은 주로 산동반도와 랴오둥(辽东)반도에서 들어왔고, 중국 남부 지방에서도 들어왔다. 또 한반도에서 전쟁이 있은 후에 포로나 노예로 왜나 중국의 각지로도 많이 끌려갔다.

한편 노예무역은 역사에서 많이 다루어지지 않았지만 인구 유입의 주원인으로 눈여겨봐야 한다. 노예무역은 가장 이익이 많이 남는 장사였다. 무로마치 정권 때의 혼란함을 틈타 왜구가 성행했던 고려 말, 조선 초기까지도 왜구가 한반도 남쪽에서 끌고간 조선인 노예는 수를 헤아릴 수 없을 정도로 많다.

제7차 고려-몽골 전쟁(9차까지 전쟁) 시에 원나라(몽고)가 침입했던 1254년 한해만 해도 20만 7천 명의 포로를 몽고로 끌고 갔으며, 임진왜란 후에도 왜군은 각 계층의 조선인들을 10여 만을 끌고 갔다. 병자호란 때는 후금(청나라)이 약 50십만 명을 끌고 갔는데 이건 당시 약 천만 명 정도로 추산되는 조선 인구로 봐서 어마어마한 숫자이다. 서울대학교 규장각 이숙인 교수의 연구에 의하면, 고려와 조선을 합해 공적 · 사적으로 중국으로 보내진 공녀의 숫자도 2,000명 정도라고 한다. 이렇게 끊임없는 인구의 이동과 유입이 이뤄지면서 인종이 섞이게 되고 이런식으로 수천년간 이어져 내려와 오늘날 역사와 문화를 이루게 되었다.

참고로 고려 말 충렬왕에서 시작했지만 정식으로는 조선 초, 태종 때 선포했던 "공도(空島)"정책이 있었는데, 왜구가 너무 자주 침입하고 일부 남해안의 해상세력이 왜구와 동조를 하니 아예 행정권이 전혀 미치지 못한 한반도 내의 온갖 섬을 비우게 하고 거주민을 본토로 이주시킨다. 태종은 명나라의 "해금 정책"을 본받아 시행한 것이지만, 이것으로 인해 거의 98년간이나 조선 반도의 모든 섬을 비우게 함으로써 왜구가 마음대로 한반도의 섬에 진출하여, 심지어 농업 · 어업권마저 손대게 되고 내륙으로의 침입을 가중시키게 된 원인이 되었다. 실제로 섬을 비우고 떠나길 거부했던 한반도의 해상세력들은 왜구와 같이 반정부세력을 형성해 동조했다.

한반도 역사-고구려에서 조선까지

신라의 삼국통일과 발해의 건국

고구려가 한창일 때는 만주 전역을 거의 다 차지할 정도로 땅이 넓었다. 고구려는 당시 중국을 통일했던 수나라, 당나라도 감히 넘볼 수 없을 정도로 강성했다. 인구는 적었지만 훗날 중국을 제패했던 거란족의 요나라, 몽고족의 원나라, 완안부 여진의 금나라, 그 후에 건주 여진족의 후금(나중 청으로 개명 함) 등, 이 모든 강력한 잠재력을 가졌던 여러 부족의 통합세력이 이룬 나라가 고구려였다. 고구려는 이렇게 근원적으로 용감 무쌍한 다민족 국가였다. 고구려 지배 세력의 중심은 고조선, 부여로부터 내려온 단군의 자손이었고, 다른 여러 부족들은 물론이고 심지어 흉노, 선비, 오환, 말갈족의 일부를 수용한 동북아시아의 제국의 성격을 띠고 있었고, 성격이 다른 여러 민족을 다스릴 수 있었던 역량이 충분히 있었다.

하지만 고구려는 신라가 주도하는 동아시아 외교 전략의 성공과 고구려 내부 갈등으로 백제와 함께 무너지게 된다. 이후 나당 연합군의 승리로 신라가 결국 한반도의 통일을 이루고 통일 신라 시대로 넘어간다. 고구려 백제가 무너진 후 그 유민들이 일본으로 대규모로 건너가서 여러 지역에서 집단을 이루며 살게 된다. 일본은 백제가 멸망한 후에도 백제 부흥군을 돕기 위해 3차에 걸쳐 총합 4만 7천 명의 지원군을 보냈으나 백강 전투에서 나당 연합군에게 궤멸되면서 백제와 왜의 관계는 끊어진다. 일본에서는 이러한 패배로 인해 내부 결속의 필요성이 증대되었고 당과 신라를 본받아 율령국가로 거듭나게 되는 계기가 마련된다. 일본은 AD 670년 국호를 왜에서 일본으로 바꾸게 된다.

그 후 고구려의 유민 세력을 규합해 대조영이 발해(대진국 AD 698-926)를 건국한다. 구성원 역시 고구려와 비슷하게 선비족, 거란족, 말갈족 등으로, 원류가 거의 다 알타이어족에 속한다. 우리 한반도의 원류인 고조선, 부여, 고구려를 건립한 예맥족 하고 비슷한 인종으로, 모두 퉁구스족과도 가깝다. 발해와 일본은 727년에서 919년까지 206년 동안이나 긴밀한 우호관계를 가진다. 처음에는 주변국 견제를 위한 상호연합세력의 성격을 띠었지만 차츰 대규모의 경제 문화적 교류로 발전하였다.

발해는 신라에 매우 적대적이었다. 신라는 이미 당나라와 합작하여 고구려와 백제를 멸망 시켰고, 그 고구려 백제의 유민들이 결국 발해와 왜의 지배 세력이 되었으므로 당연한 결과였다. 발해는 일본에는 공식사절만 34차례 파견하였는데(일본측은 12차례 파견), 신라와는 겨우 2번만의 교섭이 이뤄진다. 이는 일본이 당과 신라와는 적대관계였고 발해를 통해 중국대륙과의 문화 외교소통의 통로로 삼았기 때문이다. 실제로 발해와 일본 양국은 상호 국제 동맹국으로서 신라를 협공하여 침략을 노린 적도 있었다. 하지만 발해는 926년에 거란족의 요 나라에 멸망한 이후 중국에 편입된다(백두산 폭발에 의해 멸망했다는 설도 있음).

고려의 건국과 멸망

고려는 AD 918년에 창건되었고, AD 936년 개성에 도읍을 정했다. 신라가 망하기 전 한반도는 후백제, 후고구려, 신라로 갈라지는데, 이를 "후고구려"가 통일한다. 후고구려는 이후 명백히 고구려의 적통을 이어받았다는 의미로 고려라고 국호를 정한다. 요즈음 중국에서는 동북공정이라는 고구려 역사를 자국의 역사로 편입시키려는 의도가 있다. 그러나 고려라는 국호만으로도 고려가 고구려의 후계국임은 명백하다. 또한 발해 멸망 후에는 그 지배세력과 유민들이 고려로 몰려들어 왔는데 실제로는 전 발해인구의 1/10 정도 들어왔다고 한다. 이는 발해가 북방 다민족의 연합체였음을 보여준다.

왕건이 세운 고려는 불교를 통치이념으로 삼았으므로 불교적 색채가 강했다. 그리고 문치의 영향이 커서 문반이 무반을 무시하였고 무반에게서 권력을 점차 빼앗았다. 그러다 무인들(무반)의 반발을 사서 결국 무신정권(1170-1270년) 100년이 탄생하게 된다. 그 후 전 세계를 제패했던 원이 고려를 쳐들어오자(1231-1273년) 무신정권은 수도를 강화도로 옮기고, 30여년간 9차에 걸친 몽골과의 치열한 전쟁을 치른 끝에 결국 복속 당한다. 그 결과 원의 간섭기(1259년 고종의 원과의 강화에서 1356년 공민왕까지)로 들어갔다.

원은 1차 침입 때부터 개경에 다루가치(복속지 통치 행정관)를 두고 군대를 주둔시켜 행정을 간섭한다. 또 모든 왕들이 결혼동맹으로 원 황실과 혈연적으로 맺어지고 왕위에 오르기 전에 원나라에서 숙위 기간을 가졌기 때문에 실질적으로는 원 간섭기간 동안 고려는 부마국으로 전락하여 제후국이 된다. 당시 일본은 남송과 통상관계를 맺고 있었는데, 원은 일본원정을 두 차례 단행했지만 모두 실패한다. 당시 일본 침입 때 세웠던 정동행성을 그대로 두고 고려 왕을 그 휘하에 속하도록 한다.

원제국은 베트남 쩐(陳)왕조 때에도 3차례 침입했는데 모두 실패로 돌아갔다. 특히 1284년 쿠빌라이 때는 50만 대군으로 베트남을 침공했으나, 쩐흥다오(陳興道)라는 불세출의 장군이 이끄는 20만의 베트남 군에 패퇴하고 말았고, 1287년에는 다시 수륙 30만 대군으로 공격하였으나 역시 식량보급로를 끊긴 원군은 쩐흥다오 장군의 탁월한 활약으로 무릎을 꿇었다. 그는 당시 왕 인종이 항복을 하려 하자 자기 목을 먼저 치라며 배수진을 치고 전국 원로회의를 열어 결사항전의 대합의(延洪會議)를 이끌어낸다. 그는 이때 그 유명한 "격장사(檄將士)" 라는 글로 전국의 병사를 25만이나 모집했다.

그리고 그는 모든 국민에게 각개 게릴라전이 가능하도록 도구와 무기를 나누어주고 전쟁에 참여하게 한다. 그의 위대한 업적은 베트남이 일본과 더불어 세계에서도 유례가 드물게 당시 세계 최강을 패퇴시킨 예가 되었으며, 이는 역사적으로도 베트남이 향후 20세기 인도차이나 전쟁 시에 프랑스, 미국의 침략을 막아낸 전례가 된다.

조선의 건국

이성계는 AD 1392년 조선을 세우면서 신진 사대부를 등용한다. 그는 고려 때 불교의 여러 폐단을 봐오던 터라 억불책을 펼친다. 그러면서 구 세력과 신 세력의 이해관계가 충돌하기 시작한다. 신진 사대부 정도전은 유물 동이지변, 삼봉집, 불씨잡변 등에서 불교는 폐지하고 송나라 주희의 성리학을 통치이념으로 삼을 것을 주장한다. 조선 건국 이전부터 정도전 자신이 철저한 유교주의자로서 부모가 죽자 삼년상을 치렀고, 이미 고려 말부터는 성리학이 대유행을 타고 있었다. 정도전을 포함한 여러 신진 사대부 때문에 조선으로 들어와서 더욱 유교의 영향력이 커졌다.

이성계는 몇 대조 할아버지 때부터 원나라에서 다루가치로 벼슬을 세습해 살다가 고려로 귀순한 집안 출신으로, 출신지역인 함흥지역 여진세력의 힘을 뒤에 업고 가장 강력한 사병을 갖춘 무장세력이 되었다. 그는 당시 홍건적의 난을 틈타 성장한 명의 출현과 원나라의 쇠퇴를 각종 전쟁터를 직접 돌아다니며 생생히 지켜봤다. 또한 원나라가 주장한 명나라 요동 정벌의 무리함을 알고 위화도 회군을 계기로 당시 신진사대부 세력과 손을 잡아 친원파를 몰아내고 최고 권력자가 되었다. 홍무제 주원장(고려의 공녀 여러 명을 첩으로 뒀음)으로서는 조선반도에서 적극적인 사대주의를 표방하는 이성계과 그 조력자들로 하여금 새로운 왕조를 세우도록 밀지 않을 수 없었다.

이후 조선은 정권이 안정기에 접어들면서 세종, 성종대에는 세계에도 자랑할 만한 비약적 발전을 이루었다. 이때를 포함해 AD 1500년대 초까지 중국, 일본, 한국이 동시대 세계에서도 가장 발달된 문명을 이루게 되었다.

누르하치의 후금(후에 청나라로 개칭)이 인조 5년에 쳐들어온다. 그 당시 후금은 동북아 가장 강대국이었다. 후금은 운도 좋아서 임진, 정유 등의 전란으로 일본과 싸우느라 명나라, 조선이 미처 신경을 못 쓰는 사이에 과거 세계 최강 국가인 원나라 몽골세력과 결혼동맹으로 연대하여 후환을 없애나가면서 대국이 된다. 그러다 1627년 정묘년에 조선과 형제하자면서 처음 쳐들어와 화의를 맺고 되돌아갔다가, 조선이 여전히 상황을 제대로 파악 못하고 자꾸 명에게 붙으려 하니, 1636년 병자년에 전란을 일으켜서 다시 쳐들어왔다. 한반도를 휩쓸고 초토화시키면서, 인조를 지금의 송파지역인 삼전도에서 무릎 꿇리고 세 번에 걸쳐 머리를 9번 조아려 땅에 머리를 박고 절을 하게 하고 완전히 항복을 받았다. 조선은 그렇게 수모를 당하고 겉으로는 굴복했지만 정신적으로는 그러하지 않았다.

그 후에도 명나라는 망해서 없어졌어도 조선은 '대명'을 이어간다고 생각했다. 즉, 소중화 사상을 계속 이어간 것이다. 심지어 임진왜란 때 조선을 위해 파병을 해주었던, 죽은 명나라 만력제 신종과 병자호란 때 구원군을 보내준 숭정제 의종(이자성의 난 때에 자살했음), 그리고 나중에는 조선 개국을 승인하고 국호까지 하사한 태조 홍무제 주원장을 포함한, 세 황제를 위해 만동묘와 대보단까지 세운다. 조선은 이처럼 의리와 대의명분을 따지며, 고종 때까지도 제사를 지내는 사대의 극치를 보인다. 의리를 중시하는 성리학, 예학의 관점에서 보면 당연한 것이었고 조선의 사대부들의 머릿속에는 숭명(崇明)사상이 가득했다.

조선의 멸망

조선은 마음 깊은 곳에서 중화사상을 이어갔고, 문화적인 우월감을 가지고 있었다. 그러면서 군사적으로는 뛰어났지만 문화적으로 떨어진 청을 무시했다. 청, 일본에게 군사적으로 굴복했지만 정신적으로는 굴복하지 않았다. 청과 일본에 대한 정신적 · 문화적 우월 의식을 조선말 일본에게 망할 때까지도 가지고 있었다.

실속 없이 체면만 차리는 망국적인 성리학 위주 처세술의 폐단이다. 이는 결국 조선 후반기의 실학운동으로 펼쳐지는 계기도 되었다. 하지만 역설적으로는 한민족이 무시해왔던 여진족의 중국 정벌의 충격으로 인해 신라 통일 이후 계속되었던 중화체계의 정신적 예속에서 최초로 벗어나, 일말의 자주정신, 민족적 정체성과 자존감을 깨닫고 회복하기 시작했던 계기도 된다.

조선이 이때 힘을 못쓸 수밖에 없었던 이유는, 바로 30년 전인 1592년 발발한 임진왜란과 1597년의 정유재란을 겪었기 때문이다. 이미 조선은 1627년 후금이 쳐들어왔을 적에는 더 이상 힘을 쓸 수가 없었다. 임진왜란, 정유재란, 정묘호란, 병자호란 이 4번의 어마어마한 전란이 국토를 쑥대밭으로 만들어서 조선은 회생이 불가능할 정도로 무너졌다. 모든 산업 기능공도 전란 후에 일본, 후금으로 끌려간다.

조선은 세계 실정에 어두웠기 때문에 외부에서 어떤 일이 벌어지고 있는지 잘 몰랐고 알 필요성을 느끼지도 못했다. 예를 들어 임진, 정유재란 후에 일본의 도쿠가와 막부시대가 열리면서 조선은 일본에 통신사를 보내면서 230년간 일본과 화평의 시대가 열렸다. 조선은 통신사를 통해 일본에 많은 영향을 주었다.

이때까지는 일본이 새로운 문물, 무역에 대한 갈증이 컸고, 유교에 관한 한 교양과 식견이 약했으므로 조선의 통신사들을 처음에는 매우 환대했다. 대표적인 예로 1588년 황윤길, 김성일을 따라 일본에 갔던 이해룡이라는 한 사자관은 글씨를 잘 썼는데 그 사람의 글을 받기 위해서 일본사람들이 구름같이 몰려들었다. 그는 두 달 이상이나 글을 많이 써주느라 병이 날 정도로 인기가 있었다.

일본사람들은 조선의 정신문명을 대표하는 교양 있는 통신사들을 문화적 호기심으로 숭배했다. 물론 이러한 사상적, 문화적인 우월성도 얼마 가지 않아 일본의 식자층에게 곧 역전된다. 일본 지식인들은 주로 네덜란드를 통한 서양의 많은 과학서와 물질문명에 자극을 받아 비교적 세계 정세에 해박한 지식으로 무장되어 있었다. 일본은 기본적으로는 쇄국을 표방하고 있었으나, 류큐나 나가사키의 데지마를 통해 중국과 서방으로부터 직접 문화가 들어와 그 문명의 흡수가 재빠르게 진행되었기 때문이다.

당시 후반기 통신사들과 일본 지성인과의 대담을 보면, 이미 세계정세에 밝은 일본 지성인들에게 조선의 일류 지식인인 통신사들도 어쩔 수 없이 한계를 드러내는 일들이 많았다. 그런 까닭에 일본 지성인들도 꽉 막혀있던 조선 지식인들을 무시하기 시작했고, 그들과 더 이상 교류할 필요가 없다고 느낄 정도로 모든 방면에서 조선은 일본에 비해 급속도로 뒤떨어지기 시작했다.

임란 후 조선은 많은 전란과 서민경제의 파탄으로 조선 말에 이르러서는 계산이 불가할 정도로 일본과 격차가 생겼다. 중앙정부의 관리부재, 행정력 미비, 무능은 차치하고서라도, 수령, 아전을 비롯한 지방관아 탐관오리들의 부정부패와 수탈이 범람했다. 지방특산물 명목으로 바치는 공납, 군역에 대신한 군포 수납에 황구첨정, 백골징포와 같은 잔혹한 세금 부과가 있었다. 이 같은 농민 착취로 소작민은 일하기를 꺼렸다. 그리고 기근이 들 때는 몇 십만이 굶어 죽는 일이 허다했고, 혹독한 세금 징수를 피해 한 마을이 통째로 없어지는 경우도 허다했다.

이러한 폐단을 막기 위해 영정법, 대동법이나 균역법 등을 시행하는 등 많은 행정적 노력을 했고, 그 후 영, 정조대의 국가 개혁과 경세치용, 이용후생을 주장한 실학운동을 통한 구국개혁, 적폐청산 운동도 한다. 그러나 기존의 기득권 세력층의 온갖 방해로 모두 헛수고로 돌아가고 결국 일

17세기 유럽왕조 국자재정 대비 지출 상황		
함스부르크	오스트리아	Habsburg-13%
부르봉	프랑스	French-18%
올덴부르크	덴마크	Danish-12.5%
스튜어트	영국	English-10%

중세 유럽의 경우 10-18%의 국가 재정(State Budget)으로 왕실을 유지하는 비용으로 썼고, 후반부로 갈수록 각국의 경제력이 커짐에 따라 왕실의 재정은 정부예산 대비 매우 적은 규모로 줄어든다.

본의 식민통치를 당하기까지 이르게 된다.

조영준 교수가 10년간 연구로 발간된 조선 왕실의 재정운영에 관한 연구결과를 보면, "조선 말 왕실은 정부 재정의 20~30%를 차지하는 재원을 운영하고 있었지만 거의 대부분이 채무 불이행 상태였던 것으로 드러났다. 현재의 화폐가치로 환산한다면 조선 왕실의 빚은 현 정부 재정 규모인 300조 원의 최소 20%인 60조 원 규모가 넘었을 것으로 추산" 되었다.[1] 그렇지 않아도 궁핍한 조선의 국가 재정에서 당시 최강국이었던 유럽의 왕실보다도 훨씬 더 많은 비율로 국가예산을 썼던 것이다. 조선 왕실은 빚투성이에다가 백성들의 삶은 전혀 돌보지 않았음이 여실히 나타나는 부분이다.

1) 조영준, 『조선 후기 왕실재정과 서울상업』, 한국학중앙연구원, 소명출판, 2016.

2.
한국 문화의 특성

한국의 정신문화

조선은 초기부터 성리학의 영향으로 선비정신이 발달했다. 선비정신이란 의리(義理), 지조(志操), 절개(節槪)를 가지고 끊임없이 자기를 수양해서 학식을 갖추고, 알고 행동하는 것이 서로 합해져야 한다는 지행합일(知行合一)과 청빈(淸貧)정신을 추구하는 것이다. 또한 인격 완성을 위해 노력하며 염치(廉恥)를 알고, 예의 범절을 추구하는 것이다. 자기 자신에게는 매우 엄격하고 남에게는 관대한 박기후인(薄己厚人)의 정신과 겸손(謙遜)함으로 남을 이끌고 솔선수범하는 정신을 포함한다. 이것들은 유교의 성리학 사상에서 나오기도 했지만 한국의 전통적 홍익인간 정신, 인본주의, 평화주의, 공동체 의식, 내세관과 결합한 것이다.

선비정신은 전 세계에 제시할 수 있는 한국이 자랑할 만한 훌륭한 인간철학이다. 예를 들면, 개인과 개인은 이해관계 때문에 싸울 수 있다. 그런데 선비정신에 투철하면 싸움이 잘 안 된다. 정신세계를 통해서 자기를 수양하고 예를 다하기 때문이다. 즉, 선비란 "들어갈 때와 나올 때"를 스스로 엄격하게 판단하는 사람이다. 관직과 재물을 탐내지 않는 청빈, 청백리도 이것과 연관된다. 조선시대에는 이처럼 무보다 문을 숭상하고 논리를 선호하는 사상과, 수신제가치국평천하(修身齊家治國平天下) 같은 도덕관념이 발달했지만, 반대로 사농공상 같은 엄격한 신분 질서로 과학과 상업의 발달을 저해하기도 했다.

즉, 선비사상은 논리를 선호하는 사상으로 글로써 서로 논쟁하는 일이 많았다. 자기가 받드는 선생의 후학을 양성하기 위해 서로 서원을 세우기도 했지만, 선생이 주장했던 것을 몇 대에 걸쳐서 주장하는 등 계속 명분싸움을 했다. 선비는 항상 준비를 하고 있다가 나라가 부르면 나가야 한다. 그래서 선비는 계속 때를 기다리며 자기를 수양하고 도를 닦았다. 유교(주자학=성리학)가 조선의 통치이념으로 자리잡고서 바로 이 선비정신이 발달하는데 '유생은 스스로 고아한 정신세계를 통해 부단히 문, 예를 갈고 닦는다'는 것이 바로 선비정신의 핵심이다.

사랑방문화 또한 한국 특유의 문화이다. 옛날에 부잣집들은 글을 쓰는 사람들을 위해서 손님방을 비워 놨다. 학식이 높고 문장력이 높았던 유명한 방랑시인 김삿갓과 같은 사람들은 한 달이고, 일 년이고, 사랑방에 모여서 담화와 필담을 나눈다. 이처럼 조선시대에는 풍류객들과 교우하며 지성을 앙양하는 문화가 발달했다. 서원 문화 및 사랑방문화를 통한 인문학 전통이 도덕적인 기초 하에서 실심실학(實心實學)으로 이어져 지행합일을 지향하게 된다. 이러한 문화가 있었기 때문에 국가가 위급한 상황에 처했을 때는 애국지사들이 나올 수 있었던 것이다.

임진왜란 때 고경명, 정문부, 곽재우 등과 조선말 매천 황현, 민종식, 최익현 등과 일제시대의 안중근이나 윤봉길의사가 바로 이런 예이다. 이런 사람들은 수준 높은 학식을 갖추고 있는 훌륭한 선비들이다. 지행합일이라는 뚜렷한 명분으로 나라의 위기 때는 선비들이 서원에서 의병들을 모아서 싸웠다. 알고 있는 것과 행동하는 것이 합쳐져야 한다고 생각했기 때문이다.

수많은 외세 침략과 전쟁의 참화 속에서도 한국만의 독특한 개념과 문화가 발달한다. 우리들 개념, 정과 흥, 풍류와 해학 등이다. 이러한 정신들은 모두 한국문화를 대표한다. 그밖에도 창조적인 두뇌도 아주 발달해 새로운 글을 창조한 한글의 위대한 유산도 있고 또, 은근함 속에 역 발상적인 구수한 해학도 항상 동반한다. 그 중 고조선에서부터 내려온 민족철학의 기본방향이자 개념인 '제세이화'와 '홍익인간' 정신은 합리성으로 세상을 다스린다라는 위민사상으로 한민족이 자랑스럽게 내세울 수 있는 전 세계의 모든 종교관을 초월한 탁월한 기본의식이다.

단군사상의 제세이화(濟世理化), 홍익인간(弘益人間) 개념, 배달민족(밝달-빛의 산) 개념, 조선시대까지 이어져 내려온 동학의 천인합일, 인내천(天人合一, 人乃天)사상은 모두 한국인이 거주하는 지역에서 뿌리를 내린 한민족 원류사상이 계승 발전된 것이다. 그 중에서 통치이념으로 한국문화에서 가장 중요한 것이 홍익인간이다. 홍익인간 사상은 "인간을 최고로 존중한다"는 사상으로 인간 안에 신이 있고, 또한 상대방에 대한 지극한 이타주의로서의 "널리 인간을 이롭게 한다"는 것이 기본개념이다. 즉 인간가치를 최우선으로 강조하고 인간이 모두 하늘 아래 평등하다는 "평화와 인도주의"를 바탕으로 한다. 그러므로 한민족의 가장 뚜렷한 철학적 정체성이라고 할 수 있다.

불교문화가 신라 때부터 뿌리 깊이 한국인의 중요한 의식을 지배했는데, 장례의식인 다비(茶毘)문화 및 화장문화에도 영향을 미쳤다. 그런데 한국문화는 그 당시의 통치이념에 따라 많은 변화를 거듭했다. 고려 시대에는 불교문화의 영향으로 장례 시에 화장을 했다면 조선시대에는 유교의 영향으로 부모가 죽으면 매장을 했다. 효에 대한 지나친 의무감으로 조선시대 사대부들은 부모가 돌아가시면 부모의 묘소 옆에 움막을 짓고, 상복을 입고, 아침 저녁마다 곡(朝夕哭)을 하고, 머리와 수염을 깎지 않으며, 술과 고기를 끊는 '삼년상'이라는 시묘(侍墓)살이를 했다.

고려 시대에는 불교적 내세관, 윤회사상, 생명중시사상, 수행사상 등이 발달해서 많은 왕족이 국가차원에서 운영하는 불교사원의 승려가 되기도 했다. 고려 때는 왕족들이 사원을 경영했고 불교 사찰의 땅뿐만 아니라 모든 국가의 땅과 권리를 왕족들이나 권문세족들이 갖고 있었다. 불교는 점차 고려의 통치이념으로 정착해서 연등회, 팔관회 등 대규모 국가적 축제를 거행하기도 했다.

윤회사상은 인도 토속신앙인 힌두의 요소를 불교문화가 수용한 것이다. 이는 중국, 일본에도 전래된다. 중국도 불교사상이 상당히 퍼져있었고 이런 복합적인 것들이 끈끈하게 섞이면서 내려와 한국문화에 상당한 영향을 준다. 그 밖에도 불교, 도교, 범신적인 힌두교 등 외래종교적 요소와 단군사상, 샤머니즘을 비롯하여 중국 유교 사상이 합쳐져서 점차 한국 특유의 고유한 사상으로 자리잡게 된다.

한국의 샤머니즘은 바이칼 호수 쪽의, 역시 퉁구스의 고향인 중앙아시아에 원류가 있다. 샤만(Shaman)은 인간과 신의 매개체로서 마음과 몸의 병을 초자연의 힘을 빌어 치료하는 영적 메신저라고 말할 수 있다. 시골에 가면 마을에 서낭당이 있는데 느티나무 아래 헝겊 같은 것을 묶어 놓고 마을의 안녕과 평화를 기원하는 것처럼, 샤머니즘은 한국사회에서 몇 천년을 이어왔다. 무속이라고도 일컫는데 고조선 단군 때의 제정일치 사회에서의 제천의식이 부여(영고), 고구려(동맹), 백제(무천), 신라, 고려 때는 팔관회로 이어진다. 샤머니즘의 문화는 솟대, 무당, 굿, 접신, 신명 등과 관련 있다.

한국의 효사상은 세계에서도 유례를 찾아보기 어려운 것으로 한국 고유의 정신이다. 효사상은 매우 강한 부모 봉양사상과 노인 공경사상으로 발전한다. 예로부터 한국은 효를 모든 행실의 근본으로 받들었다. 효자, 효부들의 공덕을 기리는 비문을 동네마다 세우는 등 인간의 기본정신으로 강조해 왔다. 이러한 한국 효문화는 도덕심이 한없이 떨어지고, 이기적인 물질만능주의의 현대사회에서 커다란 사회적 가치를 발휘하게 될 것이다. 한국은 효문화를 더욱 발전시킴으로써 세계적으로도 인간성 회복, 세대간 갈등과 치유, 가족 및 사회공동체 동질성 의식의 앙양에 이바지할 것이다.

향악, 계 모임도 한국을 대표하는 공동체 문화에 속한다. 향악은 상부상조에 의거해 엄격한 법 개념이 없고 인정과 상식에 의거해 서로 돕는 것이고, 계는 서민경제의 방편으로 서로 돈을 각출해서 한 사람씩 돌려가며 타는 것이다. 맨 마지막에 타는 사람이 이자가 제일 높고, 일반 백성들의 보편적인 경제 문화였다. 한국 사람들은 남에게 돈을 빌려줄 때 법을 그다지 중시하지 않았다. 돈도 꼭 받을 생각없이 그냥 빌려주었고 못 받아도 개의치 않았다. 손해 보는 것에 대해 시시 콜콜 따지는 것을 별로 안 좋아했다. 옛날부터 장에 가서 쌀을 팔 적에도 되에 담고 밀대로 미는데, 다 밀지 않고 중간에 멈추고 그냥 주었다. 이런 생각의 융통성이 일반화되어 있는 것이 한국의 '덤문화'이다.

한편 유교와 더불어 조상숭배에 영향을 주었던 풍수(Geomancy)문화도 효문화 및 길흉화복사상과 더불어 굉장히 발달했다. 일본과 중국에서도 많이 발달했었는데 대부분 그 기능과 전통이 퇴보했다. 풍수는 인간과 자연의 조화를 중시하는 도교에서 발원된 사상이기에, 땅 모양과 바람의 흐름이 중요하다. 이것이 한국에서는 음택(묘 자리), 양택(집터)을 보는 "천시와 지공" 이론으로 발전하여, 유교에서 강조한 장묘, 조상을 기리는 제사문화와 더불어 크게 유행했다. 풍수는 음양오행설과 기(에너지)를 모을 수 있는가, 흩어지게 하는가 하는 땅의 길흉화복을 예측하는 일종의 지리학이다.

조선에서는 조상숭배를 비롯해 가계의 연속성을 무엇보다도 중시했다. 그런 까닭에 수십 세대, 몇 세기에 걸쳐서 그 집안의 장자에게 족보 원본이 전해 내려오도록 되어있다. 이 같은 족보문화는 가문이나 혈통의 계승을 중요시하는 유교문화의 영향이 크다. 족보문화를 토대로 장자와 대를 이을 손을 중시하고, 제사를 이어가야만 한다는 것이 절대적 명제로 자리잡아서, 조선시대 내내 이어져 왔다. 중국은 60년대 문화혁명 당시 특히 4대 구악이라고 해 전부 태워 없애버렸다.

한편 칠거지악(七去之惡)같이 여성의 삶을 억압하는 문화도 있었다. 이것을 빌미 삼아 남편은 아내에게 이혼을 당당하게 요구하기도 했다.

칠거지악 : 일방적인 이혼사유로서 남존여비 사상
시부모에게 순종하지 않음(不順父母)
아들이 없음(無子)
음탕함(不貞)
질투함(嫉妬)
나쁜 병이 있음(惡疾)
말이 많음(口說)
도둑질을 함(竊盜)

그러나 칠거지악에 해당하는 잘못을 지었더라도 다음과 같은 세가지 경우에는 내쫓지 못하도록 하였다. 이런 세가지 경우를 삼불거(三不去) 또는 삼불출(三不出)이라고 했다.[2)]

내쫓아도 돌아가 의지할 곳이 없는 경우(有所取無所歸不去)
함께 부모의 삼년상을 치른 경우(與共更三年喪不去)
전에 가난하였으나 혼인한 후 부자가 된 경우(前貧賤後富貴不去)

조선에서의 이런 매우 유교적인 문화는 일본과 중국과는 많이 다르다. 동양 3국 중에서도 조선은 고집스럽게 유교문화의 전통을 계승해 나갔다. 고려와 조선 초기만 해도 딸은 큰 차별대우를 받지 않고 상속과 이름을 갖고, 부모 제사를 지내는 것이 보편화 되어있었다. 그러다 조선 후기로 갈수록 전란의 여파로 가정 질서파괴, 성 관념의 혼란 등이 초래되자, 사회질서를 바로 잡기 위해 노력한다. 이때부터 현저히 모자란 토지와 재산의 안정적 유지를 위한 장자상속제도, 부계친족제도가 무리하게 발달하면서 가부장제도와 남아선호사상으로 변질되었다. 이러한 여성 비하와 인권침해는 전 세계적으로 고금을 막론하고 계속 존재해 왔지만, 반드시 없어져야 마땅하고 한국 문화에서도 하루빨리 벗어나야 할 구태 중 하나이다.

한국의 예술 문화와 식문화

한국의 집 형태나 정원을 중국식과 비교해보면, 중국의 경우 그 모양과 장식이 굉장히 과장되어 있다. 중국 정원에는 경석이라고 치장된 관상용 돌도 과장되어 있는 등 중국의 문화 속에 과장성이 꽤 들어있다. 그에 반해 일본은 극단적으로 단순 깔끔하면서도 인위적이다. 한국은 자연 친화적이고 절제미 속에 약간의 파격미가 있다. 달 항아리에서 보이는 바와

2) 공자가어(孔子家語) 본명해편(本命解編); 조성문. '칠거지악(七去之惡).' 세종신문. n.p., 30 05 2005. Web. 2 May 2017. http://www.sejongnewspaper.com/sub_read.html?uid=1917.

같이 소박하지만 약간의 부정형이고 시원한 멋이 있다. 이것이 바로 한국이 주는 독특한 멋이다.

소박미, 자연미, 청순미는 달 항아리뿐 아니라 한옥(안동 하회마을, 전주, 경주 양동 마을, 서울 북촌 가회동), 정원(담양 소쇄원, 해남 보길도의 부용동 정원, 경북 영양의 서석지, 경복궁 향정원, 창덕궁 비원)에서도 볼 수 있는데 과장이 덜하고, 인위적인 것을 싫어함이 뚜렷하다. 노장사상으로 무위자연, 순리주의의 영향도 일부 있지만 자유분방하고 발랄한 기상, 재치와 해학, 무엇에 얽매이는 답답함을 싫어하는 한국인의 기질적 특성과 미적 감각에서 기인한 것이다.

온돌문화도 한국의 건축문화를 보여준다. 원래는 '구들'이라고 해서 고대 퉁구스족으로부터 전해져서 시베리아에서부터 내려오는 건축문화이다. 그것이 우리 한민족의 본류처럼 자리잡았다. 온돌은 여름에는 굉장히 시원하고 겨울에는 따뜻하다. 실제로 많은 다른 나라에서도, 이처럼 과학적 온열관리가 가능한 온돌문화로 바뀌고 있다. 중국도 많은 아파트가 플로어 히팅(Floor Heating) 방식으로 바뀌고 있다. 이 온돌문화는 플로어 히팅의 새로운 에너지관리의 효율성으로 전 세계적으로도 곧 각광을 받을 것이다.

한편 옛날 민요나 노래에 한(恨)문화의 실마리가 담겨있는데, 살풀이 라든지 심청가, 판소리 등이 한(恨)문화를 대변하고 있다. 자세히 살펴보면 중국과 일본과 같은 한이 아니다. 일본에서는 한이 미움(憎み 니꾸미)이라는 단어와 섞여있는데, 우리는 미움이 아니고 그걸 승화시켜서 미움을 깨뜨리고 인간애로 받아들이는 개연성과, 내면적으로 삭히고 승화시켜 원형을 넘어 보듬어내는 열림성(Openness)이 있다.

즉, 한은 억울하다는 것만 생각하면 안 되고 승화시켜서 열려있는 것을 이해하는 것이다. 이것은 한풀이, 살풀이와 같은 오락적이고, 해학적인 것과도 관련된다. 한바탕 정신 없이 놀아버리고, 한동안 잊어버릴 준비를 하는 것이다. 일반 백성들은, 양반이나 기득권 세력에게서 갖은 서러움을 당해 한이 맺혀있어도, 탈춤놀이와 같은 것을 통해 양반을 한껏 조롱하고 그 한을 풀어버렸다.

한국의 식문화를 대표하는 것은 발효문화이다. 중국, 일본도 발효문화가 있지만 한국만큼 발달되지는 않았다. 발효문화는 음식문화로서 된장, 간장, 고추장, 김치 담는 김장문화, 홍어 삭힘, 젓갈, 등 식자재 관리의 효율성을 살렸다. 생태 자연친화성인 식문화를 세계에서도 한국이 가장 높이 발달시켰다.

우리나라 옛날 전통 바지를 핫바지라고 하는데 앞 뒤가 없다. 앞으로 입으나 뒤로 입으나 같다. 비빔밥도 개념이 같다. 한국은 이처럼 섞어서 포용한다는 융통성이 매우 강한데 이러한 전통은 통섭과 융합적 상상력이 요구되는 현대 과학과 사회발달에 있어서, 이러한 개념에 매우 익숙한 한국인으로서는, 앞으로 빛을 발할 수 있을 것이다. 지금도 실제로 그러한 기질이 발휘되어서 세계에 통하는 많은 훌륭한 대중문화 작품들이 나오고 있다. 풍자와 해학으로 엮어진 판소리나 탈춤, 풍물을 보더라도 정확한 형식에 의존하기보다는 현장 예술로서의 자유분방함이 허락된다.

판소리는 어느 곳이라도 소리꾼과 연주자만 있으면 무대가 되고, 창과 아니리(말하는 부분), 발림(몸짓 또는 너름새)들을 섞어 가는 일종의 퓨전 음악이다. 탈춤과 풍물은 즉흥성이 대단히 돋보이는 일종의 퓨전 극이다. 관객들도 구경꾼에 불과한 것이 아니라 능동적으로 추임새를 넣거나, 같이 얘기하고 놀고 춤추면서 함께 무대를 만들어가는 개방성이 있다. 이렇듯 한국은 임기응변에 강하고, 유연함과 끈기가 있는 독특한 문화를 이루어 나갔다.

이상으로 과거 한국 전통문화를 살펴봤다. 다음 장에서는 이러한 전통문화가 어떻게 현대로 들어와서 영향을 미치는가 살펴보겠다.

3.
한국의
현재와 문화력

한류의 위상

한국의 경제 발전과 한류

"1990년대 말부터 아시아에서 한국 대중문화의 열풍이 일기 시작한다. 한국의 드라마가 수출되고 가요가 알려지면서 아시아를 중심으로 한국의 대중문화가 인기를 얻게 된다. 이 현상을 설명하는 것으로, 중국에서 2000년도에 '한류'라는 용어를 사용하였다."[3)]

중국에서는 위와 같이 한류를 따라가고, 무조건적으로 한국 신세대문화의 옷차림, 화장, 음악을 모방하는 청소년들을 일컬어, '힙한족'이라는 신조어로 부르기 시작했다. 한류의 원인은 한창 한국이 경기가 좋을 때인, 86년 아시안게임과 88년 서울올림픽을 개최하고 문화적 개방성이 두

3) '영국서, 한류를 통해 코리안 위상 느낀다.' Free NK. n.p., 24 11 2012. Web. 16 March 2017. http://www.ifreenk.com/?mid=refugee&l=es&listStyle=list&page=8&document_srl=4713.

드러지게 나타나면서 우선 대중문화 분야에서 발전하여 중국에 많은 영향을 주기 시작한 데서 비롯한다.

사실 우리나라의 아이돌문화, 트레이닝 방법 등은 각 엔터테인먼트 회사들(SM, YG, JYP 등)이 일본에서 들여온 것이다. 일본 아이돌 그룹은 아시아를 넘어서 세계로 뻗어나가지 못했다. 그 이유는 글로벌한 통용성이 없었기 때문이다. 일본만 해도 그들이 과거에 가지고 있었던 제국주의 영향 때문에 중국, 태국, 베트남 등에는 잠재적인 반대세력들이 있다. 그래서 일본의 경우 글로벌하게 확산시키는 데 한계가 있다.

한국에는 신명 난다는 표현이 있는데 이는 한번 꽂히면 미친 듯이 몰두하는 것을 말한다. 그런 것들이 일본의 아이돌문화보다 더 매력있게 다가가서 한류를 만들어 내지 않았나 싶다. 한국인은 드라마나 영화를 24시간, 48시간 연속 촬영한다. 일단 물이 오르면, 정신 없이 어느 누구도 흉내내지 못하는 열정을 뿜어내는 신기가 발휘되는데, 다른 나라에서는 이렇게 하기가 어렵다.

우리나라는 일제 35년간 식민지생활로 인한 엄청난 인적, 물적 수탈을 당한 이후에도 세계 열 손가락 안에 들만큼 경제적으로, 문화적으로 큰 국가로 변해서 전 세계에 영향을 주고 있다. 일제 35년을 겪으며 태평양전쟁에 동원된 인적, 물적 자원의 완전한 고갈, 황폐함도 있었고, 연이어 발발한 한국전쟁으로 완전 잿더미로 변하기도 했다. 그 결과 경제적으로 아무것도 남아 있지 않은 나라였지만, 불과 30년 만에 산업화, 민주화라는 두 마리의 토끼를 동시에 잡았다. 결국은 경제가 성공하면서 민주화의 토대도 마련되었다고 볼 수 있고, 이로 인한 한국인의 잠재 능력이 유감없이 발휘되었던 것이다.

이것이 가능했던 것은 당시 미국과 유럽 선진국들의 원조에 의거한 바도 크다. 현재는 한국도 보은의 차원에서 코이카(KOICA)라는 프로그램을 운영하는데, 이것은 마치 60년대 케네디 정부 때부터 미국의 피스코(Peace Corps)가 전 세계 돌아다니면서 저개발국가를 도와주는 것과 유사하다. 이제는 대한민국이 전 세계를 돌아다니면서, 원조 받던 나라에서 원조하는 나라로 변해, 저개발국가들을 굉장히 많이 도와주고 있다.

미국 정부는 해방 후부터 1969년까지 군사원조와 경제원조를 합해 무상원조 약 44억 달러, 유상원조로 4억 달러를 대한민국에 공여해 주었는데, 35년간 일본으로부터 피지배를 받았던 대가로 무상원조 3억 달러, 유상으로 차관 5억 달러를 받은 것에 비하면 매우 큰 금액을 지원 받은 셈이다. 물론 당시의 무상원조는 대부분 완제품과 잉여농산물로 미국의 국내 초과 생산품을 공급한 것이었다. 그러나 전후 삶의 기반이 초토화된 상태에서 받은 매우 소중했던 구조물품이었고 경제부흥에도 크게 이바지했다. 박정희 장군의 군사혁명 전까지, 그리고 경제개발계획이 성공하기 전까지는 부패와 남용으로 정확하게 필요한 곳에 쓰지 못했던 안타까운 실정도 많이 있었지만 대한민국에 큰 도움이 되었던 것은 사실이다.

그러므로 대한민국 국민은 모두가 이 점을 절대 잊어서는 안 된다. 언젠가는 당연히 그에 대한 보답을 해야 한다. 경제적으로는 이미 엄청난 무기를 사줌으로써 다 갚고 남았다고 볼 수도 있지만, 보다 정당한 절차와 정상적인 방법으로 그 고마움을 갚아야 한다.

한류의 브랜드 가치화 전망

일제강점기를 거쳐 전후의 혼란과 어려움을 극복하고 "한강의 기적"을 이루어 경제대국이 된 대한민국이 세계 곳곳에서 문화 수출로 한류를 일으키고 있다. K-POP, K-MOVIE, K-BEAUTY, K-DRAMA,

K-FOOD의 대유행과 "KOREA 브랜드"의 새로운 가치를 창출하며 점점 더 그 위상을 높이고 있다.

2016년 IMF가 발표한 내용에 따르면 GDP 총생산액에서 한국은 세계 11위로 집계되었다. 1조 4,043억(북한은 400억) 달러로, 1인당 GNP가 2만 8,438달러이다. 이는 한국 인구 5,100만으로 계산한 결과이다. 남북한 인구를 합치면 약 8,000만인데, 세계에서도 인구와 경제력에서 뒤처지지 않는다. 해마다 조금씩 지표의 내용은 바뀌지만, 여러 지표를 통틀어 보았을 때 한국은 통합적인 국력 면에서 전 세계 10위 안에 든다.

항목	순위	비고
군사력	세계 7위	(북한 36위)
수출, 수입 무역액 합계	세계 9위	수출만 세계 6위
과학 기술력 연구 개발 투자	세계 7위	인터넷 가입률 세계 2위
군사비 지출	세계 9위	전략무기 수입 세계 1-3위
GDP	세계 11위	1조 4,043억 달러
1 인당 GDP	세계 28위	2만 8,338 달러
인구	세계 26위	남한 약 51,231,100명 북한 약 26,000,000명 남북한 총 인구: 세계 17위(약 78,000,000명)

출처 : Global Firepower(저자 재구성), 한반도 선진화재단 'G20 종합 국력 비교평가'

20/50 클럽은 인구가 5,000만 명 이상이고 일인당 GDP가 2만 달러 이상인 국가들을 통칭하는 것인데, 일본은 1987년 세계에서 처음 이 명단에 들어갔다. 뒤를 이어 미국 1988년, 프랑스와 이태리가 1990, 독일 1991년, 영국이 1996년, 한국이 2012년에 이를 달성한 7번째 국가가 되었다. 30/50 클럽으로 기준을 조금 높여도 마찬가지이다. 일본은 92년도, 미국

은 96년, 영국, 독일, 프랑스는 2004, 이태리가 2005년도에 이 기준을 통과했는데, 한국은 그 다음으로 달성할 확률이 가장 높은 국가이다.

이처럼 인구 크기와 생활 수준을 보여주는 지표는 선진국가를 가늠하는 기준으로 취급된다. 이 지표에 기재된 국가들은 캐나다(인구 3,500만)만 제외하면 모두 G7국가로서 실제 세계를 이끄는 강대국들이기 때문에 대한민국이 여기 속하는 것만으로도 큰 의미를 지닐 수 있다. 특히 북한이 개혁개방을 진행하는 데 남한이 북한을 발벗고 도와주기만 한다면, 북한에서도 20년 내로 지금의 남한만큼 GDP가 늘어날 것이다. 통일한국은 인

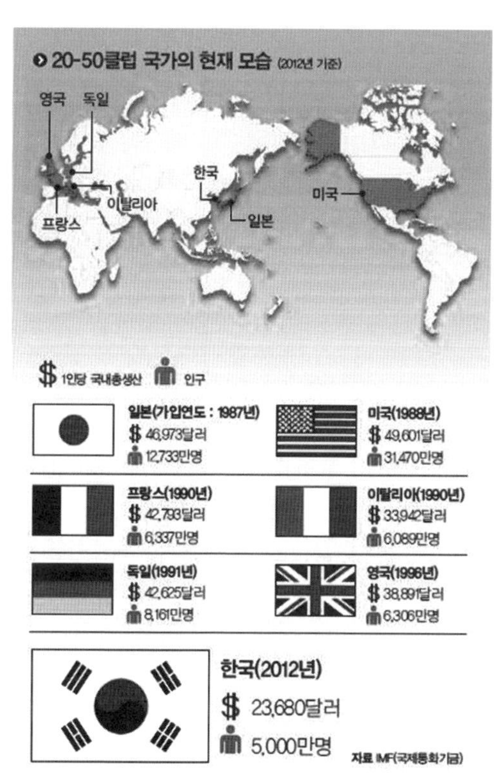

20-50클럽 국가(출처 : 정책 브리핑)

구 면으로나 GDP면에서 미국, 일본, 독일 다음이므로 명실공히 세계 5강의 대열에도 낄 수가 있다.[4)]

현재의 한국은 IT산업이 세계 최고 수준으로 발달하고, 기술 혁신(Innovation)도 세계 최고 수준이다. 한국은 게임산업, 웹툰, 스트리밍(Streaming/P2P) 방식의 MP3 음악 공유 프로그램인 소리바다, 벅스, 멜론 등의 대중음악, 인터넷 쇼핑몰, 팟캐스트 등의 인터넷 방송, 전자 결제, 전자 정부 등, 인터넷 기반 산업이 굉장히 발달해 있다. 한국의 웹툰 산업 또한 굉장히 유망하다. 과거 일본이 '망가'로 세계를 휘어잡았다면, 앞으로는 인터넷의 발전과 더불어 한국의 웹툰이 그 뒤를 이을 수 있다고 본다.

한류의 세계적 유행으로, 한국은 창의적이고 건전한 문화 선도국과 그 첨병 역할을 담당하게 되었다. 한국이 시작했지만, 동북아 전체가 힘을 더한다면, 그동안 몇 백 년에 걸친 서양의 문화 제국주의 극복의 시발점이 될 뿐만 아니라, 서양과의 문화 격차를 해소하는 데도 도움이 될 것이다.

대한민국의 발전 배경

박정희에 대한 두 가지 평가

이처럼 한류가 전 세계를 강타하고 있는 가운데 대한민국이 과연 앞으로 어떤 것으로 세계에 기여를 할 수 있을 것인가? 한국의 성공 포인트는 무엇이었으며, 오늘날의 역할은 무엇인지에 대해서 얘기하고 한국이 앞으로 나아가야 할 방향에 대해서도 얘기해 볼까 한다.

한국은 6.25 한국전쟁(1950-1953년) 직후, 세계 최빈국이었다. 그러던 중

4) 위클리공감. '대한민국, 확실한 선진국 진입 신호탄.' 정책브리핑. n.p., 13 07 2012. Web. 31 March 2017. http://www.korea.kr/policy/economyView.do?newsId=148735914&call_from=naver_news.

박정희 대통령이 주도하는 경제개발에 성공해서 한강의 기적을 이루어냈다. 박정희 장군이 목숨을 걸고 단행했던 1961년 군사쿠데타는 100% 구국의 일념이었다. 당시는 국가의 혼란한 정도와 빈곤함이 나라라고 할 수 없을 정도였다. 권력의 공백을 타고 어부지리를 노렸던 전두환의 쿠데타와는 아예 성격이 다르다. 실로 박정희가 없었다면, 지금의 한국은 없었다. 우리 역사 전체를 놓고 보면, 박정희는 실은 단군 이래, 세종대왕 이후 중시조와 같은 터닝 포인트(Turning point)라는 중대한 역할을 해주었다.

당시 그 정도의 국민 수준과 그 정도의 경제 수준에서 민주, 인권 등을 논하는 것은 시기상조였다. 배고픈 것을 해결한 다음의 일이었다. 성공한 모든 인류 역사가 이를 증명했고 개발독재라고 표현해도 좋다. 지도자가 모든 것을 혼자서 다 할 수가 없었기 때문에 개별적인 국민수준이 민주적 절차, 민주화 정도와 직결되는 중요한 요소였다. 하지만 당시는 민주화를 따질 단계도 아니었고, 한국 국민의 총체적인 정치, 경제 문화수준은 너무도 낮았다.

또한, 박정희는 군을 너무 잘 알고 컨트롤했고, 동시에 일본을 잘 알았다. 박정희가 아니었다면, 또 다른 쿠데타는 10번도 더 넘게 생겨났을 것이다. 끊임없이 권력다툼을 노리는 인간의 속성 때문이다. 태국과 같이 과거 식민지 경험도 없고 민주적 능력도 우리보다 앞서 있었던 곳에서도 19번이나 일어났다. 그 밖의 제3세계에서 일어났던 수많은 쿠데타를 상기하면 이해하기 쉽다. 물론 미국 CIA나 과거 소련의 KGB 공작으로 각국의 정권 교체도 수없이 일어났지만, 한국에서조차도 그 압력을 버텨 내기는 쉬운 일은 아니었다.

우리는 조선 멸망 이후 일제 강점을 당했지만, 실은 거의 모든 근대화를 일본이 이뤄주었다. 일본은 착취도 엄청나게 했지만, 우리 자신이 근대화를 할 능력은 전혀 없었기 때문에 근대화의 주역이 되어 주었다. 이런 와중에 당시 이미 세계 최고의 수준이었던 일본을 너무도 잘 알고 뒤에서 따라가는 모델은 박정희와 같은 일본 통이 아니었으면 어려웠다. 물론 이런저런 부작용도 많았고, 정권 후기로 갈수록 스스로 무너지는 일도 많이 했지만, 박정희의 공로는 어떠한 실수도 용납되고 남을 정도로 절대적이라고 보여진다. 물론 이것 저것 챙겨가면서 하면 너무 좋았겠고, 스스로 알아서 적기에 물러났다면 국부로 칭송 받고 길이 존경받았겠지만, 권력에 취해 냉혹한 성격을 가진 본인의 한계를 정권 말년에 갈수록 드러낸 것이 안타까울 뿐이다.

하지만 커다란 일을 실행하다 보면 항상 공과가 따르기 마련이다. 독재에 항거하는 많은 민주화 세력을 탄압했던 치명적인 실수도 했고, 국가 지도자로서의 도덕적 결함도 많았지만 당시 제3세계에서 억압통치, 정경유착, 권력 독점이 나타나지 않았던 나라가 거의 없었을 정도로 한 국가를 무리없이 통치한다는 것은 너무도 어려운 일이다. 그리고 당시 북한과의 대결모드, 안보 장사의 문제점도 많은 사람들이 지적하지만, 그때의 현실은 지금과는 매우 다르다. 당시는 북한에 비해 경제력, 병력이 열세였고 세계의 이데올로기도 완전한 냉전시대였기 때문에, 국민 수준도 그렇고 남 · 북한 둘이서 무엇을 도모하기는 거의 불가능했다.

박정희는 특히 여러 국민들의 제각기 뿔뿔이 흩어진 생각을 결집해서 컨센서스(Consensus)를 모으는데 성공했다. 또한 뛰어난 용병술, 불굴의 의지와 냉철한 현실판단으로 새마을운동, 경제개발 5개년 계획 시리즈를 세워 대성공을 거두는 데 막강한 리더십을 발휘하였다. 한일협정의 배상금(용어에 민감하고 일 처리가 조잡한 일본은 '독립축하금'이라고 호칭할 것을 요구)으로 굴욕적인 외교를 벌였다느니, 서독에 광부와 간호사를 파견하여 외화벌이, 인질 차관을 했다느니, 베트남전쟁의 미국 용병이라는 구설수에 휘말리면서까지, 또한 4-50도를 넘나드는 중동의 건설현장에 노무자 파견까지 무릅쓰고도 어렵사리 얻어 들어온 외화로 군현대화(자주국방)와 가난 극복, 국가 산업발전에 최선을 다했다.

그래서 오늘날 대한민국이 전 세계가 부러워하는 빛나는 경제발전과 모든 국민이 "하면 된다"라는 정신적인 무장을 하는 데 무한한 공헌을 하였다. 이러한 국가 발전의 초석을 다지고 지대한 공헌을 한 민족의 영웅은 예우를 갖추고 영웅으로서 대우해야 마땅하다. 시대가 영웅을 만드는 것이다. 이순신과 안중근과 같은 인물은 국가가 필요할 때에 홀연히 일어선 것이고 박정희도 같은 맥락으로 봐야한다. 친일에 대한 논란도 그 당시 상황에서는 많은 사람들이 그랬듯이 한치 앞도 내다볼 수 없었던 깜깜한 조국의 현실에서 인간적 고뇌를 거듭한 끝에 내린 자아실현, 생계수단 추구 같은 어쩔 수 없는 선택이었다고 보여진다.

많은 사람들이 박정희 정권에 대해서 민주 세력에 대한 탄압, 독재, 실정이라고 불러도, 이러한 경제개발에 대한 전체적인 구상과 실현을 향한 불같은 의지가 없었다면 단기간에 눈부신 성과를 내기가 어려웠을 것이다. 오늘날 제3세계의 수많은 국가들이 아무리 노력을 해도 쉽게 일류 국가로 올라 설 수 없는 것이 그 증거이다. 어느 국가일지라도 돈 조금 있고, 조금 노력하면 아무나 부자, 재벌 국가가 될 수 있고 민주화도 쉽게 얻을 수 있다는 말과 같다. 나누어 먹을 파이가 전혀 없는, 밀가루를 사기도 힘든 형편의 시점에서, 그로서도 분배의 형평성까지 감안하기는 어려웠을 것이다.

박정희는 동북아에서 초강대국 사이에 낀 조국의 현실을 멀리 내다보고, 완벽한 자주국방을 머리 속에 그리며 핵 주권까지 생각했던 사람이다. 이러한 상황에서 그는 너무 무리하게 안보와 장기집권을 추구하며,

미국과 극한 대립으로 치닫고 국민정서에 역행하는 유신헌법과 같은 자충수를 두며 민주주의를 침해하고 독재를 감행했던 것이다. 그리고 그러한 대가로 역풍을 맞았다. 그 자신이 시대의 소용돌이 속에서 온갖 안간힘을 쓰다가 혁명의 주역다운 풍운아처럼 최후를 맞이한 것이다.

오늘날 대한민국이 자랑하는 전자, 통신, 철강, 석유화학, 조선, 자동차 등에 걸쳐 거의 모든 부문에서 산업화의 마스터 플랜을 짜고 그 실현을 위해 지치고 쓰러질 때까지 매진했기 때문에 오늘날의 대한민국이 성립된 것이다. 대다수 국민들이 일치단결하여 그의 리더십에 동조를 해주고 노력한 결과이기도 하다. 싱가포르 수상 리콴유는 일찍이 아시아의 3대 영웅적 지도자를 얘기했는데, 중국의 등소평, 한국의 박정희, 그리고 전후 위기를 매끄럽게 처리해 일본을 정치 · 경제적으로 안정시키는 데 커다란 공헌을 했던 요시다 수상을 언급한 바 있다. 거의 제로상태에서 시작해서 한국을 이끌었던 박정희의 공로는 다른 두 사람의 영웅을 훨씬 능가했다.

대한민국은 현재 경제대국의 일원으로서 많은 세계 경제의 일부분을 이끌어가고 있다. 우리나라는 그 사이 수많은 고난, 역경과 희생을 치르고, 동시에 민주주의마저 이뤄냈다. 수많은 비민주, 독재 체제에 대해 치열하게 저항해서 아시아 중에서는 그래도 가장 발달된 민주주의를 이루어냈다. 더불어 산업화도 동시에 달성했다. 이 짧은 기간에 이 두 가지를 동시에 달성한 나라는 드물 것이다.

한국의 문화력

그러면 왜 젊은 외국인들이 한국으로 많이 몰리는가? 그것은 바로 한국이 갖고 있는 묘한 매력 때문이다. 앞에서 얘기했던 여러 전통문화와 산업화, 민주화를 동시에 이루어낸 바탕 위에서 현대적 가치를 융합한 결과다. 그렇다면 문화적 파급력, 즉 문화력은 과연 어떻게 측정할 수 있는가? 우선 한 문화가 다른 곳으로 영향을 주고 퍼뜨릴 수 있는 전파력(Transferable Ability)에 관한 논의가 가장 먼저 진행되어야 한다.

아널드 토인비(Arnold Toynbee)는 세계 문명권을 26대 문명권으로 나누었다. 그는 한국은 중국문화권에 속한 것으로 간주하였고, 일본은 그 자체로 독자적인 문화가 자리잡은 것으로 보았다. "문명의 충돌"을 썼던 사무엘 헌팅턴(Samuel Huntington)도, 전 세계를 기독교권, 정교권, 이슬람권(아프리카 포함), 유교권, 불교권, 힌두권, 라틴아메리카권, 아프리카권(비이슬람), 일본권의 9대 문명권으로 나누었다. 한국은 문화의 독자성이나 문화 전파력 등 어느 기준에서 보나 면 과거로부터 근세기에 이르기까지 그렇게 두각을 나타내는 나라는 아니었다.

일본이 17세기부터 네덜란드 동인도 회사를 통해 유럽으로 수출한 일본 사가현 '아리타 야끼'인 이마리 도자기, 18, 19세기에 걸쳐서는 매우 정교한 가고시마현 심수관 가문이 이끄는 사쓰마 도자기까지 구주, 미주에 끼친 문화적 영향력이 매우 컸다. 물론 임진왜란, 정유재란 때에 끌려간 이삼평과 심당길(심수관)같은 한국 도자기 명인이 기여한 바가 크다. 또 예술분야만 봐도, 당시 프랑스를 중심으로 한 마네, 모네, 고흐, 고갱과 같은 인상파, 후기인상파 화가들 대부분이 속칭 자포니즘의 대유행으로, 우키요에(浮世絵 うきよえ) 영향을 받아 자기들의 그림에 구도, 색채감, 과감한 윤곽 등 일본적인 요소를 많이 도입하고, 심지어 모방하고 응용했다.

대한민국은 단군 이래로 고유 문화를 지금처럼 강력하게 전 세계로 퍼뜨릴 수 있었던 적이 없었다. 과거 고려 때인 몽고 원나라 지배 시절에 고려풍이 원나라에 많이 퍼진 적이 있었고, 일본에 정기적인 조선 통신사가 방문하는 때에 조선 학문에 대한 요구와 열풍이 많이 불었지만, 지금처럼 글로벌하게 퍼지지는 못했다. 조선 통신사의 경우 나중에는 일본측에서는 쇼군의 생일이나, 막부의 국가 기념일에 파견된 사신정도로 간주했다. 그러므로 조선 시대 역시 일본에 유교 이외에는 별다른 우월성을 나타내지 못했다고 봐야 한다.

2부

대한민국이 나아갈 길

1.
한국과
동아시아의 미래

이제는 한국의 문화력에 바탕을 두고 펼쳐질 한국의 미래 역할과 동아시아 통합에 있어서 한국이 기여할 부분에 대해 말해 보자.

한국의 미래 역할

우선, 한국은 전 세계적인 문제 해결의 테스트 장이 될 수 있다. 세계는 현재 환경문제, 사회문제(쓰레기 문제, 공해, 청정에너지, 노동인력 감소), 이민, 테러 등의 문제가 산적해 있다. 이때 한국이 테스트 마켓이 되어서 전 세계에 방안을 내놓을 수 있다. 세계적인 기업들의 IT 정보기술제품과 럭셔리(Luxury) 명품과 같은 특화 상품 초기 진출 시에도 한국이 가장 적합한 테스트 마켓(Test Market)으로 이미 정평이 나 있다.

그 이유는 한국의 전반적인 교육과 지적 수준이 높고, 매우 높은 수준의 인터넷 발달로 소비자의 관심 및 정보교류가 아주 빠르게 확산될 수 있기 때문이다. 또한 정보의 흡수도 아주 분별력 있고, 감성수준도 높은 데다가 소비자의 적응(Adaptability)이 빨라서, 한국인의 까다로운 입맛에 맞추면 전 세계에서도 통한다는 속설이 있다. 그리고 적당한 수의 인구역시 테스트 마켓으로서는 적합하다고 평가된다. 이러한 것에 비추어 볼 때 지구상의 여러 문제도 한국에서 모범 답안지 역할을 잘할 수 있을 것으로 추정된다.

중국은 초강대국이기 때문에 제3국에게는 다소 거북한 상대다. 또 일본은 과거 제국주의 침략 전쟁의 원흉이기에 다른 나라에서 쉽게 받아들여지지 않는다. 한국은 세계의 큰 문제와 얽혀 있지 않으므로 테스트 결과와 건전한 방향을 제시하면 큰 의심 없이 통하는 것이다. 또한 한국은 모범답안을 제시할 능력을 갖추고 있다. 현 지구가 당면한 여러 가지 문제들을 한국에서 우선 모범적으로 해결해서 전 지구 시민에게 보여줘야 한다.

수천년의 역사를 통해, 한국인이 세계적으로도 자랑할 수 있는 것은 기본적으로 남의 사정을 많이 봐준다는 것이다. 정이 많은 한국인은 개인보다는 "우리-We"를 항상 먼저 생각해 왔고 천성적으로 남에게 관대했다. 그동안의 치열했던 민주투쟁과 피땀어린 경제성장을 경험했으니, 다음에는 제3세계 국가들에게 그동안 쌓아왔던 민주화, 산업화의 유산을 전달해야 할 의무가 있다. 한국의 새마을운동, 한강의 경제 기적을 패권주의적인 태도로 전달하지 않고, 널리 인간을 이롭게 하는 홍익인간의 정신으로, 꿈도 희망도 없이 사는 아프리카, 동남아, 남미 등지의 어려운 이웃에게, 봉사와 격려, 지원을 아낌없이 나누어 줘야 한다.

"할 수 있다-We can Do"는 정신과 "봐라 한국-Look Korea"의 모토로 자신감과 우정, 꿈과 희망, 성공신화를 세계 각국에 심어줘야 한다. 한류와 더불어 한국의 정신과 철학을 세계 만방에 퍼뜨리고 전 인류에게 도움을 주어야 한다. 그래서 한국이 미래 세계평화 운동의 기점(Starting Point)이 되어야 한다. 한국인의 해낼 수 있다는 정신과 열정, 도전과 개척정신을 전수해 온 세계가 따라서 할 수 있게 하고, 대한민국이 이러한 미래 정신 혁명의 종주국이 되어야 한다. 특히 도덕재무장운동(Moral Re-Armament), 비폭력운동(Non-Violence), 환경보호(Environmental Protection)운동 등 한국이 선봉에 서서, 인류의 새로운 정신혁명의 견인차 역할을 할 필요가 있다.

한국은 과거 제국주의 국가도 아니었고, 남의 나라를 침범, 착취했던 적도 별로 없었다. 빈곤과 가난, 무질서와 비민주를 극복했던 나라로서, 세계가 우러러 볼 만한 가치와 역사를 한국은 가지고 있다. 생태계 파괴 등 전 세계를 공포로 몰고 가는 각종 전염병의 범람, 지구 온난화, 비도덕적이고 비윤리적인 문제를 한국에서 고민하고 인류가 직면한 문제의 모범 답안을 지속적으로 제시해야만 한다. 한국은 이를 내 놓을 수 있는 역량이 충분히 있다.

대한민국은 촛불 집회와 같이 세계를 깜짝 놀라게 했던 평화행진과 비폭력의 시민혁명을 보여주었다. 세계 어느 곳에서도 볼 수 없는 놀랍고도 진귀한 것을 한국의 성숙한 시민들은 해냈다. 이제는 미래의 인류평화와 번영을 위해 대한민국이 이 같은 맑고 깊은 정신으로 새로운 인간 철학을 재 창립하고 제시할 시점이다.

동아시아 공동체(East Asia Community)의 가능성

이제 이러한 선진한국의 역할을 통일과 더 나아가, 동아시아 공동체 구성과 연결해서 이야기해 보자. 이러한 논의 과정에서 부가적으로 남북한의 의견 격차를 해소하는 한편, 한반도 통일과 연관해서, 1차로 한 · 중 · 일 동북아 공동체 추진을 방향으로 삼고, 향후 2차로는 북한, 몽고, 타이완을 포함하는 단계적 방법을 택하는 것이 좋을 것이다. 물론 그 사이에 남북한이 철저히 정경분리주의에 입각한 경제협력으로 물꼬를 트고, 통일에 대한 기반을 마련해야 한다. 물론 머나먼 길이다. 그러나 이런 생각을 품고 지속적인 노력을 하지 않으면 동북아의 평화와 번영은 요원한 일이 된다.

세계 각국을 중심으로 각 나라의 전망과 앞으로 펼쳐질 전 세계 경제의 흐름을 전망해보면 다음과 같다.

중국의 경우, 지금 한창 경제개발 도상국으로서 뻗어나가고 있다. 또 과거 실크로드를 기반으로 하는 "일대일로(一帶一路, One Belt One Road)" 개념을 도입해 세계를 휘어잡아 G2를 넘어설 것이다. 실제 중국은 넘버 1으로 도약할 꿈을 꾸고 있으며, 중국만의 독자 노선을 꿈꾸고 있다. 하지만 대다수의 경제전문가들이 머지 않아 중국경제의 성장률이 하락할 것이라고 예견한다. 그동안 국가 및 은행의 끊임없는 부실대출로 인한 부실기업들의 몰락이 속출하고, 통화팽창의 후폭풍이 몰아 닥치고, 도시 노동자(농민공)들의 노동운동, 인권, 임금 상승 문제 등, 상당히 많은 문제점이 노출될 것으로 전망한다. 이를 해결하자면 중국 단독으로는 힘이 부칠 거라 느끼고 3국의 상호 협조의 필요성을 절실히 생각해 3국 관계 개선에 적극성을 띨 날이 올 것이다.

중국은 국민전체의 국제적인 감각이 아직 부족하고 이런 것까지 신경을 쓸 만한 여유도 부족하니 조금 더 시간이 지나야 현실이 제대로 파악될 것이다. 또한 경제전쟁이라고 해도 좋을 금융패권을 놓고 유로화나 달러화의 세계 경제에 대한 기축통화를 둘러싼 공세를 중국 단독으로 버텨 내기가 힘들 것이다. 동북아 한중일의 공동화폐가 시급한 이유가 바로 여기에 있다.

미국을 비롯해 에콰도르, 짐바브웨, 파나마, 엘살바도르, 버진 아일랜드, 괌, 동티모르, 팔라우, 마샬제도, 사모아, 미크로네시아 연방국 등 자국의 화폐를 쓰지 않고, 미국 달러를 자국의 화폐로 쓰는 나라가 많다. 앞으로도 달러화(Dollarization)는 계속 늘어날 전망이다. 동남 아시아의 필리핀, 미얀마, 라오스, 캄보디아나 다른 많은 중동, 아프리카의 나라에서도 자국화폐보다 미국 달러를 선호하며 실제로 일반 마켓에서조차 통용화되고 있는 것이 현실이다.

프랑스는 과거 프랑스의 식민지였던 국가들 모두 자국의 통화를 쓰지 못하고 프랑스의 프랑을 쓰게 했다. 그러다가 2차 세계대전 후 1945년에 세파프랑(Franc CFA)을 창시하여, 과거 아프리카 식민지에서 경영했던 프랑스 연방 국가에 대한 화폐발행을 프랑스가 전적으로 주도한다. 이제는 프랑스가 유로화로 넘어감에 따라, 유럽 중앙은행에서 고정환율로 묶어놓아서 실상 유로화의 경제적 속박을 그대로 이어받게 된다. 과거 프랑스 식민지였던 아프리카의 수많은 국가가 유로화의 영향권에 있다고 봐도 될 정도이다.

이렇듯 세계를 들여다보면, 화폐뿐만 아니라 각 지역의 경제 블록화는 이미 커다란 추세이다.

제3차 산업혁명(The Third Industrial Revolution)을 저술한 제러미 리프킨(Jeremy Rifkin)도 중생대의 지구가 판구조론을 토대로 한 대륙 분리 이동이 자연발생적이라면, 현대의 지구는 인위적인 대륙연합으로 원래 상태의 판게아(하나의 땅덩어리-Pangaea)로 회귀한다고 했다. 그는 앞으로의 지구는 세계화(Globalization)가 아니고, "분산적이고 협업적이며, 인접한 땅덩이를 따라 수평적 확대"를 지향하는 대륙화(Continentalization)의 시대를 거치게 될 것이라고 피력했다. 물론 미래의 동아시아 공동체 성립도 이런 전 지구적 경제 및 사회 블록 형성의 경향에 속하는 것이다.

북미의 NAFTA, 아프리카의 AU(African Union), 동남아의 ASEAN, EU를 기초로 하는 '대륙화-Continentalization' 과정뿐만 아니라, 지금은 세계 최대의 경제권인 미국도 트럼프의 새 정부가 들어와 TPP(Trans-Pacific Partnership)의 구상을 전면 중단하고 있지만 이것은 곧 다른 정부로 바뀌거나 트럼프 집권 후기에 가서는 또 다시 이러한 논의가 시작될 가능성이 높다.

또 중요하게 지켜봐야 할 경제블록은 2015년 러시아를 중심으로 한 유라시아 경제연합(EEU-Eurasian Economic Union)으로 벨라루스, 카자흐스탄, 아르메니아, 키르기스스탄이 참가하는 구 소련연방국가들의 연합이다. 그리고 ECO(Economic Cooperation Organization)도 중요한데, 1985년 이란, 터키, 파키스탄 등 과거 화려했던 이슬람제국의 비 아랍권 후예들이 창립멤버로 모여 세계 부흥을 다시 한번 도모하는 서아시아 경제모임이다. 중앙아시아의 아제르바이잔, 투르크메니스탄, 우즈베키스탄, 키르기스스탄, 타지키스탄 5개국이 1992년에 여기에 추가가입을 해서 앞으로의 행보가 주목된다.

중남미에는 안데안 커뮤니티(Andean Community)라고 이미 1969년에 페루, 에콰도르, 볼리비아, 콜롬비아가 공동으로 결성한 경제 블록이 있다. 2005년부터 무비자로 이들 국가 사이에는 왕래가 가능해졌다. 그리고 태평양 동맹(Pacific Alliance-칠레, 콜롬비아, 멕시코, 페루)이 있는데 이들 국가들은 다른 나라에 파견된 대사관과 영사관도 공동으로 쓸 정도로 긴밀한 관계이다. 1991년 설립된 남미공동시장(MERCOSUR-아르헨티나, 브라질, 파라과

이, 베네수엘라, 볼리비아)은 EU와 같이 공동 의회도 구성이 되어서 이 남미의 세 기구들은 서로 또 통합을 꾀하고 있다.

TPP에 참가하는 세계 각국이 차지하는 GDP와 동북아, EU가 차지하는 GDP 비교표(2014)

Korea 1.80% | JPN 5.90% | CHN 13.30% | US 22.30% | Canada 2.30% | Mexico 1.60%
EU 23.60% | Australia 1.80% | Brazil 3.00% | India 2.60% | Russia 2.40% | Others 17.40%

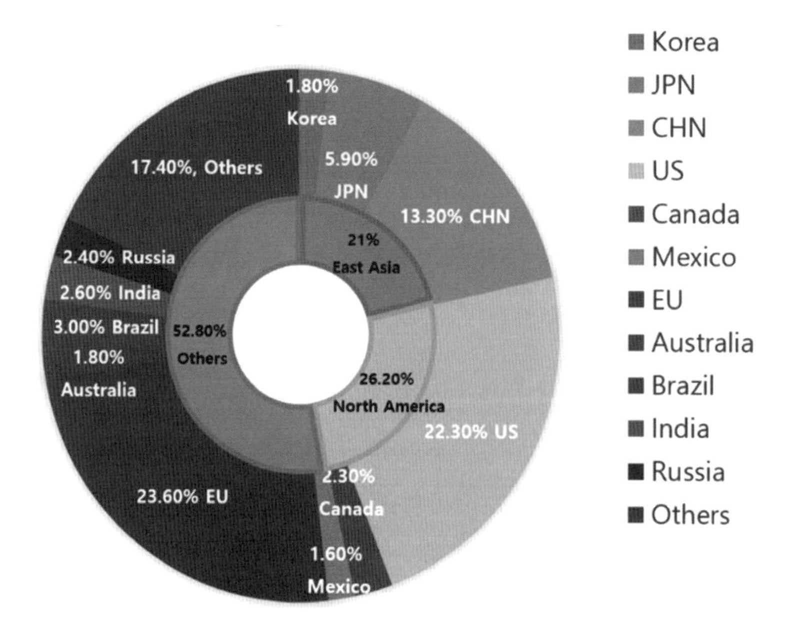

TPP 국가 12개국 총 GDP 36.3%(USA, JAPAN, CANADA, MEXICO, AUSTRALIA, MALAYSIA, PERU, VIETNAM, CHILE, BRUNEI, SINGAPORE, NEW ZEALAND) | NON TPP 국가 총 GDP 63.7%

2014년 전 세계 GDP 중 경제 블록과 가상 경제 블록이 차지하는 비중

한 · 중 · 일(가상 EAST ASIA COMMUNITY) 21.00% | EU 23.6% | NAFTA(US, CANADA, MEXICO) 26.2% | ASEAN 10국 3.2% | MERCOSUR 남미공동시장 5국 3.0% | PACIFIC ALLIANCE 태평양동맹 4국 2.1%

세계 총인구 대비 무역액 비교 (2015년 기준)

한 · 중 · 일 인구 21.3%/무역액 16.7% | EU 7%/32.2% | NAFTA 6.6%/15.1%

아무리 중국이 곧 세계 최대의 GDP 국가가 되고, 한국과 일본의 GDP를 합해도, 당장 북미, EU를 능가할 수는 없다. 중국의 위안화가 단독으로 미국 달러화나 EURO화에 대항하기에 힘이 부칠 것은 확연하다. 그런 까닭에 중국은 한국, 일본과 힘을 합하지 않으면 국제 화폐, 경제 전쟁에서 지게 되어 있다. 결국 미래의 전 세계는 점점 크게 달러, 유로화, 동아시아의 3개 메이저 경제권으로 나뉠 것이다. 그리하여 나중에는 한중일과 비슷한 한자, 유교, 불교 문화권인 베트남이 게이트웨이(Gateway)와 가교(Bridge) 역할을 하며 동아시아 3국의 경제권과 아세안(ASEAN)의 경제권을 잇게 될 것이다. 이때가 되면 그동안 잠자고 있었던 아시아의 모든 자원과 인력이 풀(Full)로 가동하며, 막강한 아시아의 시대가 도래할 것이 확실하다.

그러므로 중국이 완전히 3국의 경제 통합에 동의하기 전까지는 경제적으로나 산업적으로 전 지구상의 인구 5,000만 이상의 국가 중에서도 최대 모범국인 한국과 일본이 먼저 선도해야 한다. 일본의 하토야마 정권 때는 이러한 논의가 상당히 활발히 진행되었지만, 최근 아베 정권의 반 아시아적인 정서와 계속적인 우경화 정책으로 빛을 잃었다. 하토야마 유키오 전 총리는 퇴임 후에도 평생 그의 정치적 모토였던 '우애'에 근거한 동아시아의 통합을 위해 동아시아 공동체 연구소의 이사장을 맡고 있다.

한일은 경제적으로 이미 30여 년 전부터 후쿠오카와 부산을 중심으로 일본의 규슈 전역과 한국의 부산 경남지역을 포함한 '초광역 경제권'에 대한 논의는 지속적으로 해왔지만, 한국 쪽의 반응이 그다지 적극적이지 않았다. 지금이라도 한일 양국이 시험적이라도 이 경제권을 형성해 추후 한일 전체의 완벽한 모델로 확대 발전시켜야 한다.

후쿠오카와 부산 두 지역은 각 국가의 경제 중심축인 서울과 오사카/동경보다 훨씬 지역적으로 가깝고 고대사적으로 봐도 매우 친밀한 관계였으므로 이제는 잠정적인 공동화폐를 포함한 완전히 합쳐진 경제블록을 실현해봄직하다. 한일은 정부차원에서는 많은 문제점을 노출하고 있으나, 민간차원에서는 배타적 감정을 가질 필요가 없다. 끊임없는 교류와 소통을 통해서 우호증진, 공감대 형성, 상호 이해와 협력을 지속적으로 늘려 나가야 한다. 민간 차원에서는 EU(유럽 연합)의 수준으로 통상과 교류가 대폭 확대되어야 하고, 거의 한 나라와 같이 느껴질 정도로 교류에 있어서 어떠한 걸림돌도 없어야 한다.

일본에서 한류의 바람이 계속 붐을 일으키듯이 반대로 한국에서도 건전한 일류(日流)의 각종 문화컨텐츠가 성행할 수 있도록 상호 문화적으로 교

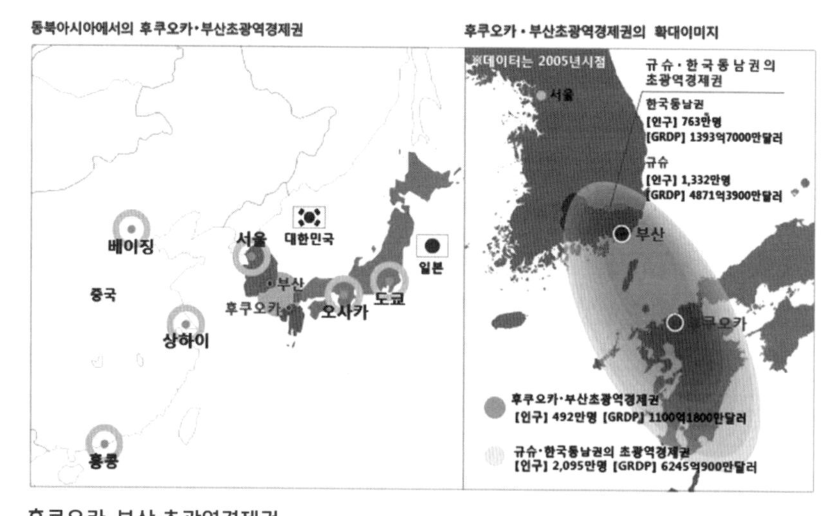

후쿠오카-부산 초광역경제권
출처 : 후쿠오카 부산 카페(http://cafe.city.fukuoka.lg.jp/ko/projects/)

류하고 이웃 문화에 대한 이해도 넓혀 나가야 한다. 한국 국민은 일본 정부의 잘못된 정책은 비판해야 하지만 일본인 자체를 적대시하면 안 된다. 세계에서도 가장 가깝게 지내는 이웃이 되어야 마땅하다. 각 국민은 편협한 내셔널리즘이나 쇼비니즘(Chauvinism)에 빠져서는 안 되며, 이것을 부추기는 정치지도자들을 퇴출해야 한다.

2.
한반도 통일에 대하여

이산가족 교류와 군축

한반도와 동북아 미래를 위해 제일 먼저 해결해야 될 중요한 문제는 한반도 통일 문제이다. 한반도 통일 방법을 생각해 본다면, 다음과 같은 면에 집중적인 검토가 요구될 것이다. 통일을 어떻게 할 것인가 하는 여러 가지 통일에 대한 방법, 통일의 당위성, 통일이 되면 무엇이 좋은지도 살펴봐야 한다.

통일을 위해 가장 먼저 해결해야 될 일은 이산가족 문제이다. 지난 분단 70년 동안 서로 만나지 못하고, 얼마 있지 않아 돌아가실 정도로 연세가 많은 고령자들도 수없이 많다. 이런 사람들에게 그토록 원하는 상봉의 기회를 하루 속히 만들어야 한다. 그런데 남북한 당국자들은 이런 인도적인 문제를 정치 · 군사적인 면과 연결해서 막고 있다. 이것은 너무도 비인도적인 처사이다.

이산가족 상봉과 더불어 국가 보안법 철폐를 통해 남한과 북한이 어떤 단체와도 상호 집회와 결사의 자유와 보다 자유롭고 적극적인 민간교류를 유도해야 한다(국제적 기준에 반한 엄청난 후진성). 북한 계절 노동자를 한국에 적극 유입할 것을 고려해 대규모 통행증 발급을 실현해야 하며, 남한의 농 · 어촌 총각이 동남아 여성이 아닌 북한 여성과 결혼하도록 추진해야 한다. 핵개발에 대해 새로 취해진 경제제재도 철저한 정치 · 경제 분리 정책에 의거해 점진적으로 풀고, 외교적으로는 북한이 고립에서 탈피하도록 도와줘야 한다.

과거 박왕자씨 같은 지극히 우발적인 사건을 꼬투리 삼아 취해진 5.24 조치 해제는 말할 것도 없고 연평도 해전, 천안함, 목함 지뢰 사건 등에 대한 문제 제기도 없어야 한다. 언제까지 계속 꼬투리를 물고 갈 수는 없다. 금강산, 개성, 묘향산, 백두산 관광 등 모두 새롭게 다시 시작해야 한다.

남북에서도 타이완과 중국이 진행했던 3통 4류 정책을 당장 시행해야 한다. 통상, 통항, 통우(우편)의 3통과 경제, 문화, 체육, 과학 기술 교류의 4류를 실시하고, 이산가족의 왕래부터 당장 허가해야 한다. 대만, 중국은 1987년부터 양안의 친척교류를 허용했다. 통일의 기본은 인적 교류에서 시작한다. 그리고 차츰 경제관계가 진행됨에 따라 궁극적인 통화청산협약까지도 해야 한다.

그 다음은 군축문제이다. 한국은 상비군이 68만이다. 북한은 정규군만 128만이니(지금은 90만이라는 설도 있음), 양국은 거의 200만이 서로 대치하고 있는 상황이다. 이는 세계 최대의 군인을 보유하고 있는 중국의 220만(실질적으로 30만 명 감군추진)과 거의 같은데 중국에서 감군이 완성되는 2017년 말이 되면 중국군 숫자를 추월한다. 미국의 130만(미국도 육군의 대규모 감군 추진)보다도 훨씬 많은 숫자이다. 특히 북한은 총 인구대비 군인수가

5%의 비중이므로 세계 최고로 높은 수치이다.

북한은 교도대와 붉은 청년근위대, 노농적위대를 합쳐서 770만, 한국은 320만의 예비군이 있다. 세계 최강이라는 미국조차도 예비군은 110만 밖에 안 되는데, 북한은 예비군 숫자가 세계 1위 한국은 세계 3위다(참고로 베트남이 500만으로 세계 2위). 거의 천삼백만이 되는 인구가 직, 간접적으로 군에 투입되고 있는 셈이다. 우리와 경쟁해야 할 서구 선진국 프랑스, 독일, 이태리, 스페인, 네덜란드, 캐나다, 그리고 일본이 정규군과 예비군을 합쳐도 대략 30만 정도를 유지하고 있는데 그들이 이조차도 많다고 줄이고 있는 추세와 비교해보면 극심한 낭비이다.

남북한 간의 군축회담을 빠른 시일내에 열어서 소모적 군비경쟁 종식선언(New Detente)을 하고, 현 휴전체제(Truce)를 평화체제로 바꾸는 동시에 상호 불가침협정을 맺어야 한다. 궁극적으로 전 세계에 모범을 보일 수 있는 '무기여 안녕(Farewell to Arms)' 정책을 지향해 나가면서 군 인력을 감축해야 한다. 유럽 각국과 비교하면 정규군만해도 남한만 3-4배, 북한과 합치면 20배, 남북한 예비군까지 합치면, 약 30-40배 이상 유지하고 있는 지금의 현실을 당장 고쳐야 한다.

	정규군	예비군
프랑스	205,000	195,000
영국	150,000	182,000
독일	180,000	145,000
이태리	190,000	42,000
일본	250,000	57,900
스페인	125,000	16,200
캐나다	95,000	51,000
네덜란드	50,000	32,000

호주	60,000	44,240

출처 : Global Firepower(최근에는 프랑스, 영국, 독일, 이태리와 같은 나라들이 상비군 인원을 더욱 감축해 15만 이하 수준으로 줄이기로 확정)

이러한 남북한 양국의 과도한 군사 인력과 군사비 지출은 국고 낭비이다. 서구 선진국의 평균 수준으로 남북한 양국이 협상을 통해 줄여 나가야 마땅하다. 실상 북한의 김정일 정권은 과거 2000년대 초반 남 북한 양국이 정규군 20만으로 줄이자고 제안을 했고 그 조건으로 미군철수를 요구했다. 그러나 "미군철수"라는 것은 당시 정부로서는 수용할 수 없어서 단호히 거절한 바 있다. 그러나 그때 단계적 철수나 그 밖의 스텝 바이 스텝(Step by Step) 협상으로 충분히 해결 가능했다.

과거 소련연방이 미국과의 군비 출혈 경쟁으로 경제가 파탄 나고 국가가 해체되었던 직접적인 원인이 바로 과도한 군비경쟁에 있었다. 미국도 현재 과거 냉전체제에서 소련과의 군사력 경쟁으로 돌이킬 수 없이 비대해진 군사산업 때문에 지금에 와서 이러지도 저러지도 못하는 깊은 수렁에 빠져있다.

군축은 가장 보수적이었던 독일 연방군이 2011년 7월부터 징병제를 완전 폐지하는 것으로 시작했고, 우리와 비슷한 상황의 대만이 2011년부터 자원입대자를 늘리고, 2013년에는 병역의무를 폐지한다. 이들이 2015년 징병제에서 모병제로 전향했던 과정을 잘 살펴보고, 우리나라도 과거 후진국형 군 체계를 선진국형으로 전환해야 한다(대만 병력도 23만 정도).

점점 생산 가능인구(15세-64세)의 감소와 더불어, 군 인원을 충당할 병역자원인 청년 인구감소도 눈에 띄게 나타나는 남한의 현실도 미리 감안해야 한다. 공멸을 이끄는 과도한 군사력에 의존하는 "죽기 살기"식 대치는 남북한 모두에게 더 이상 도움이 안 된다. 가능한 모든 대화의 채널을 열고 양국이 그랜드 뉴 데탕트(Grand New Detent) 시대를 열어야만 한다. 세계에 모범을 보여야 할 마당에 반대로 더 이상 어리석은 민족의 표본이 되어서는 안 된다.

요즈음의 전쟁은 첨단 전자무기를 동원한 무인의 전투 방식으로 점점 바뀌고 있다. 블랙 호넷(Black Hornet)과 같은 무인 드론(Drone) 수색, 무인 정찰기(UAV-Unmanned Aerial Vehicle) 및 어벤저(Avenger), 바라쿠다(Barracuda), 하롭(Harop), X-47A와 같은 무인 전투기(UCAV-Unmanned Combat Aerial Vehicle), 보잉사의 팬텀 아이(Boeing Phantom Eye-High Altitude Long Range), 제너럴 아토믹(General Atomics)사의 그레이 이글(Gray Eagle-Medium Altitude Long-Endurance UAV)과 같은 중장거리 무인 폭격기 등등, 무수한 새로운 모델이 속속 나오는 형편이다. GPS, T.V 적외선 카메라, 센서, 컴퓨터, 레이저 광선을 장착해 최전선에서 길을 닦고 인도하는 무인 장갑차(UGV-Unmanned Ground Vehicle)에 의한 전자전도 이미 90년대부터 시작되었고, 병력수로 전쟁하는 시대는 지났다.

세계 각국이 이처럼 무인 전투로 방향을 바꾸고, 여러 무기 개발을 전면적으로 단행함에 따라 대대적인 세계적 군 인력 감축이 트렌드로 이미 자리 잡았다. 중국도 시진핑 주석이 2017년까지 노후 장비부대 축소, 비전투인력 감원에 맞추어 기존 220만에서 30만을 더 줄이기로 결정했고, 미국마저도 "시퀘스터-Sequester" 정책(예산 축소)으로 국방예산, 군 인력, 군무원의 대대적인 감축에 착수했다.

미국은 지난 3년간 육군 7만 명, 예비군(Reversed Army)은 만 팔천 명을 감원했는데, 향후 2년 내에 육군인력을 49만 명에서 45만 명으로 4만 명을 또다시 감축하기로 했다. "Sequester" 문제가 지속되면 2019년까지는

42만 명으로, 그리고 군무원은 각 기지에서 10,000명 줄일 것이라고 발표하기도 했다.[5] 기동력, 현대화, 정예화, 무인화를 목표로 하는 이러한 일련의 정책은 한국이 반드시 참조해야 할 것이다. 또한 과도한 인력이 불필요한 신무기 개발전략을 세워나가야 한다.

종류	2014년 기존	2015년 추가 조정안 (감축)	2016년 회계연도 시퀘스터 지속 시(추가 감축안)
정규육군 병력	490,000명	440,000~450,000명	420,000 명
주 방위 육군 병력	355,000명	335,000 명	315,000 명
예비 육군 병력	205,000명	195,000 명	185,000 명

출처 : 나무위키-미군/감축(https: //namu.wiki/w/미군/감축)

군축이 가능한 이유

2013년 처음으로 징병제에서 모병제로 바꾸어 실시한 대만의 예를 보더라도, 초기에는 모병 지원자가 그렇게 많지 않거나 모집이 대단히 어려울 거라 예상했다. 처음에는 여성 지원자가 대거 몰릴 수도 있지만, 시간이 가면 갈수록 군인이라는 직업이 안정적이라는 인식이 더욱 확산될 것이다. 우리나라도 모병제를 실시하면 한국의 청년들은 군대에 가서 21개월(앞, 뒤 입대 시간까지 맞추는 것을 감안하면 거의 2년 반 이상)이라는 아까운 시간을 보낼 필요 없이, 커리어(Career) 단절 없이 본인이 하는 일에 집중함으로써, 과학, 문화, 예술 등 거의 모든 분야에서 국가적으로 발전에 기여하게 될 것이다. 적성에 맞고 직업으로서 원하는 사람만 받는 군 체제로 돌아가야 한다.

사실상 징병제는 국가라는 집단이 개인에게 가하는 인권 침해, 자유 박

5) '미군/감축.' 나무위키. n.p., n.d. Web. 3 May 2017.
https://namu.wiki/w/%EB%AF%B8%EA%B5%B0/%EA%B0%90%EC%B

탈에 가까운 것이다. 그러므로 현대 사회에서는 될 수 있으면 모병제를 통해 자유의사에 맡겨야 한다. 현재 서구 선진국에서 징병제를 실시하는 나라는 없다. 싱가포르하고 이스라엘처럼 작은 도시국가와 중동이라는 특수환경에 섬나라처럼 고립되어 있는 나라에서는 불가피한 선택이라고 생각한다.

이처럼 군 인원은 대대적으로 줄이되, 최첨단 무기를 국내 산학 협동을 통해 스스로 개발해서 소수 정예, 첨예 방위력 개념을 형성해 나가야 한다. 현대전에서 대량의 군 인원은 필요 없으며 지금까지 일어났던 선진국형 전쟁의 형태를 봐도 그렇다. 영국과 아르헨티나와의 포클랜드 전쟁, 쿠웨이트, 리비아, 이라크, 아프가니스탄, 시리아 등에 가한 미국의 군사 전략에서도 살펴볼 수 있다.

미국의 군사 전략은 소규모 부대의 분산 투입이다. 세계 최고의 농약, 종자회사인 몬산토(Monsanto)가 사들인 블랙워터(Black Water Mercenary Group)와 같은 민간 기업의 용병을 써서, 상대방의 반응(Reaction)과 동태(movements)를 신속히 파악하여, 목표 타격 포인트(Point)를 각종 위성, GPS나 첨단 통신 기술로 확인한다. 그리고 공중전에 의한 정밀타격이 가능한 폭격(Air Strike)이 먼저 이루어져 상대방의 주요 전력을 초토화한다. 그것도 점차 경제력 우위가 관건인 융단 폭격으로 밀어붙일 수 있는 시대로 접어들어 간 것이다. 이런 일련의 과정이 끝나고 나서 접수 시에만 실제 인원이 투입되는 것이다.

참고로 용병집단인 블랙워터(Blackwater)의 간부 대부분은 과거 미 CIA나 미국방부 G2, NSA(National Security Agency), 미국 군대출신(G.I-Government Issue)으로 구성되어 있고, “Total Intelligence”, “Kroll Inc”, “Booz Allen Hamilton”, “Stratfor” 등과 같은 사설정보 기관은 테러(Terror) 집단, 액티

비스트(Activists)나 반정부주의자들, 세계 모든 NGO 활동 등의 정보수집, 분석, 동태파악을 면밀히 하고 있다. 더욱 기막힌 것은 미국의 국가정보 예산 약 800억 달러의 70 퍼센트인 560억 달러가 이러한 사설정보기관의 정보를 이용하면서 상부상조의 형태로 쓰인다는 사실이다.

향후 현대전은 점점 전자 정보통신기술과 첨단 과학기술이 융복합하여 비선형 전쟁이나 비접적 원거리 전투로 접어드는 양상이 뚜렷하다. 한편으로는 남북한의 군사 대치 문제도 그렇고 혹시 생길 수 있는 국제전에서도, 기존의 구태의연한 전형적인(Conventional), 휴전선 및 NNL(북방한계선 Northern Limit Line)의 경계를 둘러싼 직선적 전투개념과 낡은 방위 전략 개념에서 벗어나야 한다. 테러에 의한 소규모 기습전, 생화학전, 사이버전, 국지전과 같은 실제 도발에 대한 전략을 마련할 시점임을 잊지 말아야 한다. 물론 이러한 것들은 당연히 대규모의 군 전략 개편과 각종 소규모 정예부대의 양성과 연결되어야 한다.

그러나 아무리 돈을 무기 구입에 퍼붓는다 하더라도, 또 어떠한 방어체제를 갖춘다 하더라도 일단 전쟁이 일어난다면 그것은 모든 외교와 국방의 우선적인 대 실패라고 봐야 한다. 과거 조선 초에 가장 뛰어난 학자이자 외교 전략가였던 신숙주가 해동제국기에서 말했던 것을 반드시 상기하고 염두에 두어야 한다.

“적(夷狄)을 대하는 방법은 외정(外征)에 있지 않고 내치에 있으며, 변어(邊禦)에 있지 않고 조정(朝廷)에 있으며, 전쟁에 있지 않고 기강을 진작하는 데에 있다.[6]”

6) 신병주. ‘신병주의 규장각 다시 읽기〈13〉해동제국기.’ 국제신문. n.p., 08 10 2006. Web. 3 May 2017. http://www.kookje.co.kr/news2011/asp/newsbody.asp?code=2500&key=20061009.22020220346.

항상 적은 내부에 있는 것이고, 국민이 뜻을 함께 모으지 못해 내부 분열 때문에 스스로 무너지는 일이 역사를 통해서 수도 없이 입증되었다. '변어'라 함은 일인자 옆이라는 말인데, 독단적으로 특정인들끼리 결정하지 말라는 뜻으로 무엇보다도 군의 사기와 '정신적 우월성'을 강조해야 된다는 그야말로 빛이 번쩍이는 탁월한 혜안인 것이다.

군사비 축소

남북한 간의 군축회담으로 군 인원을 줄일 뿐만 아니라 군사비도 줄여야 한다. 남한(2017년 GDP 약 1500 조)과 북한은(2017년 GDP 약 34조 추정-남한의 1/50) 공히 GDP대비 군사비 지출을 일본 수준인 1% 정도로 축소해야 한다. 최근 미 국무부 발표에 의하면 북한은 GDP대비 2002년부터 2012년 11년 동안 연 평균 GDP의 23.8%를 국방비로 지출, 세계에서 가장 높은 비중을 차지한다.[7] 수많은 북한 인민들이 굶주리는 열악한 상황에서 북한은 남한의 군사력과 군사비 지출에 대응해 과도한 군사비를 지출하고 있다.

군사비의 대부분 지출은 약 70%가 군 인력의 병력운영비(인건비, 급식, 피복비)와 전력 유지비용(시설, 장비보수 유지, 교육 훈련)인데, 이런 점을 감안한다면 최근 영국, 프랑스, 이태리의 군 인력의 목표 수준인 15만 선으로 감축해야 될 것이다. 그래도 남한과 북한은 각각 15만으로 한반도 전체 30만을 유지하는 셈이다.

북한도 유례없는 인구대비 세계 최고의 군 인력 투입은 더 이상 지속할 수 없는 상황이다. 국방비가 없어 인민군의 취사, 위생, 건강 관리가 최하수준으로 엉망인데, 급여는 차치하고 식량도 제대로 못 대주는 형편이니 더 이상 이런 상태를 지속하기 어려울 것이다. 전에 김정일 북한정부

---

7) 이연철. '미 국무부 '북한 GDP 대비 국방비 세계 1위.' VOA. n.p., 05 01 2016. Web. 31 March 2017. http://www.voakorea.com/a/3130542.html.

도 개혁 개방이 본격적으로 이루어지는 시대에 대비해 노동인력의 확보를 위해서는 개성공단에 언제든지 인민해방군 30만을 해체 투입할 준비가 되어있고, 군 인력을 20만 수준으로 유지하고 싶다고 얘기한 적이 있다. 이러한 국방예산의 축소를 통해 이를 남북한 각국의 경제발전과 국민의 복리, 후생으로 돌려야 한다.

우리나라 2014년 1년 총 예산이 약 380조인데, 최근 2015년 기준으로 국방예산은 한국 40조로 GDP 대비 2.8%에 달한다. 국방예산의 구성은 다음과 같다.

전력 운영비-27조 7천 억/이 중에서 병력 운영비 15조 6천 억
전력 유지비-10조 8천 억
방위력 개선비-12조 3천 억(이 중 7조-8조/70-80억 달러가 미국에서의 무기 구입 비용)

북한의 국방비는 약 4조(예산이 부족해 실제로는 년 1-2조라는 얘기도 있다)로 추정된다. 참고로, 각국의 국방 예산은 2016년 기준으로 다음과 같다. 수시로 변하는 환율의 문제와 각 조사기관의 조사 시점과 기준치 때문에 기관별로 통계가 매우 다르다. 그래도 가장 최근의 것으로 신뢰할 만한 데이터는 다음과 같다.

미 국	720조	6,560억 달러-자국의 GDP 대비	3.75%(전 세계 국방예산의 40%)
중 국	155조	1,410억 달러-자국의 GDP 대비	1.24%
영 국	71조	623억 달러	2.35%
인 도	58조	506억 달러	2.25%
러시아	56조	591억 달러	4.20%
사우디	52조	458억 달러	7.99%

프랑스	52조	453억 달러	1.91%
일 본	45조	410억 달러-자국의 GDP 대비	0.97%
독 일	41조	358억 달러	1.23%
한 국	37조	336억 달러-자국의 GDP 대비	2.80%
북 한	4조	36억 달러-자국의 GDP 대비	23.80%

출처 : 영국 IHS MARKIT Ltd. 2016.3.30 REPORT,
국제 전략문제 연구소 IISS(INTENATIONAL INSTITUTE FOR STRAGEGIC STUDIES)

2016년 3월 30일 영국에 본사를 둔 IHS MARKIT Ltd.(Information Handling Service) 발표를 보더라도, 중국은 전년도 대비 38%의 증가율을 보였지만, 엄청난 속도로 GDP가 증가하고 있다. 이대로 나가면 15년 후에 미국 GDP를 추월할 태세인데, 군사비의 GDP 대비 비율은 계속 떨어지고 있다. 향후에도 중국은 군비를 계속 늘려나갈 것이다. 반면에 미국은 전년도 대비 2.4% 감소했는데, 2011년 이후로 계속 줄여나가고 있다. 그렇다 하더라도, 여전히 세계 2위 국가부터 25위 국가의 모든 국방예산을 합쳐도 미국 한 국가의 국방비가 더 많은 것이 현실이다.

과도한 대립을 해소하고, 긴장완화(New Detente)를 하는 것이 당연하지만, 이렇게 못하는 결정적인 원인은 미국의 동북아 정책과도 긴밀히 연결이 되어있다. 북한의 군사력이 강한 것은 사실이지만, 대부분의 군사전문가들의 의견은 숫자상으로 과대평가되었을 뿐이고, 낡고, 불안전한 전투기와 해군함정으로는 남한과 대결한다고 해도, 연료도 제대로 보급되지 않아 1주일을 가지 못할 거라는 의견이 대부분이다.

특히 1970년대 말 이후로는 점진적으로 차이가 나서 현시점에 와서는 남한의 군사비 지출은 북한의 10배-40배 정도를(2015년 남한 40조, 북한 1조-4조 추정) 계속 더 많이 지출해 왔다. 그 결과 북한으로서는 도저히 한국의 군사력을 따라잡을 수 없는 지경에 이르렀고, 급기야 '생존 가능한 유일한 방법'으로 핵개발에 의한 방위력에 의존할 수밖에 없는 다급한 상황이었다.

남한은 현 상황에서 우선 북한에 핵이 있다는 것을 인정하고 남한에도 전술핵을 배치해서 만일 있을 상황에 대비하고 완전한 남북한의 타결이 성립되기 전까지는 세력 균형을 잡을 수밖에 없다. 현재로서는 이것이 잠정적으로 유일한 방법이다. 그 후에는 상황에 따라 남북한이 대화에 의한 협의로 풀어 나갈 수밖에 없다. 한반도 비핵화를 계속 주장하는 것은 그 실현 가능성도 희박할 뿐 아니라, 향후 초장기적으로 세계 정세를 우리 민족에게 유리한 방향으로 끌고 나가기에도 좋은 방법이 아니다. 이것은 탈원전과 같은 환경문제와는 전혀 다른 국방의 문제라서 선택의 여지가 없다. 오히려 평형을 맞추고 나서야 향후 대화와 군축도 용이하게 될 것이다.

만일 미국이 반대하여 전술 핵무기 배치가 불가능하다면, 미국을 비롯한 국제사회에 한국이 핵무기 개발을 해야만 하는 당위성을 집요하게 설득하고 결과를 얻어내야 한다.

심지어 핵확산방지조약(NPT-Treaty on the Non-Proliferation of Nuclear Weapons) 탈퇴도 무기삼아 강력한 외교력을 동원하여 최대한의 반대급부를 얻어야 한다. 그리하여 하시라도 남한 자체로 핵무기 개발을 서둘러 완료할 수 있게 준비해 놓고, 미국의 힘을 빌리지 않아도 세계 열강속에서 자력으로 한국 국방의 균형을 잡아 놓아야 한다. 이는 훗날 한국이 주도할 동북아 뿐만 아니라, 세계의 평화, 군축 논의에서도 한국에 있어서 가장 강력한 보완책으로 등장하게 될 것이다. 만일의 전술 핵무기 배치는 한반도에서 전쟁 억제력을 갖추는 대신 곧 미군철수와 연관시켜 진행해야만 한다. 한반도 수천년 역사에서 얼마나 많은 외국군 주둔이 있어 왔는가? 북한과 한반도 평화협정 과정에서, 이제는 이를 끝내야 할 시점이 도래한 것이다. 도대체 누구를 위한 한반도 비핵화인가를 철저히 생각해야만 한다.

북한이 핵에 의존하는 가장 큰 원인 중의 하나는 미군의 한반도 주둔과도 관련이 있다. 미국의 군, 산업 복합체는 국내외적으로 무기 생산과 판매에 광적인 상태이다. 한반도에는 전혀 가격대비 쓸모가 없고 성능도 불확실하고, 한반도 현 상황에 맞지도 않는 대중국 정찰, 방위 개념에 불과한 사드(THAAD-고고도 미사일 방어체계)를 강요하고, 대당 가격이 1,600억 원(1억 3,000만 달러)이나 하는 F-22(랩터 Raptor 전투기), 또한 대당 2,200억 원(2억 달러)이 될 차세대 모델 F-35A를 팔기 위해 온갖 형태의 전방위 로비를 한다.

새 전투기 기종이 도입될 때마다 과거 공군 참모총장들 중에서도 몇 명이나 구속이 될 정도로 무분별하게 비밀로비를 하고, 국가 일급 기밀마저 빼내고, 또한 마지못해 파는 듯한 온갖 작전을 쓰고 있다. 물론, 그들이 각국의 에이전트를 통해 펼치는 각종 추악한 로비는 상상을 불허한다. 이미 과거에 다 밝혀진 사실이고, 우리나라뿐만 아니라, 거의 모든 국가의 수뇌부가 다 관련된 일이다. 전 세계적으로 구악(舊惡)이 개악(改惡)을 불러일으키는 악순환의 연속일 뿐이다.

대한민국은 반드시 한반도 내에서 북한과의 뉴 데탕트(New Detent) 정책을 성공시키고, 한시라도 전 지구상의 모든 국가가 군사비 사용을 GDP의 "1% or Less" 캠페인을 벌여 나가도록 선도해야 한다. 전 세계 인류평화를 위해서도 대한민국이 반드시 주도해야 되며 국방비 삭감에 있어서는 세계 모든 국가들의 표본이 되어야 한다.

군축을 통해 가능한 일들

향후 한국이 세계의 모범국가로 탄생하려면, 상징적 의미에서라도 군축된 군 인원의 일부는(각각 1만 명 정도) 반드시 남, 북한 공히 환경군으로 전환해야 한다. 지구는 급격한 온도 상승과 대기오염 물질의 방출에 따라서 오존층 파괴, 기후 온난화와 산성비, 급격한 사막화, 양극 지방의 빙하 멜팅(Melting)으로 인한 지구 수면 상승 등으로 인해 점차 파괴되고 있다. 이때 한반도에서 모범적이고, 주도적으로 그리고 최첨단의 과학적인 관리 방식을 총동원해 문제 해결에 적극적으로 나서는 모습을 보여야 할 것이다.

환경군이 할 일은 각 지역의 자연환경 보호(산천, 갯벌, 해양관리, 습지, 늪지, 철새 도래지 등등)와 생활 환경보호에 주력하는 것이다. 상수원, 호수 등 수자원 보호, 생활 하천관리, 공장지대의 하수도 폐수, 유해 폐기물 관리, 토양 오염물질, 공해 오염물질 관리와 감찰 등, 지금의 시, 군 행정력이 못 미치고, 경찰 인력이 할 수 없는 일을 망라해서, 결국 삶의 질을 높이는 데 상당한 도움이 될 것이다. 또 대한민국이 세계에 내놓고 자랑할 만한 깨끗한 환경을 유지하는 데 크게 일조할 것이다. 특히 북한의 경우, 새로운 경제개혁, 개방에 들어가면 중국이나 다른 개발도상국가와 마찬가지로 환경오염은 뻔히 예상되는 일이므로 미리 대비해야 한다.

미국에게 연간 1조 원씩 지불하고도, 해마다 분담금 상승 요구에 시달리는 상황이므로, 전시작전권 회수 및 미군의 남한 주둔과 한미 합동 군사훈련도 심각하게 고려해봐야 한다. 이러한 한미 합동 군사훈련이 과연 필요한 것인지, 미국 주도의 대 중국 봉쇄(Containment) 정책의 일환으로 동북아 긴장 조성에 한국군이 이용당하고 있는 것은 아닌지 검토해야 한다. 그보다는 향후 남한, 북한군의 합동훈련을 준비해야 한다.

개성공단 재개와 활성화

베트남 수준의 개혁, 개방이 있어야, 북한이 경제적 자립과, 독립성(Independency), 자생력(Viability)을 확보하고, 이를 통해 통일비용 감소를 이룰 수 있다. 또한 국내기업의 개성공단 활용도도 월등히 높여야 한다. 삼성과 같은 국내 대기업부터 솔선수범을 보여, 중국(2/10 Portion)과 동남아(5/10)에 대한 투자를 개성공단(3/10)을 활용해서, 북한이 제공할 수 있는 세계 최고수준의 기능성을 겸비한 인건비 경쟁력을 확보해야 한다. 그리고 인건비나 부지 비용에서 경쟁력을 갖춘 개성공단의 비율(Portion)을 더욱 늘려 나가야 한다.

참고로 하노이 인근 박닝성 옌퐁 삼성전자 베트남법인(SEV)은 연간 1억 2,000만 대의 휴대폰을 만들고, 인근 타이응웬성에서는 베트남 2공장까지 완공되어서 베트남은 2억 4,000만 대의 휴대폰 최대 생산기지로 부상했다. 2015년 368억 달러 수출로 베트남 전체 수출액의 20%를 점하고 있다. 삼성은 베트남에서 휴대폰 생산에만 8만여 명을 채용하고 있다(한국의 구미공장은 9800명이 연간 3800만 대 생산).

삼성전자 베트남법인에 따르면 삼성전자는 소비자가전 복합단지 조성을 위한 투자액을 20억 달러(2조 3천 370억 원)로 애초 계획보다 6억 달러(7천 11억 원) 늘리기로 했고 호치민시 동부 사이공 하이테크파크(SHTP)에 들어서는 복합단지 규모는 70만 ㎡로 2020년까지 조성될 예정이다. 단지에는 초고해상도의 SUHD TV와 스마트 TV 등 TV 생산시설을 선두로 세탁기, 냉장고 등 가전제품 라인이 설치되며 2만 명의 고용창출이 되고 삼성이 베트남에 투자한 금액은 140억 달러(16조 3천 604억 원)를 웃돈다고 한다.[8)]

---

8) 김문수. '삼성전자, 베트남 가전공장 7천억원 추가 투자…내년 1분기 가동.' 연합뉴스. n.p., 30 12 2015. Web. 31 March 2017.
http://www.yonhapnews.co.kr/bulletin/2015/12/30/0200000000AKR20151230051000084.HTML

삼성과 같이 베트남 한 곳에서만 거의 10만 명이나 되는, 고용인력의 수요가 어마어마하게 필요한 기업에게 개성공단이라는 좋은 장소를 불안정하게 쓰지도 못하게 한 정부의 태도도 큰 문제이고, 정경분리의 대원칙에 따라 행동하지 못하는 위정자들도 자신들의 과오를 반성해야 한다. 법무부 출입국 외국인 정책 본부가 발표한 바에 따르면 2015년말 기준 현재 한국에 들어와있는 외국인 합법 근로자 수는 약 62만 5천 명이고 불법 노동자(25만 이상 추산)까지 합하면 90만 명을 상회한다. 그 외에도 한국기업이 외국에서 고용하는 노동자는 100만을 초과한다.

이 모든 인력 고용이 전부 북한으로 넘어 와도 충분히 물품을 생산할 수 있다. 또한 공장에 투입된 인프라와 생산 설비 등 자본투자에 들어갔던 비용은 말할 것도 없이 북한에 투자 해야 한다. 과거 중국이나 세계 각지에 투자해서 실패한 많은 예를 보면, 해외나 국내에서나 멀리 보지 못하고 가깝고 관리하기 편리한 곳을 놔두고, 멀리 불편한 곳에 단기적일 수 밖에 없는 투자로 잘못 돌아가고 있는 것이 많다.

그 다음 단계로는 DMZ에 새로운 공단을 지어 활용하고, 그런 다음 북한 전역에 농, 공업 단지를 지어서 북한의 개혁 개방을 적극적으로 도와나가야 할 것이다. 엘빈 토플러는 “산업화가 이루어진 후에 민주화를 이룰 수 있는 것”이라고 했다. 북한의 인권문제도 각 개인의 소득이 높아지고 경제가 안정이 되면 상당 부분은 저절로 해결될 것이다. 우리는 이미 북한과 같은 폐쇄적인 공산사회주의가 개혁 개방으로 어떻게 변했는지 중국, 베트남, 구 소련 연방국가들에서 쉽게 그 예를 찾아볼 수 있다. 북한이라고 예외일 리 없다.

북한의 경제적 자립은 10년 정도만 남한이 전적으로 도와주면 충분히 달성할 수 있다. 이를 위해 국내 대기업을 위시하여 중소기업들의 개성공단 활용도를 더욱 높여서 앞으로 해외 동반 투자유치를 대비해 시범단지 뿐 아니라, 제2, 제3의 공단으로 대규모 활성화를 시켜야 한다.

현대그룹에서 개성 공단부지를 잡을 때에 넓게 잡아 놓았는데도 현재 극히 일부만 쓰고 있어서 안타깝다. 남한 기업은 마땅히 중국과 동남아에 대한 투자 대신에 개성공단을 활용해야 한다. 현재 북한이 개성공단에서 노동력을 제공하는 대가로 공인당 70달러 정도 받아가는데 돈은 중요한 문제가 아니다. 어려운 사정을 감안해서 북한은 이 정도로 그치지만 향후에는 적어도 미얀마, 캄보디아 정도로 인건비 수준을 현실화해야만 한다. 북한 노동자는 깔끔하게 작업하고 똑똑하기로 정평이 나 있어 세계 최고의 인건비 경쟁력을 충분히 확보할 수 있다.

개성공단으로의 외국기업 유치는 필수이다. 한국정부는 외국기업에 대해 안전보장 및 적극적인 대규모 해외사절단을 구성하여 유사시에 발생할 모든 리스크에 대한 부담을 덜어주며, 개성공단 유치를 성공시켜야 한다. 우리와 같은 분단국가 경험을 가진 독일을 비롯하여, 스칸디나비아의 굴지기업들까지 총 망라해야 한다. 중국기업도 지금은 인건비상승으로 베트남을 위시한 각 동남아국가로 공장을 이전하고 있는데, 중국이 먼저 북한을 이용하기 전에 한국정부가 이니셔티브를 잡지 않으면 어려워질 수도 있다.

2015년 기준 각국 인건비 :
북한 인건비 월 70불, 방글라데시 100불, 라오스 110불, 미얀마 125불, 캄보디아 128불, 인도네시아 210불, 중국 500-700불, 베트남 160-250불/삼성

출처 : 홍보영. '동남아 저임금국가 진출 기업, 인건비 상승 대략 난감'. 산업일보. n.p.19 04 2015. Web. 3 May 2017.

개성공단의 활용(북한의 세계 최고 수준의 기능공+인건비경쟁력 70달러 /한 달 기준)으로 남한의 탁월한 상품기획력, 디자인력, 판매력을 등에 업고 부가가치가 높은 새로운 패션, 식품, 가전, 섬유, 소비재 등, 세계적인 경공업제품 합동생산과 더불어 한류와의 결합에 의한 남북한 동반 세계시장 진출을 도모할 수 있다. 다국적 해외기업이 북한에 많이 들어가면 갈수록 일종의 보험처럼 한반도 안전보장이 견고해지므로 남한 정부는 적극적으로 개성공단에 해외자본 유치를 강구해야 된다.

어떤 나라도 남북한 긴장관계 속에서 안전을 믿지 못하는 상태여서 남한 정부에서 더욱 발벗고 나서야 한다. 그리하여, 북한의 노동력이 개성공단으로 대거 유입되고, 군축회담 후에 과도한 군사력도 잉여 인력으로서 투입되도록 시기를 맞춰야 한다. 이와 더불어 개성뿐 아니라 해주, 남포, 함흥 등 각지에 제2, 제3의 공단도 우후 죽순으로 생겨나도록 모든 인프라(Infrastructure) 구축에 한국 건설기업이 총동원되어야 남북이 상생할 수 있다.

남북은 수천년을 같은 언어와 풍습으로 더불어 살아왔던 한 민족으로, 앞으로의 수천년도 같이 가야 될 형제 자매들이다. 그러므로 북한을 주적으로 여기는 등 고리타분한 생각을 버려야 한다. 다른 민족도 돕는데 같은 민족이 어려우면 더욱 더 발벗고 도와주어야 마땅한 것이다. 도와주어도 반드시 확실한 자립과 공영을 목표로 정하고 북한의 자존심을 살려가면서 해야 한다. 남한정부의 인프라 건설을 북한지하자원과 교환한다든지, 좀더 현실적으로 다가가야 상생도 하고 경제적 성공도 이룰 수 있다. 퍼주기식의 도움은 지양해야 한다.

대기업들은 앞으로, 특히 북한의 대규모 지하자원 개발에 주력해야 한다. 북한의 지하자원은 무궁무진하여 미래의 통일 한반도 발전과 번영의 견인차 역할을 톡톡히 할 것이다. 지금은 각종 채굴권을 헐값에 중국으로 넘기고 중국과 합작투자라는 명목으로 불합리하게 계약을 맺고 있는 실정이다. 중국의 자본이 본격적으로 침투해 들어가기 전에 남북 경협을 추진해야 한다.

특히 반도체의 원료인 희토류와 내화재료인 마그네사이트, 또 금, 철광석, 구리, 아연 등과 매장량이 풍부한 그 밖의 지하자원은 미래의 통일한국에 큰 도움이 될 것이다. 남한에도 광공업은 사양산업으로 접어든 지 오래여서 많은 유휴설비가 남아 있다. 이를 다시 사용하면 남북한이 서로 공생할 수 있다.

뿐만 아니라 DMZ에도 대규모 경제특구를 조성해야 할 만큼 많은 해외자본을 투입하고 더 늦기 전에 한국 정부주도로 많은 해외의 공장을 유치해야 한다. 한국의 경제 회복에도 큰 도움이 될 것이다. DMZ에 우선 해야 할 일은 남한과 북한이 힘을 합해서 공단을 건설하는 것이다. 이상보다는 먹고 사는 현실문제에 더욱 치중해야 된다. 즉, 북한의 노동자들이 DMZ에 있는 공단으로 더욱 진 · 출입을 쉽게 할 수 있고 남한 정부도 조금 더 유연한 상태로 공단을 운영할 수 있을 것이다. 특히 해외 자본을 유치할 시에는 더욱 유리한 방향으로 설명이 가능할 것이다. 그리고 차츰 북한 전역에 공단이 조성되어야 한다. 대 북한과의 정책은 절대 흔들림 없이 철저히 "정치 경제 분리"의 논리를 펼쳐 경제교류부터 확대해 나가야 할 것이다. 세계 평화공원 · 생태공원은 추후 생각해도 될 일이다.

또 동아시아 공동체 논의 과정에서 남북의 의견격차를 줄이는 한편, 한반도 통일과 연관해 1차로 한, 중, 일 3국의 동아시아 공동체 추진방향으로 삼고, 향후 2차로는 북한, 몽고, 타이완을 포함시키는 방법을 택하면 좋을 것이다. 물론 그 사이에 남북한이 정경분리주의에 입각한 경제협력으로 물꼬를 트고, 통일에 대한 기초가 선행되어야 한다.

한편, 이미 오래 전부터 너무도 많이 다루어진 주제이지만, 유라시아 철도 연결과 중국 훈춘, 러시아 하싼, 북한 나진, 선봉, 굴포항의 3개국 트라이앵글 협력개발을 위해, 이 다국적 국제도시들에 대한 투자개발을 한국정부가 선도해야 한다. 지금은 러시아가 천연가스 파이프라인을 비롯해, 이 프로젝트를 너무도 원하고 있지만 한국정부에서 중단하고 있는 상태이다. 그러나 하루빨리 재개를 해야 한다.

그리하여 러시아, 중국, 북한, 한국과의 대규모 상호 경제협력을 통하여 국제적인 산업단지, 배후기지 공동개발, 일본 서북부 지역의 유럽대륙 진출 기지로서도, 또한 동북아 물류 중심으로도 거듭날 수 있도록 해야 한다. 이렇게 해야만, 부산 역시 경의선과 연결해서, 시베리아 횡단철도(TSR Trans-Siberian Railway), 만주 횡단철도(TMR-Trans-Manchuria Railway)로 직접 통할 수 있게 하여 일본뿐만 아니라 아시아 각국의 물류중심지로 중심을 잡을 수 있게 된다.

15세기에서 16세기에 걸쳐 포르투갈 엔리케 왕자의 아프리카와 인도 항로개척과 콜럼버스의 대서양횡단 성공, 마젤란의 세계일주 항로 발견으로 인한 대항해시대의 개막과 더불어 고대로부터 수천년 내려온 실크로드(Silk Road)의 유통경로가 거의 무너지게 된 사실을 눈여겨봐야 한다. 물류의 중심이 되는 것은 유럽 역사를 보더라도 국가의 부를 가져다 주고 문화와 금융의 번성을 이루게 하는 지름길이었다.

중세부터 시작하여, 12-13세기 십자군원정 때에 유럽연합국의 원정 출입 항구로서 더욱 입지를 굳힌, 이태리 베니스와 제노아가 가로축 지중해 및 동방 무역에서 중심으로 올라 섰고, 곧이어 북유럽의 한자동맹과 중남부 유럽대륙을 이어주었던 세로축 무역중심은 지금 벨기에의 브뤼허(Bruges)가 최 중심 항구로 자리 잡았다.

그 후 이베리아 반도의 스페인 카디스(Cadiz)가 신대륙 항해의 중심지로서 기능하게 된다. 이곳은 고대로부터 지중해 무역의 서쪽 다른 한편의 주역을 담당하며, 아주 초창기 신대륙 무역의 3/4을 점한 바 있고, 컬럼버스가 2번이나 출항한 곳이기도 하다. 추후 본격적인 대서양무역 중심으로서의 서유럽 창구 역할을 100년이 채 안 되게 담당해주었던 벨기에 앤트워프(Antwerp)를 거쳐, 현대의 지금까지도 유럽 최대의 물류 중심항구를 유지하고 있는 네덜란드 암스테르담 및 로테르담으로 이동한 과정을 보더라도, 이러한 모든 항구도시들은 해당 국가뿐 아니라 전 유럽에서도 막강한 부와 상업, 금융의 중심지가 되어왔다.

이렇듯, 한 나라의 흥망성쇠와 한 도시의 물류 거점중심으로의 발전은 밀접한 관계가 있으니, 다국적 경제협력과 동북아시아 물류중심으로 나진 · 선봉을 키우는 일은, 결국 한반도 안전보장과 미래의 국부 창출에도 크게 도움이 되는 일일 것이다. 이는 동시에 북한과 남한의 철로가 마침내 이어지게 되면 동북아에서 부산항이 최대 물류의 중심으로 떠오를 확률을 한층 높여주는 것이기도 하다. 한반도 통일의 시나리오 중 하나로서, 결국 단계적으로 국가연맹에서 국가 연합추진, 또 나아가서 영세중립 선언을 통한 완전통일을 이루어 나가야 할 것이다.

신 방어 체계 구축

더욱 국산 첨단 무기개발에 전력투구하여, 현대 로템, 위아, 항공우주산업(KAI), 한화 탈레스뿐만 아니라 이와 비슷한 다른 사기업의 전문적인 방위산업, 무기회사 설립과 프로젝트를 적극적으로 도와야 한다. 미국도 존스 액트(Jones Act)와 같은 법률에 의하여 군함이나 해양방위 선박은 미국산만 쓰도록 하는 법안이 있듯이, 한국도 일부 국내 방위산업체는 국가가 적극적으로 육성하고 국산만 쓰도록 밀어줘야 한다.

록히드 마틴(Lockheed Martin)이나 보잉(Boeing), 맥도널 더글라스(McDonnell Douglas-1997년 보잉에 합병), 노스럽(Northrop)과 같은 한국적 최첨단 무기 전문회사 창립을 적극적으로 도와서 무기 면에서 더 이상 수입에 의존하지 않게 자립도를 증강시켜야 한다. 미국에서도 대부분의 신기술이 국방부 프로젝트의 산학 협동에서 나온다는 점을 살펴 우리도 이러한 전문회사 양성과 대학을 연계하는 산학협력을 통한 신기술 개발이 동시 이루어져야 한다.

미국은 한국의 각종 무기개발을 철저히 막고 방해하고 있다. 미사일의 사정거리도 800 킬로에 탑재 능력 500 킬로그램으로 그 이상은 개발을 못하게 하고 있다(최근 트럼프의 한국 방문 때 중량제한은 풀었음). 더욱 큰 문제는 소프트웨어의 연동이다. 언제라도 미국이 마음만 먹으면, 지금까지 구입했던 모든 무기는 아무 소용없게 될 수도 있다. 한국이 겨우 개발한 800km의 미사일(표적 관리능력도 없어 미국에 의존해야 됨)이나 비행거리 300km 이상의 정찰기에는 미국 군사용 코드를 쓰게 해 상시 사용을 막아 놓았다.

설사 미국이 허용한 군사위성용 GPS를 달았다고 해도 200km를 벗어나면 작동이 멈추도록 규제장치를 추가했다. 한국이 자체로 군사위성용 GPS를 개발하는 것도 금지시켰다.[9] 공군, 해군 등이 각각 구매한 모든 무기들의 데이터도 연동 안 된 채 미국에 의존하지 않으면 전체를 꿰뚫는 작전은 곤란할 정도이다. 전시작전권 환수가 시급한 이유이기도 하고, 하

9) 황일도. '한국軍이 美 GPS에 목매는 까닭.' 주간동아. n.p., 22 06 2015. Web. 4 April 2017. http://weekly.donga.com/List/3/all/11/99522/1.

루라도 빨리 자주국방의 기틀이 필요한 이유이기도 하다. 특히 소형 드론(Drone)에 장착한 각종 전술 장비에 의한 정확한 목표 타격과 대규모 숫자의 동시다발 공격은 기존의 구태의연한 무기체계에 심각한 위협(아마도 무용지물로 만들 수도 있음)을 줄 수도 있고 또 그러한 소형 드론에 의한 공격과 방어체계를 동시 개발하는 것은 시급한 당면 과제이다.

한국은 북한보다 기술력도 훨씬 우수하고 활용할 수 있는 우수인력, 또 국방비 재원도 30-40배나 더 쓰고 여유도 많다. 그러나 북한은 한국처럼 무기 구입에 돈을 쓰고 있지 않다. 그러므로 남한은 북한의 군사력을 훨씬 능가할 수 있어야 한다. 그런데도 여전히 북에 핵무기가 있다는 이유로 사드나 수 십조에 달하는 전략무기를 들여 오고 있다.

미국이 막아서 미국의 핵우산에 들어갔는데, 이제는 북한과 핵 무기 하나로 전력의 차이가 그만큼 생겼으니, 북한이 핵 개발하기 전에는 아무 일도 못하다가 이제는 더욱 더 미국 무기를 계속 사야 한다는 논리라면, 그동안의 정부와 국방부는 안보 문제에 있어서, 있으나 마나 한 존재가 되어버리는 것이다.

한국은 미국으로부터 연간 70-80억 달러에 달하는 무기를 구입해 왔다. 앞으로 최소한 5년간은 일절 사지 않을 정도의 강력하고 독립적인 생각을 가지고, 전 금액을 국내의 국방산업에 몰입해 투자할 계획을 마련해야 한다. 국방력을 줄이자는 얘기가 아니고 현대 전투개념과 전략이 바뀌어 쓸모도 없는 재고나 급속도로 고물이 되어가는 해외 무기구입을 그만두자는 것이다. 자주국방의 기틀을 하루빨리 마련해서 국내에서 자국의 조건과 환경에 적합한 독자적인 신무기개발을 전적으로 해야 한다.

미국에 의존하며 '무기체계에 종속'되어 있기보다 더 많은 비용이 들어가는 각종 부품과 GPS와 같은 수많은 소프트웨어의 독립도 이루어져야 한다. 물론 북한과의 사전 대 타협을 전제로 삼아야 하는 것은 당연하지만 이러한 방향으로 국가계획을 짜야 한다. No라고 말할 수 있는 한국이 아니라 No라고 말해야만 하는 한국인 것이다.

차후에는 북한과 더불어 영구 평화선언, 더 나아가 남북통일에 빗댄 가장 좋은 익스큐즈로 영세중립을 표방할 생각을 하며, 국방비를 계속 줄여나가야 한다. 줄어든 국방비가 국가안보에는 영향을 받지 않도록 예산 운용을 매우 치밀하게 해야 할 것이다. 무기 수입을 줄이고, 자국 내의 국방안보 산업을 산학협동을 가동하여 크게 키우고, 미래의 새로운 국방개념에 맞는 최정예부대와 최첨단 무기개발에 힘써야 한다.

남북 군사력과 북한 핵문제

2016년 1월 21일 발표된 가장 객관적인 남북의 군사력 비교 자료가 다음과 같다. 객관적으로도 북한은 남한의 군사력에 한참 뒤져 있다. 북한의 대부분의 군 장비는 노후해서 실제 전투에 쓰지 못하는 그야말로 숫자로만 존재하는 것이 많다.

국가(Country)	북한(North Korea)	남한(South Korea)
세계 군사력 순위(GFP Rank)	23(of 126)	11(of 126)
인구(Total Population)	25,115,311	50,924,172
가용 인력(Manpower Available)	13,000,000	25,610,000
군 동원 인력(Fit-for-Service)	10,100,000	21,035,000
연간 군입대 가능자 (Reaching Military Age Annually)	415,000	690,000
현역군인(Active Military Personnel)	700,000	625,000
예비군(Active Military Reserves)	4,500,000	2,900,000
모든 종류 비행기(Aircraft (All Types))	944	1,477
헬리콥터(Helicopters)	202	709

전투 헬기(Attack Helicopters)	20	81
공격용 비행기 (Attack Aircraft(Fixed-Wing))	572	448
전투기(Fighter Aircraft)	458	406
연습용 비행기(Trainer Aircraft)	169	273
수송기(Transport Aircraft)	100	348
사용 가능 공항(Serviceable Airports)	82	111
탱크(Tank Strength)	5,025	2,654
장갑차(AFV Strength)	4,100	2,660
자가구동 대포(SPG Strength)	2,250	1,990
견인 대포(Towed Artillery)	4,300	5,374
멀티 로켓 포대(MLRS Strength)	2,400	214
상선(Merchant Marine Strength)	158	786
주요 항구/터미널 (Major Port/Terminals)	8	8
함대(Fleet Strength)	967	166
비행기 수송선(Aircraft Carriers)	0	1
잠수함(Submarines)	76	15
소형 구축함(Frigates)	11	13
구축함(Destroyers)	0	12
콜베트함(Corvettes)	2	16
폭발 기함(Mine Warfare Craft)	25	11
경비선(Patrol Craft)	438	70
외채(External Debt(USD))	$5,000,000,000	$385,600,000,000
연간 국방비 (Annual Defense Budget(USD))	$7,500,000,000	$43,800,000,000
외환보유액/금 (Reserves Foreign Exchange /Gold(USD))	$6,000,000,000	$372,700,000,000
실질 구매력(Purchasing Power Parity)	$40,000,000,000	$1,929,000,000,000
노동력(Labor Force)	14,000,000	27,250,000
일일 석유생산 배럴 (Oil Production(Barrels/Day))	100 bbl	500 bbl
일일 석유 사용 배럴 (Oil Consumption(Barrels/Day))	15,000 bbl	2,325,000 bbl

증명된 연료 비축량 배럴 (Proven Oil Reserves(Barrels/Day))	0 bbl	0 bbl
도로(Roadway Coverage(km))	25,554 km	103,029 km
철도(Railway Coverage(km))	5,242 km	3,381 km
수로(Waterway Coverage(km))	2,250 km	1,600 km
해안선(Coastline Coverage(km))	2,495 km	2,413 km
국경선(Shared Borders(km))	1,607 km	237 km
국토 면적(Square Land Area(km))	120,538 km	99,720 km

출처 : Military power comparison results for North Korea vs. South Korea, 2016. 1. 21 저자 번역

참고로, 군사전문가 유용원 씨에 따르면, 북한의 실상을 다음과 같이 얘기한다.

"북한 포병 화력 중 240mm 다연장 로켓(방사포)은 최대 사정이 43~60km, 170mm 자주포는 50여 km로, 휴전선에서 서울을 직접 공격할 수 있다는 점에서 한미 양국 군의 비상한 관심을 끌어왔다. 1990년 북한엔 240mm 다연장 로켓이 단 한 문도 없었으나 그 뒤 해마다 증가, 지난해는 모두 430여 문에 달하게 된 것으로 알려져 있다. 170mm 자주포도 1990년대 초엔 200여 문에 불과하던 것이 현재는 670여 문에 이른다. 북한은 휴전선에서 서울을 사정권에 넣은 장거리포를 1,100여 문 보유하고 있는 셈이다. 남한 전역을 사정권에 넣는 사정거리 300~550km의 스커드 B/C 미사일과, 일본 대부분 지역을 사정권에 넣는 사정거리 1,300km의 노동1호 미사일 등, 군 당국의 공식 자료에 따르면 북한이 보유 중인 노동1호 미사일은 평북 신오리에 배치된 9기(기 · 미사일은 40~50발 추정)가 전부다. 그러나 군 내부자료와 일부 언론 보도내용에 따르면 영저동 기지에 배치된 것을 포함, 지난 2년 사이 북한의 노동1호 미사일 보유 규모는 두 배나 늘어 총 100여 발이 실전 배치된 것으로 파악되고 있다. 스커드 미사일 지하기지는 평양-원산선 이남 지역인 삭간몰, 갈골, 금천리 등 세 곳에 건설 중인 것으로 알려져 있다. 종전엔 황해

북도 신계지역에 27기의 발사대가 배치된 것으로만 파악돼 있었다. 군 당국이 공식적으로 밝힌 북한 스커드 미사일 보유 규모는 모두 500여 발. 그러나 데니스 블레어 미 태평양 사령관은 지난 3월 미 상원 세출위 증언에서 『북한은 모두 600여 발의 개량형 스커드 미사일을 보유하고 있다』고 밝혀 최근 100여 발이 늘어났음을 강력히 시사했다."

한편 이미 몇 십 년째 군사비 지출 면에서 거의 10여 배(심지어 30-40배라고 주장하는 사람도 많이 있지만)를 더 써왔던 남한의 군사력이 북한보다 약하다는 것은 어불성설에 불과하다. 핵 문제도 장기적으로 보면 커다란 위협임에는 틀림없지만, 일단 북한이 자국의 '완전한 파멸'이 예상되는 전쟁을 일으킬 가능성은 매우 적어 보인다. 그러므로 그들이 살아 남을 수 있는 유일한 방법으로 간주되는 핵 보유를 북한이 포기할 수가 없음을 감안해야 한다. 미국정부가 표방하는 대로 "핵 보유 불인정" 정책을 따를 필요는 없고 핵 포기를 전제로 하는 경협도 당연히 지양해야 한다.

북한의 가장 중요한 맹방인 중국을 포함해서 세계 어느 군사전문가도 북한이 핵을 포기할 것이라고 말하는 사람이 없다. 북한의 핵 '동결'과 미국에 의한 '평화보장 및 불가침협정'을 교환하는 정책을 펼치는 것도 좋지만, 대화와 경제협력으로 해결하는 것이 더욱 현실적이다. 지금 단계에서는 반드시 "핵 동결" 정책을 시행해야 한다. 그런 다음 남북의 얽힌 고리를 하나씩 풀어 나가야만 한다.

실상 한반도에는 카터 정부가 핵무기 철수를 결정 내리고 부시 행정부에서 공군용만 빼고 지상 및 해상 핵무기 완전 철수를 하기 시작한 1991년도까지는 주한 미군이 설치한 1,700여 기가 넘는 소형 핵탄두가 장치된 전술 핵무기가 존재했다(미 국무부는 한때 1,600여 기라고 발표한 적이 있음). 과거 팀 스피릿(Team Spirit) 훈련은, 핵무기를 유사시 퇴거(Evacuation), 재배치

(Relocation), 전개 및 컨트롤(Deployment Control)하는 전술 배치훈련이었다는 것은 이미 다 알려진 사실이다.

설사 한반도에서 핵무기를 전부 철수했다 하더라도 수시로 핵잠수함이니, 핵탄두를 장착한 전투기(B2, B52 등)를 한반도 주변으로 배치해 놓아왔고, 이런 한미 군사 합동훈련과 핵무기의 위협에 북한이 큰 위협을 느꼈음은 자명하다. 게다가 북한에서는 그동안 남한과의 엄청나게 벌어진 국력과 군사비의 차이를 현실적으로 보게 되었고, 또한 체제안전보장이 되지 않을 경우는 살아남기 위해서는 "오로지 핵무기 개발만이 살길이다"라고 생각했을 것이다. 그렇다면 한미 양국은 왜 한반도에 1,700기 이상의 핵탄두를 배치했을 때 한반도 비핵화를 주장하지 못했는가. 북한이 러시아, 중국 등과 합동 군사훈련을 하고, 중국군, 러시아군이 북한에 주둔하는 것을 허용할 수 있는가.

북한의 핵은 오히려 평화체제 역량을 내부적으로 갖추고 경제발전에 집중하고자 하는 마지막 몸부림으로 보인다. 북한의 위정자들도 국가의 발전을 생각할 것이다. 이럴 때일수록, 북한의 경제적 어려움을 도와주며 막힌 빗장을 풀어줘야 한다. 이 과정에서 핵 문제에 대한 합의가 점진적으로 도출될 수 있다고 본다.

핵을 당장 포기하라 또는 포기의 전제조건으로 대화의 창구를 열고 경제협력을 한다는 것은 전혀 현실성이 없다. 과거에도 몇 십 년 동안 그래왔고 계속 아무런 성과도 거두지 못해 왔다. 아무리 어려운 길일지라도 또, 그 어떠한 상황일지라도 정치와 경제는 철저히 분리시켜야 한다.

미국이 철수하지 않는 이유

미군철수와 관련된 가장 중요한 문제는 다음과 같다. 과거 미국이 주도해서 소련과 더불어 세계를 양분, 재편해왔던 양극체계(Bi-Polar System)가 소련연방의 해체로 무너진 이후, 이러한 시스템은 더 이상 맞지 않다. 더구나 복잡다난한 현대에 와서는 더욱 그렇다. 그리고 이제는 이러한 양분법에 따라 대한민국이 외교를 진행하기에는 대한민국의 국력과 외교력이 커졌다. 과거 미국은 2차 세계대전 후의 앞으로 나아가야 할 방향(Global Strategy)에 대해 구상해보다가 유럽은 나토(NATO)를 중심으로 대 소련 블로킹(Blocking), 아시아 태평양은 한국, 일본을 축으로 한미, 일미 상호 방위조약으로 결속시키고, 대 중공 봉쇄정책(Containment)을 유지해 왔던 것이다.

하지만 닉슨 정부에 들어 와서 키신저에 의한 중국 풀어주기 유화정책으로 중국과 가까워졌다. 소련에 대항할 새로운 방위 파트너를 모색했지만 소련연방의 해체와 이러한 바이-폴라 시스템(Bi-Polar System)이 더 이상 발휘되지 않는 상황이다. 이런 가운데 언제나 새로운 가상 적을 만드는데 익숙한 펜타곤(Pentagon)의 군사정책 입안자(Military Planner)들이 군산 복합체와 협력하여, 또 다른 중국 봉쇄(China Containment) 정책으로 '가상적'을 만들어 나아가는 것이다.

펜타곤의 전략가들은 중국을 봉쇄함으로써 동아시아 내에서 마치 NATO를 가동시킨 것과 같은 효과를 보기 원하여, 북한과 중국을 봉쇄하는 프런트 라인(Front Line)으로 한국을 세워 희생양으로 삼았다. 또 일본을 제 2라인에 세우고 심지어 중국과의 외교를 새로 열었던 키신저 시절부터 40여 년간이나 지속되어온 하나의 중국정책에 반하는 타이완 '재 가동 정책'마저 들고 나오는 입장이다. 즉, 타이완에 조차도 군사력증강 및 사드시스템의 배치를 강력히 추진하고 있다. 결국 미국은 환태평양 방위선 정책을 미국이 주도하는 MD(Missile Defense) 시스템에 포함시켜 유럽에 있어서 나토와 같은 대러시아 봉쇄 개념으로 동아시아에서 대중국 봉쇄를 진행하고자 하는 것이다. 이에 대해서는 나토의 방위개념과 나토의 군사력 유지에 대한 분담금이 유럽과 동아시아에서 확연히 차이가 나는 점을 감안할 필요가 있고 자세히 들여다봐야 한다.

북대서양 조약기구라고 통칭하는 나토(North Atlantic Treaty Organization)는 28개국 회원국가로 구성되어 벨기에의 수도인 브뤼셀에 본부를 두고 있는데, 각 회원국이 각국의 국방비의 0.5% 이하를 각출하여 나토본부, 나토 지휘, 나토 보안투자에 배분한다. 나토 군이라고 특별히 불릴 정도의 군대규모를 갖추지는 않고, 비상시에 각국이 파견하는 방식으로 되어있다.

현재는 예산이 약 9,183억 달러에 달하는데, 미국이 무려 전체의 72%인 6,649억 5,800만 달러를 내고, 영국이 그의 1/10도 안 되는 603억(NATO 전체 국방비의 6.6%). 프랑스가 436억(4.8%), 독일이 406억(4.4%), 이태리 218억(2.4%), 캐나다 153억, 터키 115억, 스페인 110억, 폴란드 93억, 네덜란드 90억, 노르웨이 59억, 벨기에 40억, 덴마크 34억 달러를 분담해 내고 있다.[10] 아이슬란드의 경우, 아예 군대가 없고 국방비도 없으니 전혀 기여도 하지 않지만 나토회원국가이다.

결국 러시아를 봉쇄하기 위한 것이 나토의 첫째 목적인데, 러시아 군대는 77만을(나토의 22.2%) 유지하고 있고, 나토 28개 회원국의 군대는 348만 명을 유지하고 있다. 참고로 미국의 글로벌 파이어파워(GFP)의 2016년 보고서 기준으로, 미국은 131만 명의 군 병력을 보유하고 있고, 프랑스가 20만, 이태리와 독일이 각각 18만 명, 영국 16만, 스페인 12만, 그리스와 폴란드가 10만 정도를 유지하고 있다.

10) Kottasova, Ivana. 'These NATO countries are not spending their fair share on defense.' CNN Money. n.p., 08 07 2016. Web. 4 April 2017.
http://money.cnn.com/2016/07/08/news/nato-summit-spending-countries/

영국 국제전략문제연구소(IISS)에 따르면, 병력뿐만 아니라 핵탄두 미사일, 전투기, 핵잠수함 보유, 항공모함, 각종 군사장비, 경제력 등 모든 것을 감안해도 나토(NATO)는 러시아 군사력의 5-6배 정도 앞서 있다고 봐야 한다. 미국이 폴란드에 6,000명의 군대를 이미 파견하고 있고, 그 밖의 과거 나토에 대항했던 바르샤바 조약(Warsaw Pack-소련, 동독, 폴란드, 체코, 헝가리, 루마니아, 불가리아)이 1991년 소련연방의 해체로 없어지고, 오히려 이에 속해 있었던 체코, 폴란드, 슬로바키아, 헝가리, 불가리아, 루마니아 등, 과거 동유럽 공산국가의 대부분이 이미 미국이 주도하는 나토에 가입을 하였다.

미국은 계속적으로 나토 회원국들에게 GDP의 2% 이상으로 국방비 증액을 요구해 오고 있지만, '결국 미국이 72%의 방위비를 부담하면서 나토를 거의 유지하다시피 하는 것이 확연히 드러난다. 동아시아의 중국봉쇄를 염두에 둔 태평양 방어라인에 MD(Missle Defence) 시스템을 구축하고 있는 미국으로서는 왜 중국봉쇄에 한국, 대만, 일본이 나서서 국방비를 더 증액하여야 하고 자국의 이익에 더 치우친 미군 주둔비용을 왜 더 많이 내야 하는가에 대한 물음에 대답해야 한다. 또한 한중일 사이를 더욱 더 갈라놓고, 서로 군사적 긴장감을 계속 고조시켜야만 하는가에 대해 한중일 삼국은 심각한 의문점을 가지고 다른 대안은 없는지 고민해야 한다.

미군 철수는 언젠가는 반드시 이루어야 할 사항이다. 7.4 공동성명과 그 이후의 많은 남북한 간의 합의서에도, 남북한은 계속해서 어떠한 외세의 간섭 없이 자주적인 한반도 통일을 이루자는 것이 양 정부간의 지속적인 약속이었다는 것을 상기해야 한다.

미국의 군사 전략

과거 필리핀이 수빅(Subic) 해군기지, 클라크(Clark) 공군기지 등을 포함해 미군 철수와 기지 회수를 감행하였을 때도 온갖 반대론이 있었지만, 그 후 필리핀의 안전에 커다란 문제가 생긴 것은 아니다. 물론 지금은 중국이 남중국해의 난사군도(스프래틀리 제도-Spratly Islands)에 인공 섬 활주로를 건설한 것을 문제 삼아 미국에 일부 해군, 공군기지를 다시 사용하도록 허락하는 입장이지만 그래도 지극히 제한된 규모로 과거와 같이 대규모 기지를 사용하지는 않을 것으로 생각된다.

미국이 군사고문단이라는 명분으로 필리핀 남부 민다나오섬에 특수군대를 파견하여 회교반군을 퇴치해준다는 명목으로 언제든지 군사적 내정간섭 행동을 개시, 개입, 발휘하는 체제를 갖추고 있는 것도 문제이다. 여전히 필리핀을 과거 본국의 식민지로 인식해 기지화하고 매우 민감한 종교 내전에 말려 들어가 비평화적 분쟁해결을 목적으로 하고 있지 않나 의심이 된다. 미국이 동남아시아에서 언제든지 군사개입을 해서 패권을 휘두를 수 있도록 수시로 필요에 따라 사용 가능한 카드를 남겨 놓는 전략 중의 하나이다.

미국 헤리티지(Think Tank Heritage) 재단과 같은 보수적인 연구기관은 미국의 군사 관련산업의 보수파, 매파의 연구비를 받아서 군수산업 큰손(Big Brothers)에게 유리한 보고서를 계속 내보내고 있는 것이 현실이다. 그래야만 국방에 관련된 모든 군산복합업체들이 미국 국방예산을 따오는 일이 용이해지고, 또 국방예산의 삭감을 어떻게라도 막을 수 있기 때문이다. 어떤 주한미군 사령관은 북한의 전력이 세계 4위라고까지 부풀려 말하는 경우도 종종 있다. 결국 이러한 것들은 미국의 군사정책에 과도한 해외 군사개입을 유도하고, 군사 산업에 유리한 예산 확보와 정부지원을 이끌어 내는 것도 사실이다.

미국의 입장으로서도, 과거 미국이 제2차 세계대전 후에 전 세계 GDP

의 약 40%(1960 정점)를 차지하고 있던 시절에 비하면 지금은 22% 정도(실구매력 PPP 기준으로는 겨우 17%)에 불과한 입장이지만, 미국 수뇌부와 펜타곤(Pentagon)의 전략가들의 생각은 과거에 머물러서 아직도 국방예산지출과 군 전력증강에 전 지구상의 모든 국가의 총 군사비 합계의 40%를 쓰고 있다. GDP 대비 2%만 써도 미국의 경제력으로 봐서는 과도한데, 2015년 기준 거의 3.75%대의 국방비라면 과도하게 쓰고 있는 실정이다. 계속 줄어들고는 있지만, 2009-2010년에는 4.75%를 썼다.

이것은 전 세계 평화도 저해한다. 미국의 막강한 방위 산업체인 군수물자 계약업체(Military Contractors)는 미국 의회와 펜타곤(Pentagon) 내부와 각 중동 산유국가뿐 아니라 모든 미국의 세력 하에 있는 국가에 대한 로비를 벌이고 있다. 그 방법과 규모는 상상을 초월한 것이어서, 궁극적으로 세계 평화에 막대한 해를 끼치고 있다.

미국은 전 세계 148개국에 군대를 주둔시키고 있고(물론 그 중 46개국은 10명 정도의 주둔군이지만), 과거 30여 년간 전혀 들어가지도 못했던 세계 각지역에 파고 들어가 있다. 키르기스스탄(Kyrgyzstan), 카자흐스탄(Kazakhstan), 타지키스탄(Tajikistan), 투르크메니스탄(Turkmenistan), 우즈베키스탄(Uzbekistan) 등 과거 중앙아시아의 소련 연방지역과, 불가리아(Bulgaria), 루마니아(Romania) 등 과거 바르샤바 조약기구 WTO 국가를 비롯한, 세계 각 지역에 총 900여 개의 공군(Air Base) 및 해군기지(Naval Port)를 구축하고 있는 것이다.[11]

미국은 과거 구 소련 유니언의 중심축 중 하나였던 우크라이나의 서부

---

11) 'United States military deployments.' Wikipedia. n.p., n.d. Web. 16 March 2017. https://en.wikipedia.org/wiki/United_States_military_deployments. *Vetfriends*. n.d. Web. 16 March 2017. https://www.vetfriends.com/.

에서는 친미 반정부세력을 지원하고 동부의 친러시아 세력과 전쟁을 벌여 아직도 휴전상태에 있다. 또한 최근에는 러시아와 이웃하는 폴란드에 6,000명의 미군병력을 주둔시키는 데 성공했다.

미국은 제2차 세계 대전 이후 전 세계를 무대로 CIA, PENTAGON, NSA 등등이 결합해서 소위 공개, 비공개(Overt, Covert Operation) 작전을 벌여 왔다. 그 잔혹하고 어마어마한 기록은 다음 사이트에도 잘 나타나 있다. 미국은 이러한 군사개입(Intervention)을 더 이상은 하지 말아야 한다.[12] 어떠한 형태를 취하더라도 이러한 악순환(Vicious Circle)에서 벗어나야만 전 세계의 존경을 받고 리더의 자리를 인정받을 수 있는 것이다.

미국의 많은 시 정부, 주 정부가 예산이 부족하여 직원들 급여도 못 주고, 심지어 파산하는 경우도 속출하고 있다. 대도시의 흑인, 히스패닉 밀집지역의 슬럼가에 있는 많은 공립학교는 예산이 없어 비가 새고, 쥐가 돌아다니는 정도의 폐허가 되어가고 있는 형편이다. 전 세계의 실질적인 GDP(PPP-purchasing Power Parity 구매력 평가 기준) 점유율은 17%(이 또한 점점 점유율은 축소될 것이지만)밖에 안 되는데 왜 중국의 4-5배, 러시아의 10배를 넘게 쓰고 기존의 세계 상위 20개국 국방비 지출의 거의 60%나 되는 과도한 국방비를 쓰고 있는지 알 수가 없다. 상위 20개국 중 러시아를 제외하고는 모두 우방국임에도 불구하고 말이다.

러시아는 유럽 내에서조차도 이미 나토 총 군사력의 1/5-1/6 병력밖에 갖추고 있지 않다. 그런데도 미국은 러시아, 중국과 같은 가상적을 자꾸 만들어 나가고 약소국가들에 대한 내정간섭과 압박을 끊임없이 가하고 있다. 기존의 미국 국방예산을 50% 정도 삭감해도 미국의 현 경제 사정으

12) Kangas, Steve. 'A Timeline of CIA Atrocities.' n.p., n.d. Web. 16 March 2017. http://www.huppi.com/kangaroo/CIAtimeline.html.

로 봐서는 과도하다.

과거 세계사의 한 예를 돌아보아도 스페인의 무적함대가 한때 전 지구에서 가장 강력한 해군력을 가지고 있었다. 스페인은 1571년 레판토 해전에서 오스만 터키를 물리치고 정점에 다다른 1572년에서 1575년 사이에 무적함대를 유지하는 비용으로 1,000만 두카트(Ducat, 1차 세계대전 이전 유럽의 통용화폐)가 들었다.[13] 이는 당시 스페인 총 세수인 연간 500만 두카트의 두 배에 달했고 결국 스페인은 도저히 감당할 수 없는 과도한 군비지출과 재정적자 지속으로 몰락하면서 영국에게 해상권을 물려주게 되고 강대국 대열에서 탈락하게 된다.

미국 국민들도 이점을 명시하여, 대규모 국방비 축소운동을 전국적으로 전개해야 할 것이다. 미국정부에 대한 대대적인 압력을 가해 미국정부부터 적극적으로 나서게 해서 전 세계 국가들에게 각국의 전년도 GDP의 1%를 넘지 못하는 걸로 국방예산을 정하자는 운동을 주도하고(미국은 현재 자국 GPD 총액의 약 3.75% 지출), UN과 G7 국가들부터 솔선수범하도록 해서, 범세계적으로 "군비 GDP 1% 이하-GDP Under 1% Military Expenditure" 운동(Campaign)을 벌여 나가야만 한다.

물론 각국의 시민단체들 또한, 각 정부의 예산 편성 시 국방비 지출이 전년도 GDP의 1%를 넘지 못하도록 촉구하는 전국민 서명운동과 정부와 의회에 끊임없는 압력을 가하고, 이와 관련하여 전 세계적인 시민연대(Solidarity)를 구성하여, 반핵, 반전, 친환경단체 등의 NGO와도 연계하고, 이에 따르지 않는 국가에게는 "평화를 사랑하지 않는 국가"라는 낙인을 찍어 배척하는 범세계적 국방비 감축운동에 일제히 동참해야만 한다(참조: www.militaryspendinglimit.org는 필자가 창립해서 세계적으로 벌이고 있는 군비

13) 오무라 오지로, 하연수 · 정선우 역, 『비정하고 매혹적인 쩐의 세계사』, 21세기 북스, 2016, 89쪽.

축소 캠페인 활동인데 앞으로 주목해 주기 바란다).

하버드대학 케네디 스쿨의 조지프 나이(Joseph Nye)교수도 소프트 파워(Soft Power)라는 책에서 미국의 이러한 전 세계에 대한 패권적 행태는 지구상의 여러 국가에게 오로지 안티-아메리카니즘(Anti-Americanism), 조롱, 멸시를 불러일으킬 것이니, 강압적인 경제제재, 무력사용과 매수보다는 문화, 친선외교, 경제원조, 매력적인 정책(인권, 민주, 대안-이상/이미지/미래의 전망을 통한) 등의 “Soft Power”를 사용하기를 권했다(미국이 얼마나 평화를 사랑하는 나라인지 모두 다 잘 알고 있겠지만, 다음 사이트에는 미국의 침략의 역사도 잘 정리해 놓았다. 참고하길 바란다).[14)]

한반도 전쟁 가상 시나리오

미국의 이중적 잣대도 문제점이 있다. 겉으로는 각국의 인권, 독재 운운하며 갖은 개입을 하지만, 본국이 지원하는 독재 국가, 왕권 등은 간섭하지 않고, 본국의 말을 듣지 않는 나라에만 대규모 전쟁 개입을 일으키고 있다. 2002년도 스테이트 유니언(State of Union) 연초 연설에서 부시 정권은 악의 축을 지칭하여, 이라크, 이란, 북한을 지명했고 “악의 축 너머”에는 시리아(Syria), 리비아(Libya), 쿠바(Cuba)를 지정했다. 그런데 이미 이라크, 시리아, 리비아는 미국의 군사개입(Intervention)에 의해 나라가 붕괴될 정도로 엉망이 되었다. 북한이 다음 차례가 될 수 있다는 얘기인 것이다.

이란의 경우도 이미 핵 협정을 체결해 놓고 있지만, 오바마 정부가 아닌 힐러리 클린턴과 같은 다른 매파적인 민주당, 또는 네오콘 공화당 정부로 넘어가면 언제 어떻게라도 펜타곤(Pentagon)과 결합한 특수 이익집단(Special Interest Group)이 새로운 꼬투리를 찾아, 재협상/협상 단절/구실 찾

---

14) 이필립. '미국의 추악한 침략 살인 역사' 언론 지키는 사람들. n.p.,10 05 2013. Web. 17 March 2017. http://blog.jinbo.net/pulip41/1225.

기/전쟁 개입의 시나리오를 얼마든지 만들어 낼 수 있다. 실제로 미국은 트럼프 정부에 들어와서 예상대로 협정파기를 단행했다.

실제로 클린턴 행정부 때는 국방장관 윌리엄 페리(William Perry)가 강력히 주장하는 외과적 수술(Surgical Strike)에 의해 북한 영변 선제폭격(Preemptive Strike)을 김영삼 정부가 '간신히 설득해서 막았다'는 것도 사실이다. 참고로 이 윌리엄 페리는 도쿠가와 막부 말기에 일본에 흑선을 이끌고 통상을 강요했던 매튜 페리(Mathew Perry)의 직계 후손이다. 이런 식으로 한반도에서 전쟁이 난다면 우리로서는 참으로 답답하지 않을 수가 없다.

북한은 휴전선을 중심으로 장사정포(Long Range Artillery)와 중, 단거리 미사일을 서울 및 수도권을 향해 1,100문 이상 포진시켜 놓고 있다. 만일 전쟁이 누구의 주도하에 발발한다 하더라도, 이 미사일이 한꺼번에 전부 발사된다면 한반도는 대재앙을 맞이하게 된다. 아무리 패트리어트(PAC) 2나 PAC 3 방어용 미사일 혹은 레이더와 방어용 미사일이 함께 장착되어 있고, 200km 내의 대공 미사일 명중률 75% 이하인 90년대 전투력개념 수준의 고물 사드(THAAD)와 전투기들이 총동원해서 요격을 한다 하더라도, 수도권의 몇 십만이 죽을 수 있는 상황이 발생할 수 있다. 어떠한 이유에서도 전쟁은 일어나면 절대로 안 된다.

북한도 핵 문제 및 자국의 안보에 대해서 이와 마찬가지로, 미국을 전혀 신뢰할 수 없고, 오히려 미국의 섣부른 결정을 두려워해야 될 입장이다. 북이 비핵화 노력으로 제네바 협약(1994년 10월)에 의해 핵확산 금지조약(NPT)에 복귀하고, 과거 핵 연료봉 동결 및 진행 중인 핵 물질 폐기를 포함해 그 해 11월 핵 동결선언을 했지만, 미국은 약속했던 50만 톤의 중유와 2,000 메가 와트 규모의 경수로는 2000년 2월 착공만 하고 중단한다.

다시 북한의 미사일발사를 계기로 제2차 제네바 협약으로, 북한이 미사일 발사를 유예하는 것을 첨가해, 클린턴 정부 까지는 이 기조대로 이어져오다가, 2000년 11월부터는 새로 취임한 부시 정권의 신보수주의자들(NEOCONS)이 급격히 강경노선으로 선회한다. 그 후 북한을 비롯한 5개 비핵국가에도 핵무기 선제공격이 가능한 정책을 입안했고, 2002년 10월에는 중유공급도 완전히 중단하고, 마카오의 방코 델타(Banco Delta)를 비롯한 북한의 해외자금을 전부 동결했다. 이에 따라 북한이 더 이상 미국을 믿을 수 없게 되고, 선제공격 가능성과 협상이 안 되는 것을 빌미로 필사적으로 핵개발에 다시 진입해 성공했던 전력도 살펴봐야 한다.[15)]

미국이 선거에 의해 각 선거구에서 당선된 인물로 구성된 상, 하원(Senate, Congress) 대부분이 천문학적인 선거 비용을 기득권층과 금융카르텔인 월(Wall)가에서 받고 있다. 그런 까닭에 이러한 정책을 반대하면 지지 기반을 잃게 된다. 이런 상황이 암울한 현실의 사이클로 변한 지 오래 되어, 의회로서 그 기능을 제대로 100% 발휘를 하는지는 의문시 된다.

그 외의 펜타곤(Pentagon), 각종 정보기관(CIA, FBI, NSA 등등), 무기산업의 하청업자들(Defense Contractors), 석유, 곡물산업 메이저, 월(Wall)가 금융 중심 세력 등이 기득권층과 강력한 동반 세력을 형성해, 로비스트와 협업하고 있다. 이들 세력은 의회뿐 아니라, 각종 압력 수단으로 군사계획입안(Military Planner) 그룹을 자기편으로 끌어들여, 전쟁 수행을 비롯해 정부의 모든 정책을 특수이익집단(Special Interest Group)으로서 또 다른 "제2의 정부" 역할을 하지 않나 의심이 들 정도이다. 이것은 과두정치(Oligarchy)와 다름없다. 특히 국가 안보에 관해, 제2정부 역할을 하는 그룹에 대해서는 보스턴 터프츠 대학의 마이클 글레논(Michael J. Glennon) 교수가 분석한 바

15) 장대현. '미국은 북핵보다 평화를 더 두려워한다.' 오마이뉴스. n.p., 05 02 2016. Web. 17 March 2017. http://www.ohmynews.com/NWS_Web/View/at_pg.aspx?CNTN_CD=A0002179957 .

와 같다.[16]

예를 들어, 그렇게 대규모 학살(Mass Killing)이 일어나고 각양 각색의 사고가 터지고 있지만, 총기 규제법이 전혀 입안조차 되지 못하고 있다. 지구상에서 가장 이익이 많이 남는 산업(달러 화폐 발행 다음)인 무기산업도 마찬가지로 시간이 지나면 미 국방부 내 재고가 쌓이게 된다. 쇼 타임(Show Time)을 가져야 고객(Clients)이 보고 느낄 것이며, 재고떨이(Stock Sales)도 가능하다. 미국의 암울한 현실이다. 이것은 미국 정부나 미국 사람이 나빠서가 아니다. 기업의 최대이윤을 내기 위한 자본주의의 생리에서 미국이 처해있는 어쩔 수 없는 현실이 반세기 이상 지속되어 와서, 구조적으로 그 사이클에서 도저히 벗어나기가 어렵기 때문이다.

이러한 과잉 무기생산 현상은 대대적으로 바꾸려고 마음만 먹으면 얼마든지 가능하다. 무기산업이 자유경쟁 산업이고 기업의 자유에 의한 것이지만 국가 정책이나 국민들의 요구로 얼마든지 조정 가능하다. 미국은 현재 서비스산업이 전체 GDP의 80%로 전체 고용의 1/3을 차지한다. 농업이 1.2%, 제조업이 차지하는 비중이 불과 18%이지만 고용비중은 10% 정도이기 때문에 무기산업을 줄여도 미국 전체로서는 크게 타격받지 않는다. 무기산업 자체가 소프트웨어나 그 밖의 서비스 산업이 상당히 포함되어 있다고 해도 그러하다. 다만 이익률이 너무 높은 독점산업이라 엄청난 유혹이 내재할 것이다. 그러나 인류 평화를 위해 그렇게 해주길 바란다.

남한의 대미 군사비 지출도 일부 첨단무기의 확실한 기술이전 없이는 구매를 하지 않는 확고한 방향으로 다시 생각해봐야 한다. 현실은 일부

16) Michael J. Glennon, "National Security and Double Government", Harvard National Security Journal, Vol. 5, 2014.
http://harvardnsj.org/wp-content/uploads/2014/01/Glennon-Final.pdf

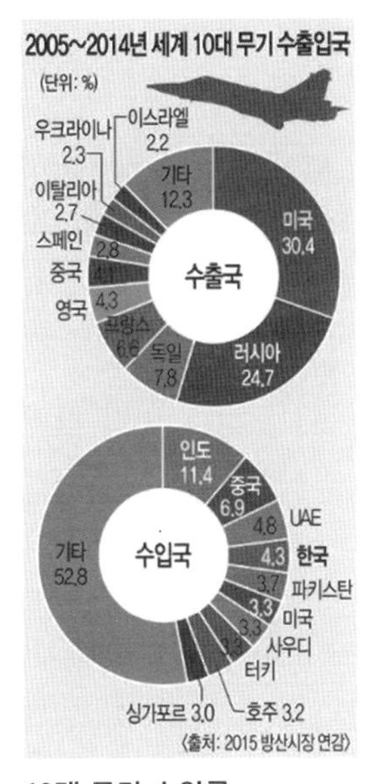

10대 무기 수입국
출처 : 2015년 방산시장연감

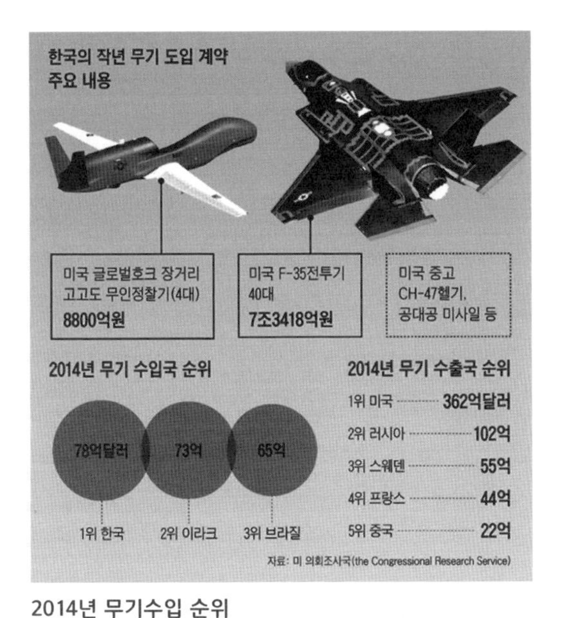

2014년 무기수입 순위
출처 : 미 의회 조사국, 조선닷컴 2014년 한국의 무기 도입 계약

첨단무기는 한국 정부가 매달려서 의회승인을 받아야 무기구입이 가능한 형태이지만, 한국지형과 상황에 맞지도 않는, 한 군사전문가의 표현에 의하면 "퇴물, 고물무기를 사는 행위", 또는 "벤츠 600으로 자갈길을 가는 형국"의 우를 범하는 일은 지양해야 한다.

스톡홀름에 본부를 둔 국제 평화연구소(SIPRI-Stockholm International Peace Research Institute)의 국제무기거래추세에 의하면 2006년에서 2010년까지 5년간 평균 전략무기 수입액의 1위는 인도, 2위가 중국, 3위가 한국이고 2015년 발표된 방산시장연감에는 지난 2005년에서 2014년까지 10년간 무기수입은 한국이 인도, 중국, UAE에 이어 4위이다. 미 국무부가 2015년 12월 31일 발표한 세계 군비 지출 및 무기이전 보고서(WMEAT)에 따르면 2002년-2012년까지 연평균 전략무기 수입 군사비 지출은 전 세계 170국가 중에서 한국이 세계 3위로 올라 있다(참고로 일본 1위, 영국 2위).

또한 앞의 도표에서 나타내는 바와 같이, 미국의회 조사국(Congressional Research Service) 발표에 의하면, 2014년도에 세계 무기수입 제 1위 국가는 한국이고, 총 78억 달러(9조 1천 300억 원) 구입한 무기 중 70억 달러는 거의 독점(Monopoly) 수준인 90%가 미국산(8조 2,000억)이다.[17] 이렇듯 어떠한 보고서에도, 한국은 세계에서 무기를 가장 많이 사는 나라 중에 거의 첫째이다. 국민의 혈세를 무기 사는 데 이렇게 낭비되고 있으니 재고(再考)를 요한다.

17) 유용원. '작년 9兆… '무기 수입' 세계 1위 코리아.' 조선닷컴. n.p., 28 12 2015. Web. 17 March 2017. http://news.chosun.com/site/data/html_dir/2015/12/28/2015122800279.html.

3.
세계의 모범이 되기 위해
한국이 해야 할 일들

부정부패 척결

한 국가가 국가경영에 대하여 평가 받아야 할 가장 중요한 두 가지는 투명성(Transparency)과 신뢰성(Accountability)이다. 그 두 가지를 동시에 만족시킬 수 있는 요소로 부정부패 방지가 있다. 과거나 현재에도 부패는 중국과 조선의 발전을 급속도로 더디게 하여 전 세계의 주류 문명 국가에서 몇 세기나 뒤처지게 하는 결정적 원인이 되었다. 16세기 초까지만 해도 당시 전 세계 및 동아시아의 가장 문명 중심축 국가였던 중국과 조선이 무너지는 과정만 보더라도 쉽게 알 수 있다.

동아시아에서는 전통적으로 과거제도를 통해 선발된 엘리트들을 기득권 관료주의에 포함시키고, 왕권을 받드는 중심세력으로 두었다. 이들에게는 형사상이나 면세의 특권을 주어 지방에 파견을 나가도록 했다. 그래서 그들 스스로가 새로운 대지주와 세금 징수자가 되어 농민들을 착취하는 구태를 벗어나지 못한 것이 몰락의 가장 큰 원인이 되었다.

농업생산력이 그다지 높지 않았던 그전 세기까지는 대부분 산업이 정체되고 낙후되어 있어서 엘리트들이 관리자로서 역할만 잘 해도 국가 전체로 봐서는 크게 해를 끼치지 않았다. 그러다 이들 관료들의 부패와 불합리성이 점점 일반 백성의 빈곤을 불러 일으키고, 개인 소상업의 발달과 부의 창출에 대한 욕구와 나날이 부딪치면서 농민반란과 그들로부터의 행정권, 사법권 이탈이 수도 없이 일어나게 된 것이다.

이와 비슷하게, 환관들 또한 왕권이 약한 틈을 타서 전국을 좌지우지해 자기들이 파견시킨 또 다른 수하인 환관들에게 지방의 행정자치권을 주는 한편, 중앙으로 갖은 세금을 바치게 하여 그 부패상은 상상을 초월할 지경에 이르게 된다. 그렇게 강했던 명나라도 중기에서 말기에 이르는 동안 7만 명의 환관이 왕권을 능가하는 횡포를 부렸다. 이들이 행정부 위의 또 다른 옥상옥 상부조직으로 전국을 주무르며 부패를 일삼아, 나라가 망조에서 벗어나기 힘들었던 것이다.

명의 멸망은 당시 1586-1588년과 1615년 두 차례에 걸친 '만력의 늪'과 같은, 17세기 세계 소 빙하기가 중국을 강타한 것도 큰 원인이다. 이로 인한 극심한 자연재해와 어려운 경제상황은 대규모 민중봉기로 이어진다. 게다가 만주족의 남하도 큰 원인이었지만, 그 근본은 부정부패에 의한 국가 운영의 실패이다.

조선도 예외가 아니었다. 일부 관료와 결탁한 상인에게 특정 상품에 대한 독점적 판매권(禁亂廛權-금난전권과 노론정권과의 결탁)을 나누어주고, 왕이나 그 친인척을 동원하여 손쉽게 세원을 확보하면 되었다. 권력에 눈이 먼 이들은 백성에 대한 관리나 배려를 전혀 하지 않았고 이것이 국가 패망의 큰 원인이 되었다. 이를 주지하고 국가가 가장 중요하게 해야 할 일은 첫 번째도, 두 번째도 부정부패 척결인 것이다.

유럽에서는 서로마제국이 멸망하고(476년), 일부 동로마제국으로 자리를 옮겨 명맥을 유지하고는 있었다. 이들은 문명의 수준이 낮은 게르만의 지배하에 지리멸렬하고 있다가, 8세기에서 11세기에 걸쳐 사라센에 의한 유럽 대륙의 철저한 봉쇄로 인하여, 문명과 기술의 발달이 전면 지체상태에 이른 이른바 암흑시대(Dark Age)를 거치게 되었다.

9세기에서 11세기 말엽까지 지속적으로 진행되어 왔던 대규모 유럽 내륙의 민족이동은 이로써 마무리되고(노르만족의 영국/이태리 시실리/키예프 공국 진출, 슬라브족의 동유럽으로 대 확산), 유럽 대평원, 특히 프랑크 왕국 지역에 대한 대규모의 농지개간이 본격적으로 진행된다(이 프랑스 대평원의 개발로 특히 프랑스의 인구 증가는 폭발적으로 늘어나서 A.D 1500년 기준으로 프랑스 인구는 약 2000만인데 반해 영국은 약 500만 정도였음). 그 결과 생산 도구와 농경기술의 발달과 더불어 농업 생산성과 이로 인해 인구가 급속히 확대되었다.

잉여 농산물의 판매를 위해 농경, 목축의 자급자족 사회에서 물물교환 형태의 초기 시장경제가 활성화되면서 인구가 점차 거점 도시로 모여들기 시작하였다. 유럽 도시 인구는 11세기부터는 2배, 4배, 16배 등의 기하급수적으로 전 유럽에 걸쳐 팽창되었다. 도시로 모여든 기존의 봉건주의 체제에서 벗어난 도시상인, 수공업자들이 그들만의 이익을 보호하고자 길드(Guild)나 한자(Hanse)와 같은 이익 보호집단을 만들어 점점 영주의 권한과 나아가 왕권에 도전하면서 개인주의(Individualism)의 발달을 초래하게 된다.

물론 각 지역의 영주들도 본인의 세입 증가에 도움을 주는 도시 상공업자, 수공업자의 도시인구 유입을 장려한 면도 크게 작용한다. 이로 말미암아 차츰 중산층의 확산이 급격히 진행되어, 봉건 체제 하의 영주나, 전적으로 왕이나 그에 속한 소수 집권층에 의해, 마음대로 시민의 권익을 재단하거나 과세하지 못하도록 이들을 끊임없이 견제해 왔다. 이로 인해서 국가행정이 신흥 중, 상류층의 지대한 경제적 이익이 보장되는 쪽으로 나날이 바뀌어왔던 것이다. 이는 일반 시민의 권리와 교육균등, 사회적 신분향상의 기회보장, 기술개발에 대한 독점권(Patent) 인정, 협업, 이익단체조직 등으로 발전하게 되었다.

한편 이러한 유럽에서의 정치, 경제, 사회적 의식변혁이 상인, 농부, 왕권, 교권 등의 이익과 충돌하지 않는 해결책을 찾다가, 그동안 몇 세기 진행되어 왔던 농토 팽창의 한계와 새로운 동방무역 루트개척 및 기득권 세력의 상업권 제한에 대한 돌파구로써, 궁극적으로는 교회 국가주의의 결정적인 표본으로써, 십자군 원정으로 이어지게 된다. 결국 서양에서는 개인주의의 지속적 발달과 그들의 집단 행동력(Collective Power)이 중앙 집권적인 집단적 부패구조와 횡포를 극복한 원인이 되었던 것이다.

부패를 척결하는데 가장 중요한 것은, 부패를 사전에 예방하는 것이다. 또한 강압적인 규제를 지양해야 성공확률이 높다. 그러므로 미연에 공직자나 사회 지도층의 기강을 바로 잡는 차원에서 119나 112에 전화 걸듯이 핫라인(Hot-line)을 신설하여 비리를 신고하게 하고, 내부 고발자(Whistle Blower)에게는 신고에 대한 보상도 해줘야 하며 무엇보다도 이들의 신분을 철저히 보호해주는 시스템을 구축해야 한다.

모든 고위직 공무원, 단체장의 경비지출을 상세하게 각자 소속기관의 인터넷에 공고해야만 한다. 학교의 이사장, 총장이나 모든 공공기관의 수장들도 예외가 없어야 한다. 그들이 쓰는 경비의 한도도 각 기관에서 스스로 정해야 하고, 현금 사용은 일절 금지하고 카드사용 내역도 인터넷에 공개하여 일절 부당한 거래나 경비처리가 없도록 각 기관에서 일차적으로 막아야 한다. 각 단체의 장으로서 경비 지출을 투명하게 해야 하며 경비 내역 공개는 당연한 것이다. 이러한 전통은 한번 세워지면 유지하게 되어 있다.

요즈음은 공무원이나 기관에 대한 접대비를 제한하는 김영란법 등이 시행될 경우 일반 음식점이나 농수산 축산물 가게의 매출 하락이라든가, 경제의 위축을 들먹이며 반대하는 일부 세력이 있다. 그런데 이는 전혀 타당한 얘기가 아니다. 부정을 막아 불필요한 예산낭비와 더욱 견실한 국가산업이 형성된다면, 국가의 미래를 위해서는 결국 그 몇 배의 이익을 가져다 줄 것이 틀림없기 때문이다. 김영란법을 제대로 추진하도록 정부에서 독려해야 한다.

부정한 돈의 흐름은 범죄, 탈세와 경제왜곡을 일으킨다. 항간에서는 세계 금융 범죄 액수가 약 미화 2조(Trillion)라고 하는데 그 중 50%가 부정부패에 쓰인다는 통계도 있다. 한국도 새로 발행한 5만 원권의 50%가 어디론가 사라지고, 시중에 나오지 않는다고 한다. 이를 막기 위해서는 고액권의 사용을 금지하고 고가 액면의 화폐는 앞으로도 되도록 발행하지 말고, 기존의 고액권도 더 이상 재 발행을 하지 말고 점점 소멸할 때까지 놓아두어야 한다. 각 공기업과 사기업의 모든 입출금은 5만 원 이하의 현금을 사용하도록 국세청에서 지침을 내려 온라인 입출금만을 장부 기입(Book Keeping)에 인정하도록 정해야 한다.[18)]

18) 이와 비슷한 얘기와 그 효과에 관한 논문은 맥켄지 이사(Director)를 역임하고, 스탠더드 차터드 뱅크(Standard Chartered bank group)의 최고 경영자였던 피터 샌즈(Peter Sands)가 발표한 다음 웹사이트를 참고해 보면 더 확실히 알 수 있음.
Sands, Peter. “Making it Harder for the Bad Guys: The Case for Eliminating High Denomination Notes.” M-RCBG Associate Working Paper.52(February 2016).
https://www.hks.harvard.edu/centers/mrcbg/publications/awp/awp52

대기업들에 대해서는 수시 · 정기 국세청 검사를 하고, 특히 대기업 오너의 상상할 수 없는 비도덕적 행위나 회사 돈을 마치 개인 돈처럼 쓰는 횡령 행위나, 지나친 호화생활과 사치를 근절하고 경비 사용내역을 직원들에게 공개해야 한다. 고소득 전문직의 탈루를 막고, 누구라도 알 수 있게 정치인, 유력인사의 소득을 투명하게 공개해야 하고 만족할 만한 수준이 될 때는 5년에 한 번, 그 전까지는 1년에 한 번씩 시행해야 한다. 또 세무조사와 금융감독 등, 국가가 관여할 수 있는 모든 감찰기능을 총동원해서 고위층들의 부정한 경비사용과 탈루를 막아야 한다.[19)]

무엇보다도, 언론이 살아있어야 부정부패도 사라진다. 언론이 감시역할을 전혀 하지 못하고, 기자가 권력층이나 이익집단의 돈을 받고 그들 이익에 부합하는 기사를 쓰는 아이러니한 상황이 벌어질 때가 많다. 기업의 현금거래를 막고, 100% 온라인이나 카드거래를 권장하여 이러한 신문과 잡지의 감시기능을 완전히 마비시키는 공생의 끈을 끊어버리도록 감독해야 한다. 이러한 일은 언론계에 종사하는 사람들의 자존심과 관계되는 일이기도 하다.

모든 국민이 언제든지 어디서나 인터넷으로 쉽고 편하게 부정부패를 신고할 수 있도록 가장 강력한 수준의 웹사이트와 핫라인을 신설하여, 범죄수사대와 같은 수준과 규모로 관리 감독해야 한다. 이것은 일반 시민들의 자발적인 반 부패 요원(Anti-Corruption Agency) 역할과, 옴부즈맨 시스템이 공정하게 돌아갈 수 있도록 하여, 나라의 기강을 바로 세우는 역할을 한다. '부패'는 범죄와 긴밀하게 연결되어 있어, 전염병과 같이 물고 물리는 감염관계가 형성될 수밖에 없다. 그러므로 일벌 백계의 원칙과 추상 같은 엄격함으로 다루어야 한다.

19) 'High-technology exports.' *worldbank*. n.p., n.d. Web. 17 March 2017. http://data.worldbank.org/indicator/TX.VAL.TECH.CD.

지금 전 세계의 부정부패(Corruption)에 관해 가장 객관적인 자료를 매년 내고 있는 다음 지표를 눈 여겨 볼 필요가 있다. 우리나라도 아시아에서는 정부 청렴도 8위에 올라 있는 싱가포르 수준으로 끌어올려서 국제적으로 인정받아야 한다(한국은 37위). 나라 안 비리를 완전히 추방해야 세계적으로도 모범적인 국가로 나갈 수 있다.

2015년 국제 투명성기구에서 발표한 전 세계 부패 인식지수

Rank	Country/territory	2015 Score
1	Denmark	91
2	Finland	90
3	Sweden	89
4	New Zealand	88
5	Netherlands	87
5	Norway	87
⋮	⋮	⋮
36	Spain	58
37	Czech Republic	56
37	Korea(South)	56
37	Malta	56

출처 : http://www.transparency.org/cpi2015#results-table

2015년 국제 투명성기구(Transparency International)에서 발표한 전 세계 부패 인식지수(CPI: Corruption Perceptions Index)에서 대한민국은 세계 174개국 중 37위이며, OECD 34개국 중에서도 하위권인 27위를 기록하였다. 적어도 대한민국은 이 방면에 전 세계 5위권 안에 들어야 한다. 부정 부패에 관해서는, 매년 연속으로 최상의 평가를 받는 덴마크의 모범답안을 참조할 것을 권한다. 슬로베니아와 에스토니아가 최근에 이러한 일련의 비리 방지 수단으로 인터넷에 모든 공직자, 기관장의 지출내역을 공개하여 좋은 결과를 내고 있다는 보고서도 있다.

과거 노무현 정부시절 법인카드 사용한도에 대해서도 당시 야당인 새누리당의 전신인 한나라당에서 필사적으로 이의 관철을 막아 시행해 보지도 못하고 좌절되었다. 여야가 힘을 합하여 법인카드의 사용한도를 제정해야 한다. 기업의 접대비도 법인카드의 경우 일일 한도 50만 원을 넘지 못하게 하고, 월별이나 연도별 한계금액을 정해야 한다. 과도한 접대비 지출은 기업의 도덕적 해이를 불러일으킬 뿐만 아니라, 부패의 온상이 되기 때문이다.

공무원사회보다 더 비리투성이인 군 비리 문제를 해결해야 한다. 진급에 관한 상납행위, 군 예산 남용, 무기 구매와 군납업체 선정 야합 등, 과거 국방비에 관련된 각종 사건을 보더라도 군에 관련된 비리는 초 강력 수사력을 동원하여 뿌리를 뽑아야 한다. 군 비리 중에서도 가장 문제가 되는 부분은 군과 결탁한 국방예산의 낭비에 있다.

평생을 정직함과 자부심으로 살아온 직업군인들에게 너무도 뼈아픈 얘기이지만, 많은 부패한 군 조직이 인사비리, 국방예산 남용, 국방관련 부자재 구입, 무기구입과정의 불투명성 등으로 현재 대한민국에서 가장 부패한 조직이 되었다. 이것은 반드시 발본색원하여야 한다. 대부분의 국민은 공무원사회보다도 더 부패한 군 조직의 혁신을 요구하고 있다. 그러므로 군에서는 무기 구입뿐 아니라 국방비 지출 및 입찰에 관한 모든 과정을 투명하게 공개하고 어떠한 비리도 낱낱이 파헤쳐야 할 것이다.

대한민국의 검찰은 기존 정권과 그 정치세력의 권력형 비리를 눈감아주고 그 대가로 승진의 미끼를 얻는데 자유롭지 못했다. 일반 사기업의 스폰서를 받는 검사는 기본이고, 온갖 특혜와 비리를 눈감아주고 있으니, 오죽하면 검찰이 권력의 시녀라는 별명이 붙었을까 반성해야 한다. 부패척결을 위해 검찰총장(Attorney General)의 선거제를 반드시 도입해서 검찰의 독립성을 보장해 주어야 한다.

월드뱅크 부패지수(World Bank Corruption Index)를 보면, 덴마크, 노르웨이와 같은 평등사회 국가(Egalitarian Country)는 세계 모범을 보이는 국가를 건설했다고 보인다. 이들 국가에서는 중도적인 정치이념으로 사회개혁에 성공하고, 국민의 시민성과 교양이 높으며 개개인의 지적 수준도 매우 높은 편이라서 '직접 정치'가 가능하다. 흔히 다른 선진대국에서 보여지는 카지노 자본주의(Casino Capitalism)를 멀리 하고, 건강한 자본주의 기틀 하에 시장경제(Market Economy)가 비교적 공정하게 돌아가고 있다. 사회주의적인 요소를 많이 도입하여 복지와 빈부격차를 해소하고, 사회적 공감대와 협조가 매우 잘 이루어지고 있다고 보인다. 우리 한국이 일부 지향해야 할 목표를 보여주고 있다.

정치 혁명

대한민국의 행정수도는 세종시이다. 따라서 행정의 효율성과 안정적인 운용을 위해서는 모든 사법, 입법, 국방부를 포함한 전 국가 주요기관이 세종시로 이전해야만 한다. 청와대, 국무총리공관, 대법원, 헌재, 감사원, 외교부, 육군본부 등 아직 이전을 하지 않고 있는 모든 사법, 입법, 행정부는 하루 빨리 세종시로 옮기고 서울은 경제수도 역할만 해도 충분하다.

같은 건물에 있어도 층이 다르면 서로 하는 일을 알기 어려운데, 하물며 이렇게 국가 전체를 통솔 관리해야 하는 부처가 서로 멀리 떨어져 있으면 업무에 있어서도 비효율적이다. 이에 어떠한 이유를 달 수도 없고, 될 수 있는 한 가장 빠른 시일 내에 현재 서울에 있는 모든 국가 부처가 세종시로 옮겨가야 마땅하다. 이렇게 해야 양쪽이 모두 사는 길이다.

대통령제도 임기 5년 삼선제로 바꿔야 한다. 지금의 5년 단임제는 대통령의 의지를 펼치고 평가 받기에 너무 짧아서 5년마다 새로 신임을 물어 최대 15년까지는 통치기간을 주어야 국가대계를 안정적으로 실천해 나갈 수 있다. 4년 중임제를 목표로 개헌도 추진 중인데, 이는 집권 3년차에 선거를 준비해야 하는 긴박감이 있고, 장기간의 국가 프로젝트를 수행하기에는 8년도 너무 짧다. 잦은 선거도 방지해야 한다. 대통령이 잘못하면 5년 후에 교체하면 될 것이다.

동서양, 고금을 막론하고 세계의 모든 나라 역사는 어떠한 나라도 정치적 안정이 이루어지지 않을 때에 다른 경제, 사회적 개혁을 이루기가 힘들다는 것을 여실히 보여주었다. 그리고 절대권력은 항상 절대부패를 동반하였다. 국민이 똑똑하고 판단력이 좋아야 나라도 잘되고, 국정운영을 잘하는 지도자에게 더욱 더 힘을 실어주어야 나라가 발전할 수 있다.

일본의 도쿠가와 막부의 경제와 사회, 문화적 성공의 가장 큰 원인도 실은 참근(參勤) 교대제도가 막강한 정치적 안정을 가져온 것이었다. 이 제도는 각 다이묘들을 반년이나 격년 교대로 에도에 근무하게 하고 그 처자식을 에도에 인질로 잡아두는 제도다. 일부에서는 대통령이 너무 막강한 권력을 가지니 내각제로 바꾸자고 주장하는데 내각제는 한국과 같은 나라에서는 너무 불안정한 정치체제로 변질될 수가 있다. 대통령제 하에서도 입법과 사법부에서 대통령의 권한에 제동을 걸 수 있다. 내각제는 최소한 4-5개의 튼튼하고 세력이 골고루 분포되어 있는, 다수정당이 있는 나라에서 적합하다.

수시로 과반수 확보를 위해 연정을 펼치거나 거국내각 구성을 해야 하는데, 아직도 대안은 없고 목소리만 높이는 수준 낮은 정치인들이 대부분이다. 정당 간의 불신과 대립이 첨예하게 부딪치는 우리나라 실정에는 맞지 않다. 그리고 의회의 내각 불신임이 너무 자주 발휘되면, 일본과 같이 불안정한 정치가 지속되기 쉽다. 내각제는 독일연방과 같이 전반적으로 정치수준이 높고, 각 정당이 합리적으로 언제든지 '연정'과 같은 안정을 도모하는 나라일 때 가능하다. 현재 메르켈 총리가 보여주는 바와 같이 안정된 나라에서는 지도자가 장기권력을 잡고 지도력을 발휘할 수 있지만, 대한민국에는 시기상조라고 보여진다.

각 정당은 국회의원 수를 여성의원이 최소한 반은 되도록 늘리고, 정권교체가 이루어지면 국무회의에 참가하는 장관(Cabinet Member)도 50%는 여성으로 채우려는 노력이 필요하다. 이미 많은 부문에서 여성의 역할이 증대되어 왔고 그 능력도 이미 검증을 받았다. 여성 특유의 섬세함과 정직함이 요구되는 분야에는 여성 지도자들을 많이 배치해야 한다. 전 인구의 반이 여성인데 국정에서도 반은 들어와 여성층의 의견이 반영되어야 한다.

이러한 것들이 보장되어야만 여성의 본격적인 사회참여와 여성인권도 보장되는 방향으로 정책이 바뀌어나갈 것이다. 앞으로 급속히 줄어드는 국가의 생산 노동인구 감소에 대비해 여성인력을 참여시키기 위해서도 그렇고, 여성의 지위향상이 국가의 선진화라는 미래 전략과 연결되는 국가대계를 위해서도 시급하다.

한국정치에서 또 다른 큰 문제는 정당보조금이다. 이 제도는 각 정당이 나눠먹기식으로 국민세금을 분배해 써버리는 불합리한 제도이다. 정당에 주는 경상보조금이 각 분기별로 100억 원 넘게 지급되고, 연간 총액으로 약 400여 억 원이 분배되고 있다. 2017년을 보면, 대통령선거 후에는 또 다시 421억 원이 선거보조금으로 각 정당에게 분배되었다. 다른 나라도 이러한 제도가 존재하지만, 대한민국에서 모범적으로 정치현실을 먼저 잡아 나가야 한다.

앞으로의 시대는 대의정치가 점점 의미를 잃어갈 것이므로, 인터넷에 의한 직접정치를 시도해야 한다. 각 국민 모두에게 국가주도로 이메일을 하나씩 부여해주고, 본인 인증시스템을 이용하여, 국가의 각종 중요한 현안을 여론조사로, 또한 더욱 중요한 일은 국민투표도 온라인으로 할 수 있는 방법을 강구해야 한다. 모든 세무 · 행정적인 문제처리와 국가가 공지해야 될 중요한 사항을 모두 망라해서 각 국민의 이메일로 직접 보낼 수 있게 만들어야 한다. 전자정부를 표방하는 대한민국에서 세계 최초로 이러한 시스템을 도입해서 국가와 국민간의 소통을 더 원활히 하고, 국민들의 의견을 편리하게 온라인으로 수시로 물어보는 방법을 강구해야 한다.

최근 프랑스의 예를 봐도, 의석이 하나도 없는 새로운 정당에서 대통령을 배출하고 또 기존 주류정당은 결선투표에 한 명도 내보내지 못할 정도로 대의정치 시대는 점점 저물고 있다. 정당보조금으로 교섭단체를 구성하는 곳부터 50%를 먼저 배분해주고 국회의원 의석 수에 따라 보조해주는 것 때문에 오히려 이합집산이 난무하고, 당의 경비로 유입되는 돈으로 국민여론을 분열 조장하는 데 악용되고 있다. 이러한 현실을 직시하고 정당보조금 제도를 속히 폐지해야 한다.

각 당도 각 당원의 회비 또는 기부금으로만 운영을 하든지 국회의원 스스로가 자신의 급여를 내 놓든지 해야 한다. 각 당이 국민의 세금으로 경비를 충당할 생각을 말고 경제적 부담을 스스로 지도록 해야 한다. 각 정당이 정당, 선거보조금으로 국민분열을 조장하는 악순환의 덫에 이미 빠져있다. 정당정치가 현대사회에서 아무런 효력을 발휘하지 못하는 방향으로 진입하고 있는데 하루빨리 이 모순을 바로잡아야 한다.

우리 국민은 국회의원의 특권을 돌려받아야 한다. 국회의원에게 지원하는 차량, 보좌관 등 각종 특혜를 모두 중단해야 한다. 국민의 혈세를 낭비하면서 효용성은 전혀 없는 곳이 바로 국회이다. 9명이나 되는 인력과 급여를 낭비하면서 무슨 일을 하는지 알 수 없다. 보좌관이나 비서관은 소속 상임분과위 별로 공동으로 쓰도록 대폭 축소해야 한다. 그리고 일절의 개인보좌관이나 운전수, 비서, 차량제공을 없애야 한다. 국회의원 일인당 세비가 평균 개인당 GDP의 2.2배인 OECD 국가와 비교해보면 우리나라의 국회의원 일인당 들어가는 세비는 5.2배로 매우 높은 수치이다. 영국, 프랑스, 독일보다도 거의 2배인데, 이는 국회의원들이 낭비하면서 마구잡이로 올려놓은 결과이다.

독일과 같은 나라도 의원 1명이 월 16,000 유로화 내에서 보좌관을 쓰도록 하고 있다. 스웨덴이나 노르웨이 국회의원은 특권이 전혀 없고, 개인비서나 보좌관을 두는 등 특별한 혜택이 전혀 없다. 일반 봉급자보다 조금 높은 정도 급여를 받지만 일의 강도는 더욱 세고, 모두 명예봉사직으로 알고 일한다. 덴마크의 국회의원은 보좌관도 없이 자전거를 타고 다닌다. 우리나라도 이렇게 바꾸어야 한다.

참고로 김동길 교수가 제안한 '국회개혁안'이 시민운동으로 펼쳐지려면 다음과 같은 국민들의 불만을 재고해봐야 한다. 이렇게 해야 한다기보다 국민들이 국회에 보내는 강력한 메시지로 보면 된다.[20)]

1. 비례대표제를 없애자. 돈으로 국회의원 배지를 사려는 자들을 국회로 보내는 창구 역할을 하고 있다. 그러므로 제대로 된 국회를 만들려면, 비례대표제부터 없애야 한다.

---

20) '함께하는 나라사랑.' n.p., n.d. Web. 17 March 2017. http://www.lovekorea.or.kr.

2. 국회의원 수를 100명 정도로 대폭 줄이자. 국회의원의 질을 향상시켜, 도둑질이 줄어들 수 있도록 국회의원 수를 대폭 줄여야 한다.
3. 지역구 의원의 출마 자격은 그 지역 주민으로 제한하자. 지역에 2년 이상 실제 거주자로 입후보 자격을 제한하여 진정한 지역주민의 대변인을 선출하며 전략 공천이라는 이상한 제도의 폐해를 없애자.
4. 국회의원 급여를 일당제로 바꾸자. '무노동 무임금'의 원칙을 철저히 적용하여 일한 만큼만 급여를 지급함으로써 일하는 국회를 만들자.
5. 국회의원의 급여 결정체계를 개선하자. 국회의원들만 자신의 급여를 자신들 마음대로 결정하는 모순을 가지고 있다. 그러므로 국회의원의 급여는 국무회의에서 심의하게 하는 등의 견제 제도를 만들자.
6. 범법경력 및 반사회적 경력에 대한 능동적 공개제도를 택하자. 입후보시에는 형사법 상의 범법행위는 물론 병역문제, 세금 미납 사례, 이성편력과 이혼 등의 가정사에 대해서도 본인이 능동적으로 공개하고 유권자의 선택을 받게 하며, 사후에 의도적으로 보이는 미공개사항이 발견될 시에는 당선을 무효화하는 제도를 만들자.
7. 하루만 국회의원을 해도, 죽을 때까지 받는 연금제도를 개선하자.

교육 개혁

교육예산 축소

교육은 국가대계라고 흔히 말하는데, 자원이 한정적인 우리나라에서는 특히 훌륭한 인재를 길러서 국가 발전에 기여하도록 해야 한다. 이것은 국민 모두에게 큰 책임이 주어진 일이다. 기초적인 가정교육은 말할 것도 없고, 학교 교육도 새로운 시대가 요구하는 인재를 양성하는 데 힘을 쏟아야 한다. 그런데 교육예산이 과연 효율적으로 집행이 되는지 의문이다.

2015년 예산을 보면 교육예산이 53조로써 국방예산의 40조를 훨씬 능가하고 있다. 이처럼 높은 교육예산을 반 이하로 줄여야 하며, 각 학교의 자율성을 높이고, 과거 방식에 의존하는 교육시스템을 완전히 다른 방식으로 획기적인 전환을 이루어야 한다. 교육부에서는 예산이 남아도는지 의심될 정도로 필요없는 일을 너무도 많이 한다. 심지어 모든 과목에 있어서 각 학년의 학업 과정 지침서, 학습 운용, 관리 지침을 쓸데없이 내려 보내고, 그에 따르지 않는 경우는 불이익을 주는 시대착오적인 일까지 저지르고 있다. 교육부는 기존의 관행에서 벗어나 현시대에 맞는 교육 정책을 제시하고 교육예산 낭비를 줄여야 한다.

국가에서는 예산을 짤 때 이미 교육예산이 너무 과도하게 배당되어서, 사립 중고등학교, 대학교에 대한 보조금이 너무 많이 들어가고 있는데 이것을 축소하거나 폐지해야 한다. 해방 후에 초등교육을 통해 문맹률을 없애고 또 산업인력 양성에 맞추는 교육환경의 갑작스러운 팽창이 요구되는 상황에서, 막대한 교육예산을 마련해 각종 사립 중고등학교의 설립을 장려해왔던 관행이 아직도 남아 있다.

재단 납입금도 전혀 내지 않고, 등록금으로도 운영이 안 되는 수많은 사학재단에게 왜 보조금을 주어가며 억지로 살리는 것인지 알 수 없다. 그것도 국가가 보조하는 사학의 재단 이사장의 인사권은 유지를 하게 하면서, 반 영구적으로 친인척을 먹여 살리는 사학 비리의 온상인 사립 중고등학교, 대학교에 계속 보조금을 주는 현실은 더욱 암담하다. 앞서 얘기했듯이 교육예산은 국가 경쟁력을 살리고, 미래의 인재를 기를 수 있는, 얼마든지 긴요하게 쓸 곳이 많이 있다.

많은 대학교수들의 논문에 대한 국가보조금 지급도 큰 문제이다. 중복게재도 문제이지만, 제삼자 인용이 전혀 안 되는 저급한 논문에 국가 보조금을 지급해서는 안 될 것이다. 기존 논문도 재심사를 해서, 문제가 되는 논문은 보조금을 반납하도록 사후 감시도 철저하게 해야 한다.

그리고 '인용도'가 높고, 해외 저명한 학술지에 실린 논문들은 인센티브(Incentive) 제도를 도입해서 포상해야 한다. 그렇게 함으로써 교수나 연구자들이 프로젝트(Project)에만 매달려 수입을 얻는 대신 좋은 논문을 쓰고자 노력하고 연구할 것이다.

교수들은 학기 중에는 자기 학과에 필요한 세미나를 정기적이고 필수로 개설하여 학생들뿐만 아니라, 그 학교가 속한 지역 커뮤니티에서도, 그 누구나 와서 들을 수 있게 하여 지역 사회에 공헌 해야 한다. 그리고 세미나 내용은 학교 인터넷으로도, 언제 어디서 무엇을 하는지 쉽게 알 수 있게 100% 개방되어야 한다. 이 예산은 각 학교에서 진행을 하고, 필요에 따라서 전 사회적이고 국가적 포럼(Forum)은 국가에서 지급하되, 각 대학교의 재학생뿐만 아니라 그 대학이 속한 지역 사회교육자원으로 활용해야 할 것이다.

대학 개혁

대학의 개념도 재정립할 필요가 있다. 대학은 지역 커뮤니티와 너무 유리되어 있어 섬처럼 떠있는 형국이다. 지역 주민들에게도 100% 완전 개방의 형태로 쉽게 강의자의 동의를 얻어, 모든 강의를 청강(Auditing)할 수 있거나, 각종 세미나에 참가(세미나는 동의조차 필요 없지만)할 수 있도록 해야 한다. 대학은 사회의 일부이며 고고한 성역이 될 수 없다. 지식의 습득과 평생교육의 기치 아래 대학이 속한 각 지역사회의 지식의 허브역할을 해야 한다.

학교 재학생이 아니라도 그 학교의 웹사이트에 들어갈 수 있게 하고,

꼭 필요한 경우 이외에는 아이디와 비밀번호로 막아 놓지 말아야 한다. 교수들도 자기 과목에 도움이 될 수 있는 세미나(Seminar)를 한달에 2번은 반드시 열게해서 대학이 매우 활발하고 다양한 지식이 교류하는 장이 되어야 한다.

교수들은 은퇴 전까지 반드시 본인 강의를 10강이나, 20강 정도로 축약하여 그 중 가장 진수를 뽑아내어 비디오강의로 남기고, 각 학과는 그 자산을 다음 세대의 학생과 교수에게 100% 온라인으로 공개하며, 학과의 인터넷 사이트를 통해 언제든지 볼 수 있도록 체계를 마련해야 한다.

진솔하고 좋은 내용의 강의는 후대 여러 사람들에게 큰 도움이 된다. 학생들이 강의 내용을 미리 온라인을 통해 볼 수 있게 하면 예습 복습(Flipped Learning)에도 이바지할 수 있다. 신입생들의 학교 선택과 각 학교의 경쟁력 재고를 위해서도 반드시 필요한 전통이다. 교육부 예산은 이렇게 써야만 한다. 각 교수의 명예가 달린 일이고 학교의 면학분위기를 장려할 것이며 크게 비용이 드는 일도 아니다.

대학이 스스로 경쟁력을 찾도록 교육부에서는 과도한 간섭을 멈추는 한편, 사학 비리의 온상이 되어온 대학은 과감히 퇴출해야 한다.

국공립 대학은 학비를 기존의 30% 정도만 받는다. 교양과목의 상당부분을 MOOC(Massive Open Online Course)로 대치하고, 기초 교양과목을 온라인(Online) 교육화하면 등록금을 상당히 줄일 수 있다. 경쟁력 있는 대학만 남기고 사학비리를 근절하기 위해서 좀더 엄격한 기준을 제시하여야 한다. 사립대학에 대한 보조금도 더욱 줄여야 한다. 사립대학은 졸업생들의 기부금이나 기타 사회 유력인사의 기부금으로 충분히 재원을 확보할 수 있어야 하며 국가의 추가보조금을 바라서는 안 된다.

영미 유학에 관해서도 재고해야 한다. 교수를 채용할 때도 과연 영미에서 배워온 이론이 국내의 현실에 맞는지, 서구의 관점과 종속적인 이론으로 점철되지는 않았는지 살펴봐야 한다. 일본은 특히 인문학 쪽에서, 이미 해외에서 따온 학위로 국내에서 교수로 채용하는 경우가 극히 드물다.

인문학에서는 구미 이론으로 동아시아에 맞는 이론을 정립하려고 할 것이 아니라, 국내 및 중국, 일본과의 활발한 논의가 선행되어야 한다. 공학 쪽에서는 서구가 앞서 있으니 그들의 공학을 적극적으로 받아들여서, 이를 능가할 수 있는 이론과 발명을 도모해 나가야 하겠지만 인문학의 경우는 아니다.

인문사회과학의 국내학위를 장려하고 외국학문의 식민화에서 벗어나지 못하는 인문사회과학자들은 점차 퇴출해야 할 것이다. 인문계 쪽의 외국학위 중 한국 관련 학문이거나 그와 유사한 과목인 경우, 한국 현실에 거의 도움이 되지 않는다. 그냥 거대한 학문의 하청구조 속에서 극히 일부분의 성과를 내주는 역할을 담당하거나 훌륭한 어학공부 정도로 끝나버릴 확률이 높으므로 인문학계통은 자국 내에서의 연구자를 더 높이 평가하는 추세로 가야 한다. 물론 공학과 기초과학 분야도 점차 국내학위 선호 방식으로 교수를 채용하는 암묵적 합의가 전 교육계로 퍼져나가야야 할 것이다.

경희대 사회학과의 김종영교수가 예전에 발표해 학계에 센세이션(Sensation)을 불러 일으킨 주장을 되새길 필요가 있다.[21]

21) 최익현. "'우리는 교수가 아니라 천민 … 배타적 인종차별주의 극복해야 학계 산다".' 교수신문. n.p., 15 06 2015. Web. 17 March 2017.
http://www.kyosu.net/news/articleView.html?idxno=31072

"'미국 유학파 교수들은 독창적인 논문을 생산하기 어렵다.' 생각은 하고 있었지만, 쉽게 입 밖에 내놓지 못한 말이다. 김종영 경희대 교수(사회학과)가 『지배 받는 지배자: 미국 유학과 한국 엘리트의 탄생』에서 강조한 주장이다. (중략) 김 교수는 이 책 출간 이후 지인들로부터 비판보다 격려를 더 많이 받았다고 귀띔했다. 한국 지식인 모두가 고민하는 문제지만, 누구도 심도 있게 연구하지 못했던 주제를 이 책에서 소화한 그는 한국 교수들이 너무나 큰 특권을 누리고 있다고 거듭 비판했다. 이런 비판은 교수 사회에 대한 맹렬한 성토로 이어지기도 했다. 그는 한국 교수 사회를 가리켜 '막스 베버가 합리성이 결여된 미들맨의 경제를 천민 자본주의라고 불렀듯이 한국 교수 집단은 합리성이 결여된 천민 학문 공동체다. 우리는 교수가 아니라 천민이다'라고 비판했다. 그렇다면 한국 학계가 불임성을 극복할 수 있을까? 그는 근본적 변화를 주문했다. '한국 대학과 학계에서 소외 받고 있는 계층들이 집단행동과 투쟁을 통해 현재의 대학과 학계의 질서를 전복해야 한다. 국내 박사, 지잡대 출신의 교수들과 학생들, 여성 학위자들 등이 집단행동을 통해 변혁을 요구해야 한다.'"

과학 발전 토대 마련

문학, 어학, 인문사회에 관한 주제는 중고등학교 시절에 충분히 섭렵할 수 있는 많은 독서와 토론을 통해서 생각의 폭을 늘리도록 교육의 방향이 잡혀야 한다. 각 대학은 문학, 어학, 인문 사회과학의 과목을 대폭 축소 또는 폐지하고 교육부는 그에 대한 지원도 줄여야 한다. 그 대신 4차 산업혁명(Fourth Industrial Revolution)에 대비한 신기술을 접목할 수 있는, 사물 인터넷(Internet of Things), 인공지능(AI-Artificial Intelligence), 빅 데이터를 위한 컴퓨터 코딩, 프로그래밍(Programing), 나노 테크놀로지, 바이오 사이언스(Bio-Life Science), 로보틱(Robotics), 3D 프린팅 설계와 생산 등 새로운 미래를 향한 공대 엔지니어링, 기초 순수과학 과목, 산업디자인에 대한 인원과 예산을 대규모로 늘려야 한다.

인문사회분야는 대규모 첨단 실험실이 필요한 것도 아니고 더욱이 인터넷에 의한 지식혁명으로 언제 어디서나 쉽게 정보를 얻고 해득할 수 있기 때문에 과학 쪽으로 집중 투자해야 한다. 기존의 교육부도 이러한 방향으로 각 학교의 구조 조정을 이끌어 나가고는 있다. 역사는 어차피 과학 발전의 역사이고, 과학이 발달하려면 여러 인프라가 조성되어야 하며, 이노베이션(Innovation)이 지속적으로 나타나야 한다. 그러기 위해서 전국적으로 동시 다발적인 기반 환경을 조성하는 것이 시급하고, 기술 선진국으로 나아가기 위한 과학발전의 토대를 더욱 굳건히 해야 한다.

과학의 발전이 사회의 변혁을 이루었던 원동력이었고, 인문, 사회의 모든 가능한 이론은 수십 세기에 걸쳐 이미 충분히 나왔다고 봐도 과언이 아니다. 다만 통계(Statistics)를 위주로 한 빅 데이터(Big Data) 영역이 어떻게 인문사회 이론과 연동할 것인가 하는 것만이 남았다. 그러나 이것도 결국은 컴퓨터 프로그래밍과 인공지능(Artificial Intelligence)를 써야 하는 과학의 영역이다.

이러한 과학 위주의 교과 과목 중점화로 초·중·고교 때부터라도 그 쪽 분야의 확실한 소질을 가진 학생을 선별하여 영재교육으로 대규모 인재 풀(Pool)을 육성해야 된다. 이러한 정확한 목표를 가지고 지속적으로 기초, 응용 과학 엘리트 양성교육을 시행해야 할 것이다. 솔직히 지금의 시점에서 우리나라가 갖출 수 있는 가장 큰 경쟁력은, 경쟁력 있는 가격으로 수많은 공학도를 배출하는 것이다. 창의력과 기술력을 갖춘 실력 있는 공학도를 대규모로 확보하고 기르는 것이 세계에서 경쟁력을 갖추는 빠르고 합리적인 방법이다. 또 과학 인재의 육성이 바로 우리나라가 가야 할 길이다.

가장 두뇌가 잘 돌아가는 대학시절과 한창 성숙한 나이에 어학, 인문사회과목을 할 이유가 별로 없다. 나이가 들면 저절로 인문학으로 돌아오게 되어있고, 그런 사회 중진들의 담론을 듣는 것만으로도 충분하다. 또한 외국으로 유학 가는 인문학분야 학생들만 본국에서 연구하는 풍토를 형성해도 커다란 바탕이 형성될 수 있다. 본인의 자유의사로 청소년기부터 인문, 예술, 기능학습을 선택하여 전공으로 삼는 경우를 제외하고, 현 시점에서의 국가의 큰 방향은 무조건 과학 위주로 해야 한다.

지금 정부의 새로운 정책은 특목고, 자립형 사립고, 외고, 국제고를 전부 없애고 일률적으로 고교평준화를 실시하려는 것인데 이는 전혀 잘못된 방향이다. 과학고나 영재고와 같은 이과 고등학교는 절대로 없애면 안 된다. 인문사회계열의 모든 외고, 국제고, 자사고는 당연히 없애서 공교육을 살리는 방향으로 가야 하지만, 과학의 수재, 영재를 육성하는 이러한 이과계 고등학교는 반드시 존속을 시키고 오히려 전국적인 붐을 이루도록 해야 한다. 과학에 있어서 하향평준화는 있을 수 없는 일이다.

13세기에서 15세기 중반까지 수많은 내란과 전란에도 불구하고, 한국은 세계에서도 가장 두드러진 과학 강국이었다. 당시 세계에서도 가장 수준 높았던 도자기인 고려청자, 구텐베르크보다 200년이 앞섰던 금속활자로 찍은 상점고금예문, 팔만대장경과 같은 목판인쇄술, 동시대 세계최고의 고려의 제지술로 만든 천 년을 간다는 금령지(金齡紙), 세계에서도 가장 앞섰던 여러 화포 종류, 천자총통, 신기전과 같은 화약 응용기술, 단천연은법(端川鍊銀法)과 같은 금속 제련기술, 천문 역법, 자격루(물시계), 앙부일구(해시계), 측우기, 한글, 의학, 약학 등에서 실로 발군의 기술을 지니고 있었다. 그런데 기술을 발명만 해놓았지 그 뒤를 받쳐줄 수 있는 기술 군단이 없으니 더 뻗어 나가 발전을 할 수 없었다.

자동차 생산 세계 5위라 해도 한국은 자동차에서 가장 중요한 ECU (Engine Control Unit)조차 제대로 못 만든다. 전자 통신, 반도체, 의료와 약학 부문에서도 지적재산권으로 선진국에게 지불되는 국부 유출은 상상도 못 하는 지경이다. 미국에는 연간 거의 50억 달러, 일본에는 3억 달러의 지적재산권 수지적자가 나고 있다. 기초 순수과학 인프라와 펀더멘털(Fundamental)은 경쟁할 선진국에 비해서는 더욱 떨어진다. 일본 출신 노벨상 수상자는 이미 25명으로, 기초과학 분야에서만 22명이나 된다. 지난 3년간 매년 기초과학으로 노벨상을 일본에서 가져간 사실만 봐도 한국이 일본이나 기타 기술선진국에 얼마나 뒤져있는지 쉽게 알 수 있다.

이러한 현실을 전혀 흔들림 없는 강력한 국가 정책으로 밀고 나가서 반드시 극복해야만 한다. 우리가 자랑하는 삼성의 휴대폰 생산만 봐도 CDMA기술료를 일년에 수조 원씩 퀄컴(Qualcomm)에 지불해야 하며, RF 필터, 파워 앰프, 카메라 렌즈 등을 수입해야만 제대로 만들 수 있는 등, 아직도 해외에 의존해야만 하는 것이 너무 많다. 반도체, TV, 리튬 전지 등도 마찬가지로 만드는 소재, 부품, 기계의 상당 부분이 일본산으로, 아직까지도 수많은 기술과 소재를 해외에 의존해야만 한다. 힘들게 만들어 팔아도 실속은 선진 기술국에 넘겨주고 남는 게 별로 없는 현실이다. 부품 소재의 국산화율을 높이고, 싸고 경쟁력 있는 초일류 세계 최고상품을 지속적으로 개발하려면 과학 강국이 되어야 한다.

2015년 주요 산업 국가들의 지적재산권 수입과 지출상황을 보면, 세계 주요 선진국 중에서 한국만이 적자현상이 크고, 국제적으로 유명한 호텔이나 식음료 프랜차이즈에 지불되는 브랜드 로열티(Brand Royalty)나 의학, 약학, 엔지니어링 부문의 페이턴트 로열티(Patent Royalty)와 같은 기술료를 벌어들이는 미국이 얼마나 서비스 산업과 과학분야에 초강국인지를 보여준다. 물론 한국이 앞세우는 한류 영화, 드라마, TV 엔터테인먼트 프로그램의 콘텐츠 수출이 늘어나고, 각종 K-Pop 음악의 음원이나 만화(Cartoon) 하청산업에서 서비스산업 수지적자를 조금씩 메우고 있지만, 여전히 전체적인 서비스산업 수지적자폭은 매우 크고, 그 중 하나인 지적재산권 부문에서는 더욱 큰 적자현상이 벌어지고 있다.

우리는 '기술의 한국'을 만들어 온 세계 사람들이 한국의 기술을 가져다 쓰고, 또 의미 있고 뜻을 세우는 곳에는 무료로 제공할 수 있을 정도의 여유 있는 선진과학국을 만들어야 한다.

2015년 주요 산업 국가들의 지적재산권의 수입과 지출상황

	수입	지출
일본	366억 달러	169억 달러
미국	1,261억 달러	391억 달러
독일	145억 달러	89억 달러
한국	62억 달러	98억 달러

출처 : 통계청자료관리통계서비스(www.kois.kr/statHtml/statHtml.do?orgId=101&tblId=DT_2KAAB15_OECD)

5, 5, 3학제로 개편

학제는 6, 3, 3, 4 제도에서 5, 5, 3 제도로 바꾸어 전체적으로 최소한 3년은 줄여야 한다. 영국의 유명한 교육학자인 켄 로빈슨(Ken Robinson)은 "학교 교육(공교육)이 동질화, 순응, 표준화에 기반을 두고 명령과 제어(Command and Control)만을 강조함으로써, 창의력을 죽이고, 학교가 19세기 산업주의(Industrialism)에 맞추어 직장에서 필요한 인력을 구하기 위한 수단으로 제도화에 너무 길들어 있어, 이러한 100년 이상 똑같은 시스템을 가지고 있는 학교 교육은 전적으로 바뀌어야 한다"라고 주장한다.

또한 프랑스 철학자 미셸 푸코(Michel Foucault)의 "감시와 처벌" 이론을 군대, 학교, 종교 집단에 적용한 이론은 차치하고라도, 오늘날과 같이 인터넷이 발달되어 있어 실로 모든 것을 인터넷을 통하여 배울 수 있는 세상에서 학생들을 학교에 잡아두는 시간이 근본적으로 너무 길다. 사회 활동을 일찍 시작하게끔 대부분의 학제를 대폭 줄여야 한다. 물론 다른 각국과의 공조도 필요하지만, 영국의 경우는 대학은 3년제이고, 대학원도 1년인 경우가 대부분이다.

우리나라는 조기 졸업도 어렵게 되어 있다. 학교 다니는 것 자체에 얽매이지 않을 융통성과 자율권을 주어야 창의성도 나온다. 대학생의 경우, 조기졸업 시스템을 활성화하여, 기존의 4년제 학업을 2년 내에라도 학점만 따고 충분히 조기 졸업할 수 있게 과정을 유연하게 운용해야 한다. 물론 초중고의 커리큘럼도 대폭 융통성을 확보하여 학점제 도입 및 조기졸업도 원활하게 해주어야 한다.

학제를 5, 5, 3 제도로 개편하는 것에 대해 자꾸 비용문제와 결부시켜 어려움을 토로하는 경향이 있는데, 이는 인터넷강의와 사립 중고등학교 및 대학교에 대한 불필요한 지원만 줄여도 충분히 해결될 문제다. 바야흐로 이러닝(e-Learning) 시대와 맞추어 기초교육뿐 아니라, 전문교육까지 온라인(On-line) 필수과목을 대폭으로 늘려야만 한다.

매년 국방비보다도 12-13조나 많게 쓰고 있는, 년간 53조나 되는 교육부예산을 이런 국가 대계를 위한 중요한 일에 써야지 쓸데없는 곳에 퍼붓는 낭비성 예산집행은 반드시 바로 잡아야 한다. 기존의 법으로 정해져 있는 의무교육에 들어가는 예산을 제외하고는 나머지는 반 이하로 줄여야 한다. 이와 더불어, 다시 한번 더 강조하지만, 국공립대학 학비를 기존의 30%로 줄일 목표로 시스템을 역으로 맞춰 나가야한다. 교육에 대한 투자는 결국 그 국가를 구성하는 인간이 만들어낼 사회적 자산(Asset)에 대한 투자이다. 지금 한국 사회가 당면한 부모에게도, 학생에게도 가장 부담이

가는 사회적 비용을 국가가 부담해야만 각 국민의 행복지수도 높아질 수 있다.

한쪽에서는 인터넷 교육이 인지능력에 대한 여과 없는 잡다한 지식의 홍수에 노출되어 있고, 작문(Composition)이나 논문을 쓸 때 요구되는, 논리적, 체계적인 트레이닝이 과연 충분할 수 있을까 하는 우려도 있으나, 그것은 인터넷에 익숙하지 않은 기성세대의 논리이다. 논리적인 면을 충분히 교육시킬 정도의 Online교육은 이미 준비되어 있다.

교육에서 가장 중요한 것은 가정교육이다. 기본적인 윤리와 도덕교육은 가정에서 시작하는 것이니 부모가 모범을 보이고 자식의 기초 소양교육과 건강한 정신과 신체를 갖도록 양육에 대한 책임을 져야 한다. 문학, 어학, 인문 사회과학은 이미 초등학교 유년기부터 시작하여, 중고등학교 청소년기에 다 섭렵할 수 있도록 청소년 교육의 중점사항으로 커리큘럼이 하향 조정해야 된다. 특히 영어나 중국어와 같은 언어교육은 초등학교 때에 이미 기초적인 회화는 소통에 전혀 문제없이 가르쳐야 한다. 언어에 대한 흡수력과 문학과 인문사회에 대한 감수성이 발달된 청소년기가 가장 적합하다.

입시위주의 수험생 교육은 완전히 버려야 한다. 시간이 없어 이러한 인문학을 접할 기회를 뺏으면 안 된다. 아주 어릴 때부터 많은 훌륭한 문학작품과 역사, 철학, 문화에 관한 책을 섭렵하도록 권장하고 해당 과목의 수업 자체는 전적으로 치열한 토론 위주로 이끌어야 한다. 학생을 평가하는 방법도 바꿔야 하고 수업의 방법도 완전히 바꿔야 한다. 그래야 4차 산업혁명에 대비를 할 수 있고, 과학을 하든 예술을 하든 그 무엇을 하든, 더욱 창의적이고 훌륭한 업적을 이루어 낼 수 있는 것이다.

현장에서 직접 가르치는 많은 교사들은 학급의 사이즈를 언급하며 토론식 교육의 그 어려움을 호소한다. 하지만 이는 페이스북, 구글 행아웃(Google Hangout), 유튜브 실시간 스트리밍(YouTube On-Line Streaming)이나 다양한 온라인 화상채팅, 보이스 토크 등의 도구 사용에 익숙하지 않아서이다. 이러한 첨단 매체를 온라인을 통해 최대한 이용하여, 수업 전에 미리 학습내용을 자세히 공지하고 수업 중에는 오로지 토론으로만 진행(Flipped Learning-역 진행 수업)하여 학생들 평가를 하도록 유도하는 것도 좋은 방법이다. 학급 사이즈를 줄이면 더욱 좋겠지만 교사들 먼저 능숙하게 학생들보다 첨단 기술을 더 잘 다룰 수 있고 실제로 수업에 사용하려는 노력이 선행되어야 한다.

환경과 보건 문제

지구 온난화의 영향으로 2099년까지 해수면이 이번 세기가 끝나는 지금보다 1미터나 상승하여 많은 해변가 도시들이 물에 잠기고 태평양이나 인도양에 산재해 있는 섬들도 없어질 운명에 처해있다. 또한 지구의 허파라 불리며 산소를 공급하는 브라질의 아마존지역(Amazonia Legal), 적도 아프리카, 인도네시아 수마트라, 칼리만탄 지방과 같은 열대우림 지역에서 무자비한 벌목과 대규모 상업농장확대로 인한 환경파괴와 급속한 삼림 소멸(Deforestation)이 일어나고 있다. 이로 인해 원주민들의 정착 자체가 위협을 받고 있으며, 기후 문제와 자연 재해가 겹쳐서 전지구적으로 이주와 이민을 촉발시키고 있다. 향후 50년 동안 10억 명의 인구가 이동할 것으로 전망된다. 이것은 세계가 직면한 문제이기 때문에, 우리 대한민국부터 해결책을 모색해 전체 지구인에게 답을 찾아줘야 한다.

우선 각 가구에서 에너지 자급 자족(자가 생산), 식량 자급 자족(자가 재배), 제로 웨이스트(Zero Waste) 실천을 끊임 없이 늘려나가야 한다. 다음 세대에서도 지속적으로 할 수 있는 자급 자족 운동은 복잡한 과정을 거치는 물류의 대규모 이동을 줄일 수 있을 뿐 아니라, 이로 인해 재정 향상, 건강증진, 포장지, 에너지 등의 자원 절약이 자동으로 이루어지는 이점이 있다. 앞으로의 세계가 새로운 기술의 발전도입으로 이러한 자급 자족(Self Sufficiency) 생산 편의를 도모하고 미래의 과학 발전 방향도 반드시 이런 방식으로 갈 것이므로, 국가가 세우는 환경문제 정책도 이러한 관점에서 미리 대비하고 바라보아야 한다.

지금 미국을 중심으로 일어나는 세일 가스 혁명은 환경 오염문제를 생각하면 그다지 큰 효과는 없다. 결론적으로 지구환경을 위해 CO2 배출이 심각한 화석 연료(Fossil Fuel)는 전혀 쓰지 않는 방향으로 중 · 단기 계획을 세우고, 태양광, 조력, 풍력을 이용한 클린에너지 혁명에 집중할 때이다. KAIST나 KIST 등 각 대학의 두뇌집단을 총동원하여 신 에너지 혁명(Energy Revolution)에 집중해야 할 것이다. 이것이 곧 그린하우스 영향(Greenhouse Effect-지구에서 뿜어내는 가스에 의한 영향)과 지구 온난화를 방지하고, 환경문제 해결에도 결정적인 영향을 준다.

원자력발전은 당장 포기해야 한다. 지금까지 개발되었던 것 중 가장 효과적이고 비용이 적은 에너지 발전이지만 실상 핵 폐기물의 처리에 대한 여러 환경 비용계산이 불가능하다. 후처리 비용을 생각하면 가장 위험하고, 비싸고 비효율적인 발전방식이기도 하다. 또한 1999년 일본 이바라키 현의 도카이 우라늄 재처리공장에서 발생한 것과 같이, 아무리 조심해도 단 한순간에 피폭(현장 인원 49명, 주민 포함 666명)을 당할 수 있고, 핵발전소 주변에 거주하고 있는 주민들이 겪을 공포심까지 감안하면 그 기회 비용은 상상을 초월하는 것이다. 기존의 핵연료 발전소는 당장 어찌할 수 없다 하더라도 사용기간이 만료되면 영구 폐기하여 닫아버려야 한다. 핵

발전소를 새롭게 짓는 것은 당장 그만두고 친환경에너지 생산에 힘을 기울여야 한다.

특히 태양광에너지는 무한공급이 가능하고 기존의 약 20% 정도인 태양전지 모듈의 효율만 더 향상시키면 얼마든지 원자력발전의 대체가 가능하다. 현재 그 연구가 매우 활발하게 진행 중이고, 실제 세계적으로 태양광발전은 이미 원자로 70기의 용량을 생산하고 있다. 2020년이 되면 석탄과 동일한 발전 생산단가(Grid Parity)가 될 것이다. 태양광에너지 기술과 상용화가 확대되면 될수록 발전비용도 기하급수적으로 저렴해진다.

이미 개발되어 있지만, 기존의 불투명한 태양광 패널을 창문형 투명 글래스(Transparent Photovoltaics)나 투명 필름 형태와 같이 집과 건물의 유리창에 적용하여 쓰거나 건물일체형의 외벽 건축자재, 또한 테슬라(Tesla)에서 개발해서 이미 상용화하고 있는 태양광 지붕과 같이 건설 방면에서 급속도로 발전되고 있다. 향후 각 주택이나 빌딩에서 얼마든지 자가 발전이 손쉽게 이루어질 수 있으므로 아주 가까운 미래에 곧 에너지 자급자족의 방법으로 충분히 해결이 될 것이다.

"탈 핵 발전"이라는 명제 하에 많은 찬반 논쟁이 있어왔다. 이웃 일본을 보면 답이 간단히 보인다. 일본은 후쿠시마 원전사고 이후에 그 복구비용으로 200조 원 이상의 천문학적 비용을 썼으며, 국내의 50기의 핵발전소를 한꺼번에 닫고 에너지 절약운동이나 대체 에너지 증산 문제에 심각한 고민을 해왔으나, 가정용 전기료가 25%, 산업용이 38%나 상승(달러 환율 상승 감안하면 실제로는 각각 4%와 16%)하여 결국 4기의 핵발전소를 다시 돌릴 수밖에 없었다.

하지만 이것은 복구비용의 부담 문제와 더불어 점차적으로 핵발전소를 닫았던 것이 아니고 한꺼번에 해결하려고 해서 생겼던 돌발적인 문제이다. 일본은 점진적으로 100% 탈핵 발전을 지향하고 있다. 우리나라는 전체 전력소비의 1/3을 감당하는 이미 25기의 핵발전소가 현재 가동되고 있지만, 기한 만료가 되는 대로 하나 하나씩 폐쇄할 준비를 하고, 그 사이에 대책을 세우면 일본과 같은 문제는 없을 것이다.

원자력발전은 생산, 유통, 해체, 후처리 과정상 그 누구도 예상할 수 없는 위험 요소가 곳곳에 잠재되어 있고, 체르노빌, 후쿠시마나 쓰리 마일즈와 같이 단 한번 실수로 되돌릴 수 없는 엄청난 재앙을 불러 일으킬 수밖에 없다. 그러므로 "탈원전"은 당연한 것이고, 이제는 그러한 논쟁에 종지부를 찍고 확실한 친환경 재생에너지 위주로 에너지확보를 전환시켜야 마땅하다.

이와 동시에, "탈핵 발전"은 세계평화와 전 인류의 안전을 보장하는 생태계 환경운동과 연동하여 갈 수밖에 없다. "탈원전"은 민주주의가 발달된 선진국들의 세계적인 추세이며 따라서 인류의 미래를 위해서도 핵 발전방식은 앞으로 "질서 있는 퇴진"을 해야 한다.

실제로 많은 세계의 대부호인 석유산업의 투자가들도 태양광산업 쪽으로 투자의 흐름을 바꾸고 있는 월 가(Wall Street)의 움직임과 세계적인 추세도 파악해야 한다. 대한민국은 미래 에너지원으로 태양광을 제1의 공급원으로 삼아야 한다. 그리하여 시간과 비용이 드는 스마트 그리드(Smart Grid)의 인프라도 미리 준비하고 있어야 한다. 이렇듯 역사의 흐름을 직시하여 국가가 나서서 먼저 이니셔티브(Initiative)를 잡아주고, 미래가 제시하는 방향에 따라 일사분란하게 움직여야 한다.

뒷골목의 많은 길거리에서 불법 쓰레기 반출, 담배꽁초 버리기, 광고 전단지를 무작위로 길바닥에 뿌리는 양심불량의 행위들도 많이 발생하는데, 깨진 유리창 이론(Broken Windows Theory by Wilson & Kelling)으로 보더라도 그러한 곳일수록 더욱 범죄지대로 전환이 쉽고 황폐화가 빠르게 이루어지니, 강력한 단속으로 미연에 방지해야 한다. 전국 방방곡곡 어느 곳에서도 항상 정리 정돈이 잘 되어 있고, 깨끗하고 청결한 상태를 유지해야 한다.

인류 복지와 건강을 위해서는 마약이나 불법약물의 반입도 철저히 막아야 한다. 특히 검사가 소홀한 미군부대의 우편제도를 악용하여 많은 불법 마약류가 한국으로 들어와 범람하고 있다. 이제 우리나라도 마약 청정지역이 아니다. 신문지상을 통해서도 아주 시골의 작은 동네에까지도 마약의 구매와 복용이 널리 퍼져 있음을 확인할 수 있다. 어떠한 마약 딜러(Drug Trafficker)도 일단 검거가 되면 당연히 싱가포르와 같이 사형에 처하고 외국인 마약사범은 영구추방해야 한다. 신속히 마약 특별 단속반, 경찰, 검찰을 총동원해서 바로 잡아야지 더욱 퍼진 후에는 시기가 늦어버리게 된다.

지금 서양의 예술에 대한 가장 큰 문제는 마약이 범람하는 속에서 작업이 이루어지고 있다. 동양의 예술론과는 다르게, 서양 예술에서 바라는 것은 지극히 새로운 창조성(Creativity)을 요구하고, 이러한 창조적인 새로운 작품성이 예술사 속에서 어떻게 자리매김을 하는가가 가장 중요한 쟁점으로 떠오르고 있다. 따라서 너무 새롭고, 특이한 것만을 추구하는 경향이 두드러지게 나타나고, 이에 대한 실현을 마약의 힘을 빌리는 경향도 뚜렷해졌다. 그리고 서구사회가 이를 너무 관대하게 수용해 왔다.

마약복용은 인류사적 관점에서 봤을 때도 윤리적, 도덕적 관점에서도 잘못된 것이다. 스포츠에서와 같이 각종 예술에 있어서도 도핑 테스트

(Doping Test)를 도입해서 과감히 퇴출의 대상으로 삼아야 한다. 최소한 대한민국은 이 방면에서 가장 깨끗하고 모범적인 나라가 되어야 한다. "자멸과 자가당착"으로 빠지는 퇴폐와 진정한 "구도와 수행"의 예술을 구별할 줄 아는 사람만이 진정한 예술가로서 대접을 받아야 한다.

마약을 복용해 예술하는 사람들하고 그렇지 않은 사람들하고 동일선상에서 놓고 보는 불공정한 게임을 떠나서, 이런 것이 만연되면 전 예술계로 독버섯처럼 악영향이 펴져 나가기 때문이다. 실제로, 국내에서도 이런 현상이 흔히 발견되곤 한다. 이는 많은 국내 예술가 및 학생들이 서양에서 같이 작업을 하면서 배우지 말아야 할 것을 배우게 되는 영향을 받았기 때문이다. 이는 매우 심각한 문제이니 지금이라도 속히 바로 잡아 나가야 한다.

교통문제

교통예산 낭비도 문제이다. 대중 교통에 대한 보조금이라고 해서 노선버스나 심지어 택시에 부가가치세 환급이나 유류보조금으로 많은 국가보조금이 투입되는데 이것도 바로 잡아야 할 점이다. 각종 필요 없는 노선은 과감히 없애 버리고, 시내 중심가에 버스, 택시가 적게 다니고 보행자 위주, 또는 자전거 위주로 다니게 하기 위해서는 각 지하철 수송률을 현저히 높이고(일본 89% 한국 40%), 지하철 중심으로 버스노선을 새로 짜야 할 것이다.

결국 지하철로 연결이 쉬운 시내 구간은 도보로 충분히 다닐 수 있으니, 이 구간 내의 버스노선을 모두 없애버리고, 그 주변의 바깥쪽 지하철역을 중심으로 출발하는 마이크로 버스노선으로 대 전환을 이루어야 한다. 시간제로 탄력적인 운용부터라도 모종의 시작은 속히 시행되어야 한다. 시내로 들어오는 차량에 부가하는 혼잡통행료도 차량, 차종, 승차인원에 관계없이 기존의 2,000원에서 대폭 올려서 아예 대중교통을 이용해야만 한다는 인식을 단단히 심어줘야 한다.

버스와 지하철의 연계 지불시스템은 우리나라처럼 잘 되어있는 나라는 전무하다. 따라서 이러한 대변혁도 충분히 잘 소화할 수 있으리라고 본다. 시내로 진입하는 먼 외곽 쪽에 대형 주차장을 설치하여, 반드시 주차를 하고 시내로 들어오도록 행정을 펼쳐야 한다. 이로 인해 시내는 도보와 자전거를 주로 사용하여 번거롭지 않고 더욱 공해 없는 쾌적하고 깨끗한 환경을 조성할 수 있다.

요즈음 대한민국 전국 방방곡곡의 골목길에서 벌어지고 있는 주차전쟁은 정부가 애당초 자동차회사의 로비에 넘어가 일본이 1962년부터 시행했던 차고지 증명제(Levying Garage Option)를 하지 못했던 것이 가장 큰 원인이다. 새로운 차를 구입할 시점에 하는 차고지 증명제를 지금이라도 늦지 않았으니 하루빨리 도입하여, 주차공간이 확보되지 않으면 차를 살 수도 차량등록도 불가하도록 해야 한다. 이는 소방과 의료 응급차의 유사시 진입로 확보와 도로교통의 원할, 주차전쟁 방지 등 말할 수 없는 이익을 줄 것이다. 도로는 차를 주차하는 곳이 아니고, 철저히 차량 통행이나 보행자를 위한 곳임을 각인시켜야만 한다.

2017년부터 제주시에서는 이러한 차고지 증명제를 실시한다고 하는데, 전국으로 확대해야 마땅하다. 서울과 같은 지역도 외곽에서 도심으로 단계를 밟아야 하지만, 지방은 더욱 빠른 시일에 과감히 시행을 해야 한다. 국민 전체의 질서의식 향상에도 한 몫을 할 수 있다. 그러면서 한국에 맞는 새로운 대안을 마련해야 한다.

이와 더불어 각 고속도로와 지방도로의 각종 속도제한도 기존의 시간당(km/hour) 현재의 최고 속도보다 더 높여야 한다. 자동차의 기술발전과 안전장치, 속도감지 시스템, 내비게이션 활용, 운전자들의 평균 수준 향상, 그리고 도로환경이 급속도로 좋아지고 있는 마당에, 실제로 어떤 운전자도 지키지 않는 이러한 속도제한, 지나친 수의 위반 카메라 설치와 함정에 빠지게 하는 감시 카메라 장착은 오히려 전 국민을 일종의 자동 범법자로 만드는 것이며 반드시 바뀌어야 한다.

범칙금으로 수입을 얻는 지방도로 곳곳의 감시카메라의 설치 남발도 없어져야 한다. 속도제한이 없는 아우토반 정도는 아니더라도 고속도로나 지방도로에서도 기존의 제한속도에서 10-20km 이상 상향조정해야 합리적이다. 지키기 어려운 과도한 속도제한은 국민 준법정신의 고양 차원에서라도 고쳐져야 한다.

불법 노점상은 도시 교통질서를 위해서나 준법정신의 앙양을 위해서도 반드시 강력 단속해야 한다. 마치 본인의 권리인 양 점거를 하고 심지어 떼를 쓰며 존재하지도 않는 권리보호를 요구하는 파렴치한 시위까지 벌이는 일이 비일비재하다. 범법을 한 일은 마땅히 엄중히 처벌을 받아야 하고 지속적으로 엄격히 단속해야만 거리 질서가 살아난다.

미세먼지, 소음, 에너지 낭비, 대기오염의 주범인 주정차 상태에서 공회전은 3분 이상은 안 되는 것을 온 국민에게 확실히 인지시켜야 한다. 여름철 27도 이상, 겨울철 5도 이하일 경우 10분까지 허용되며, 경유차는 5분 이상 공회전하면 안 된다. 미국 같은 곳은 학교 주변에서는 1분이상 공회전 금지이다. 경찰이나 공무원 차량부터 솔선수범해야 한다. 이러한 인식은 절대 소홀히 할 수 없고 전국민 계몽운동으로 바로 잡아나가도록 해야 한다.

복지 문제

복지는 절대 과도하게 할 필요가 없다. 전방위적이고 보편 일률적인 적용보다는 핀 포인트방식의 세밀한 대증적 방법을 더 많이 써야 효과가 있다. 과거 '요람에서 무덤까지'를 외치고 복지를 크게 확대했던 북유럽국가들도 복지 비용에 대한 부담을 느끼고 있다. 이를 잘 보고 타산지석으로 삼아야 할 것이다. 복지란 일단 한번 시행하게 되면, 절대 거두어들일 수 없는 것이기에 더욱 조심스럽게 접근해야 한다. 절대 "공짜는 없다"라는 기본개념에서 한치도 물러서면 안 된다.

많은 복지전문가들이 OECD 국가들의 평균에 못 미치는 대한민국의 국가 복지예산을 얘기하는데, 그러한 국가들의 대부분은 북유럽에 속해 있고 그들 국민들의 조세 부담률이 얼마나 높은지는 말하지 않는다. 실상 유럽에서는 이러한 높은 개인 소득세를 피해 많은 부자들이 국적까지 포기하는 사태가 매우 많다. 증세와 복지는 동전의 양면이다.

국민들이 무조건 복지확대만 주장할 것이 아니고, 세금을 더 낼 것인가에 대한 생각도 같이 가지고 있어야 한다. 물론 가장 바람직한 것은 정부의 철저한 예산 운용이다. 교육, 국방예산은 반 이하로 줄이고, 각종 불필요하고 낭비성인 예산, 정당, 선거보조금은 모두 줄이거나 없애서 복지예산을 늘리는 방법을 우선 생각해야 한다. 무조건 증세만으로 복지예산을 늘리는 것이 해결책은 아니다.

사회복지 문제는 국민이 정부를 믿어야 해결할 수 있다. 정부는 국민들이 기존의 월급을 너무 모으지만 않고, 마음 편하게 레저와 스포츠, 문화활동을 평생 즐겨도 충분하게, 그리고 직장에서 또는 지역에서 받는 연금보험만으로도 노후 모든 대책을 국가에 의존할 수 있는 정도로의 최소한 복지는 보장해야 한다. 그리고 국민적 합의점을 찾아서 '공짜 복지는 없다'라는 것을 알리고 아무리 저소득층이라도 완전히 자립이 불가능한 경우를 제외하고는, 소득세를 내야 한다는 것을 인식시켜야 한다.

단, 전혀 혼자서 자립이 불가능한 초극빈층은 당연히 국가에서 최소한의 생계비를 보조해야 한다. 이는 초극빈층에게 주는 보조금 자체가 전액 소비되어 마켓으로 나오게 되어 있기에 국가로 봐서도 시장경제상 크게 잃는 부분은 없기 때문이다. 전혀 거동할 수 없는 사람들을 제외하고는 자그마한 지역 사회봉사라도 해야만 보조금을 주는 제도로 "절대 공짜는 없다"라는 것을 모토로 삼아 모럴 해저드를 경계해야 할 것이다.

국민 건강과 질병에 관한 복지야말로 가장 기본적인 것이기 때문에 국가가 나서서 더 작은 시골에까지 수요에 따라 남녀 순번제도 고려해서 많은 목욕탕과 피트니스와 같은 보건, 체육의 공공 편의시설을 지어야 한다. 이러한 예방차원의 위생과 건강관리는 나중에 닥칠 예기치 않은 질병과 노인 질환을 생각할 때 오히려 비용이 훨씬 덜 들어가는 최고의 예방효과를 낼 수 있다.

사회보장제도의 하나로서 도입된 의료보험인 한국의 건강보험제도는 거의 세계 최고 수준이다. 세계 어느 나라에도 이 정도 높은 수준의 의료서비스를 이렇게 값싸게 받을 수 있는 나라는 거의 없다고 봐도 좋을 듯하다. 한국이 잘하는 것은 칭찬을 받아야 마땅한 것이고, 그 밖에 현격히 모자라는 것은 속히 대책을 마련해야 된다.

많은 나라가 소비세 인상으로 복지예산을 확보해 왔다. 소비세는 간접세로서 쓰는 만큼 내는 것이고 물가 상승의 위험이 있으나, 우리나라도 이를 고려할 시점이 왔다. 국가도 소비세뿐만 아니라 부유세, 법인세를 올려서 세수 확대를 최대한 늘려야 한다. 일본의 경우는 이러한 소비세 인상을 들고 나오는 정권은 대대로 선거에서 배패했지만, 아베 정권에 들어와서 겨우 성공했던 전례를 참고 삼아야 하겠다. 특히, 국민 건강을 해치는 담배나 주세, 그리고 유흥시설에 관해서는 개별적으로 세금을 걷거나 특별 소비세를 올리면 된다.

부유세의 경우 부자들에게 세금을 너무 과하게 올리면 징수를 피해 자본의 국외탈출 러시를 이룰 수도 있으니 심사숙고해야 한다. 법인세에 관한 문제는 여러 논란이 있지만 결론적으로는 법인이 사회적 약자가 될 수 없고, 앞으로도 계속 사내 유보금도 많이 쌓이는 추세이므로 올려야 한다. 그래야만 겨우 사회적 약자를 구제할 수가 있는 복지에 대한 지출비용을 최대한 확보할 수 있는 것이다. 이런 세수확대에 관한 것은 반드시 관철시켜야 하는 미래에 대한 대비책이다.

고령화, 저출산문제는 현재 일본에서 가장 심각한 문제인데, 한국에서도 일본과 똑같은 현상이 벌어지고 있다. 이는 해가 갈수록 더 심화될 것이기 때문에 이러한 문제에 대한 해결책을 서둘러 마련해야만 한다. 특히 국가는 영아기 때부터 믿고 맡길 수 있는 전문적인 탁아시설을 대폭 늘려서 생산성 향상 인구를 여성인력의 대규모 사회 진출로 대치하게 해야 한다. 이것은 여성의 기본 인권 향상과 사회참여에 의한 자아 실현과도 관계가 있으니 이를 시행함으로써 국가 발전을 도모할 수 있다. 육아, 보육은 개인의 문제일 뿐만 아니라, 사회와 국가가 같이 나서야만 하는 "절대적 국가책임" 문제라는 개념으로 완전히 바뀌어야 할 시점이 온 것이다.

각 기업은 출산, 육아휴가를 대폭 늘리고, 어느 정도 규모가 있는 기업은 자체 보육, 육아시설을 확보하고, 직장과 멀리 떨어지지 않은 곳에 탁아시설을 두게 하여, 맞벌이 부부에게 쉽고 빠르게 접근하게 해야 한다.

적어도 '아기를 맡겨 놓을 곳이 없어 못 낳는다'라는 말이 나오지 않을 정도로 지원과 예산을 아끼지 말아야 한다. 육아와 보육 책임도 사회와 국가가 나누어 가져야, 일자리 창출(많은 부분이 여성 일자리)이 가능하다. 또한 가장 힘든 시기에 부모의 일을 덜어주는 복리후생과 훌륭한 조기 교육 시스템 구축과도 관계가 있는 것이다.

종교 문제

각 교회와 절은 양적 확장에만 치중하지 말고, 어느 종교기관이 이웃에게 사랑과 자비를 더 많이 베푸는가 경쟁하는 것이 바람직할 것이다. 부처님과 예수님, 마호메트의 가르침이 결코 절, 성전, 모스크를 더욱더 크게 짓고 세력확산에 집중하라는 것은 아니었다. 돈이 흘러가는 곳에는 예외 없이 과세가 되어야 될 것이고, 이들 종교기관의 각종 헌금내역과 경비지출도 투명하게 하기 위해서 철저히 세무 보고를 이행하게 하여야 한다.

최근에는 교회의 내부 비리 때문에 장로들과 목사 간에 싸움과 세력 다툼이 치열하게 벌어지는 모습이 자주 나온다. 각 종교재단은 부패한 기독교, 불교의 지나친 종교활동과 내부 살림살이를, 남의 간섭 없이도, 신도회와 이사회가 주도적으로 스스로 나서서 돌아보고 재고해야 한다. 특히 목사나 승려들의 자격에 대해서는 시험 감독기관이 철저히 새로운 기준을 확립해서, 사이비 종교단체나 수준 이하의 승려들과 목사들의 진입을 일찌감치 막아야 한다. 각 종교기관들의 과세를 예외 없이 하되, 가난한 사람에 대한 기부 경쟁에 대해서는, 그러한 실적에 비과세기준을 높여 주어야 한다.

슈레딩거는 오스트리아 비엔나 태생의 유명한 양자역학 물리학자이다. 1933년에 노벨 물리학상을 탔는데, 그 후 자기 전공과 관계도 없는 생물 분야인 "생명이란 무엇인가(Physical Aspect of the Living Cell)"라는 논문으로 전 세계를 놀라게 했다. 즉 인간의 형질이 어떻게 유전되는가에 대한 기초적인 의문으로 시작해 이러한 유전인자는 코드화 되어 있고 그 결합에 의하여 후대에 전달된다는 것으로 분자생물학에서 몇 십 년 후 왓슨과 크릭이 연구해서 밝힌 이중 나선형구조인 DNA형태의 실마리를 최초로 제공하였던 것이다.

그는 철저한 무신론자였는데, "생명은 신이 만든 것"이라는 설을 부정하며, 생명공학의 발전에 지대한 영향을 끼쳤다. 이 후에 비로소 각기 색다른 분야의 통섭과 협업이 대유행을 하기 시작하며 현대 과학발전을 위한 다양한 시도가 이루어졌고, 또 각 과학분야의 경계를 뛰어넘어, 색다른 각도로 보게 되는 계기가 되었다.

슈레딩거의 이 책에서 영향을 받아 책제목이 같은 책이 있다. 이 책은 미국의 미생물학자였던 린 마굴리스와 그의 아들인 도리안 세이건("코스모스"를 집필해 유명한 칼 세이건과의 사이에 태어남)이 공동 집필한 "생명이란 무엇인가-What is Life?"라는 책이다. 두 저자는 태초의 생명인 세균이 어떻게 공생을 거듭하며 진화를 거쳐 복잡한 생명체에 이르게 되었는가를 고찰해 다윈이 주장했던 적자생존이나 자연선택의 경쟁개념과 또 다른, 생물체 간의 공생개념을 진화의 원동력으로 발전시켰다. 이들 역시 철저한 진화론자이며 무신론자로서 신의 존재를 부정하였다.

16-17세기 이후 광학이 발전한 이래, 케플러, 갈릴레오, 코페르니쿠스 등 천체물리학자들의 지속적인 노력으로, 지구가 자전하고 태양주위를 돌고 있다는, 기존의 신학개념과는 전혀 다른 진실을 밝혀 내기 시작

한다. 이것이 거시적 관점에서 살펴본 과학이라면, 그 이후 미시적 관점의 과학도 발전한다. 가령 생명체의 몸 안을 연구한 것으로 안톤 판 레이우엔훅, 로버트 코흐의 세균학, 파스퇴르의 미생물학과 생물 속생설(생물은 저절로 생기는 것이 아니라 반드시 그 어버이로부터 생긴다고 주장한 이론), 멘델의 유전학 등 많은 새로운 현상의 발견으로 더 이상 '인간이 신의 창조물이 아닐 것'이라는 개념이 점차 자리잡아가고 있었다. 참으로 역설적인 부분은 서양의 초기 실증과학이 신학과 과학의 대립으로, 신학을 부정하기 위한 가설을 세우고 증명하려고 노력하는 와중에 오히려 엄청난 과학발전을 초래한 현상이다.

이는 BC 3세기부터 헬레니즘문화가 헤브라이즘으로 인하여 서서히 바뀌어진 이래 과학의 발전이 본격적인 궤도에 오른 AD 1700년대까지, 약 2000년 동안에 걸쳐 인류 사유를 종교 안에 제한시키고 국한시켜왔던 막강했던 신본주의와 그에 따르는 신학 체계의 몰락을 의미한다. 15-16세기 인간에 관한 관심이 고조된 르네상스와 본격적인 과학 탐색의 시기인 17세기를 거쳐 현재에 이르기까지 불과 3-4세기 동안에 이룬 엄청난 과학발전은 결국 종교가 점점 퇴색되어가는 빌미를 끊임없이 제공했고, 앞으로도 더욱더 종교의 많은 원리와 교리가 부정될 것이다. 어쩌면 몇 세기 후에는 인류가 각종 변형된 형질로 바꾸어서 종교 사상적 진화를 거듭한다 해도, 극히 일부 지역에 국한해 종교가 살아 남을 수는 있겠지만, 세계의 대부분 지역에서는 종교가 소멸될 수도 있다.

이른바 헬레니즘은 일반적으로 BC 330년 마케도니아의 알렉산더 대왕이 페르시아를 정복한 시점에서 로마의 옥타비아누스가 클레오파트라와 안토니우스 연합함대를 악티온 해전에서 무찌르고 이집트를 점령한 BC 31년까지의 300년간을 말하는데, 인류 역사상 매우 중요한 시기다. 이 개방적이고 자유분방한 인본주의 문화가 헤브라이즘이라는 폐쇄적이고 엄숙한 신본주의에 눌리게 되면서 인류의 합리적 사고에 결정적인 패퇴를 가져오게 된 것이다. 이는 이후 17세기까지 모든 과학의 발전을 저해하는 요소로 발전한다. 그러면서 종교는 그간 2000년에 걸쳐 더욱 더 제도화(Institutionalized) 되었고, 종교 내에서의 계급(Hierarchy)이 형성되면서 인류에게 벗어날 수 없는 가장 무거운 정신적 지배(올가미)를 초래하게 되었다.

현 터키 동남부 이즈미르 지방에 속하는 에게해 연안은 과거 헬레니즘 시대 그리스인들의 이민지역으로 이오니아 지방이라고 불렸다. 16, 17세기 데카르트, 갈릴레이, 케플러, 코페르니쿠스, 오일러 등 유럽에서 본격적인 인지 과학혁명이 일어나기 전까지, 이 이오니아 지방의 고대 그리스 도시국가들인 밀레투스, 에페수스와 페르가몬 왕국과 같은 곳에서는 과학활동과 종교와의 충돌이 전혀 일어나지 않았다. 이때, 수많은 과학자들은 자유롭게 자연현상에 대한 합리적인 설명으로 현대과학의 초석을 눈부시게 다져 놓았다.

여기서 약간의 지역적 이동을 거쳐 이집트 알렉산드리아에서는 당시 세계 최대의 박물관, 도서관 등이 왕조의 지원 하에서 건립된다. 그러면서 매우 수준 높은 헬레니즘시대의 수학, 물리학 등이 꽃을 피웠고 과학적 토양이 마련되었는데, 중세 말기 시대까지는 그 누구도 이 업적에 도전하거나 능가하지 못할 정도로 번성했다. 그러나 로마의 황제 테오도시우스는 이러한 기초과학 책들이나 문건들이 단지 기독교에 반하는 이교도의 산물이라는 이유로 도서관의 책들을 전부 불태워 버렸다.

이러한 인류의 비극은 결국 신본주의(헤브라이즘)가 인간적, 이성적, 미적, 자유정신에 입각한 인본주의(헬레니즘)로 하여금 빛을 잃게 만들기(Overshadow) 시작한 때부터라고 볼 수 있다. 탈레스, 헤라클레이토스, 데모크리토스, 피타고라스는 이오니아지방에서, 기하학으로 잘 알려진 유클리드, 반사광학의 선구자 헤론과 프톨레마이오스, 지구의 크기를 잰 에라토스테네스는 알렉산드리아에서, 아르키메데스는 시실리섬의 그리스 도시국가인 시라쿠세에서, 이곳저곳에서 기라성 같은 수많은 수학자, 과학자들이 활약했다. 이들은 열띤 토론을 벌여가며 헬레니즘시대에 빛나는 과학전통과 업적을 이루었다.

하지만 차츰 차츰 헤브라이즘의 신본주의에 입각한 종교가 이들 세계에 정신적 압박을 가져오고 지배하기에 이른다. 그 결과로 인간은 신에 대해 추호의 의심을 갖지 못하게 되었고, 인간성을 합리성이 부족한 심각한 정신적 공황과 결핍상태로 만들어 놓게 된다. 헤브라이즘이 양산한 비극의 원인이다. 헤브라이즘은 이로써, 기원전 5세기 유대교에서 시작했지만 결국 기독교를 탄생시키고, 후에는 이슬람 탄생에 결정적 영향을 미치게 된다. 그리고 거의 20세기에 걸쳐서 특히 유럽과 중동인들의 사고에 절대 강자로서 등장하게 된다.[22]

몇 천년 역사를 통틀어, 종교의 이름으로 전 세계가 얼마나 갈등을 겪어 왔고 또 전쟁으로 치달았는지 인지해야 한다. 앞으로는 종교가 사랑과 자비의 터전이 아니라 반목과 질시, 심지어 살인의 온상이 되어서는 안 된다. 대한민국도 새로운 종교개혁의 시점이 온 것 같다. 겉치레에 의한 허례 허식의 경쟁이 아니라, 종교의 내실을 다지고, 없는 자, 못 가진 자에 대한 봉사와 사랑의 경쟁을 해야 한다.

서구 선진국에서의 종교 열풍은 이미 사라진 지 오래 되었다. 특히 청장년층 사이에서는 교회 가는 일이 극히 드물어졌다. 현대에 와서는 유독 개발도상국가나 불안정한 사회에서 종교 열풍이 심해 보인다. 특히 저개

22) 달둔. '헤브라이즘과 헬레니즘 사상의 비교 고찰.' daldun. n.p., 06 06 2007. Web. 17 March 2017. http://blog.naver.com/kimseye3/130018623486.

발국가에서 흔히 일어나는 각기 다른 종교 간의 갈등은 매우 위험한 상황으로 치닫고 있어서, 타 종교에 대한 관대함이 절실히 요구되는 바이다.

아주 급진적인 종교 개혁의 예는 유럽의 종교 혁명이다. 15세기 유럽의 종교혁명은 마르틴 루터(Martin Luther, 1483-1546)가 시작했지만, 정작 가장 열정적이었고 성공적으로 이끈 것은 장 칼뱅(John Calvin 1509-1564)이라고 봐야 한다. 칼뱅(Calvin)은 주로 제네바에서 활동을 하였지만, 그의 금욕적이며 엄격하면서도 대단한 노력으로 프랑스 남부의 대부분이 신교 보급의 거점이 되었고, 그는 선교에 어마어마한 성과를 이루게 된다.

당시 종교개혁으로 인하여 많은 사람이 목숨을 잃었는데 이것은 프랑스에서 일어난 일련의 대학살을 봐도 잘 알 수 있다. 1562년 바씨(Vassy) 대학살로 시작해서 1598년 낭트(Nante)칙령에 이르러 겨우 평화와 안정을 찾기까지 간헐적이지만 치열한 내전으로 프랑스에서만 2-4백 만 정도가 학살당했으며, 당시 프랑스 인구 2천 만의 20% 정도가 종교의 이름으로 처단을 당한다. 결론적으로 종교혁명의 성공은 피의 대가였다. 혁명에서 기득권 세력과의 충돌은 불가피한 것이고 미래를 향한 다른 모든 분야도 처음에는 이렇게 실현시키는 데 힘이 드는 것이다.

그러나 정작 중요하게 봐야 될 점은 당시 이미 구텐베르크가 이루어낸 인쇄혁명으로 인하여, 루터의 로마 카톨릭에 도전하는 모든 반박 대자보와 행동 강령은 2개월 내로 전 신성로마제국(독일)으로, 2년 내로는 전 유럽으로 퍼져 나갔다는 사실이다.

즉, 구교 카톨릭 중심의 프랑스나 이태리, 스페인에 비해 상당히 독일적 특색이 강한 루터 교(프로테스탄트)는 중심세력인 구교 권의 주변지역(Peripheral)인 독일, 스웨덴, 덴마크 등 북부 유럽과 당시 스페인의 식민지였던 네덜란드, 그리고 영국에서 더욱 잘 받아들여져서 쉽게 퍼졌다. 한자동맹에 가입했던 뤼벡, 브레멘, 함부르크, 말뫼, 베를린 등의 발트해, 북해 연안 90여 개 도시국가들도 모조리 루터교로 개종하였으며, 또한 각국 언어로 된 성경 번역판이 보급되어 이 새로운 신교 지역에서 급속히 문맹률이 개선되었다.

중요한 점은 프랑스, 이태리, 스페인 지역이 아니라 이들의 주변 지역(Peripheral)인 신교 발생지에서 종교개혁의 주역을 담당하여 추후 산업혁명의 밑거름이 되었다는 사실이다. 과거 성경은 양피지에 필사본으로 쓰여, 매우 비싸고 보급률이 떨어져서 중산층까지 소유할 수 없었다. 그런데 이러한 자국 언어로 번역된 신속한 성경 보급에 의해 결국 과거에는 문맹이었던 중산층들에게도 간접적인 지식혁명이 일어나면서, 개화된(Civilized) 정도가 보편화되고 다른 어떤 지역보다 이들 지역에서 앞서게 된 것이다.

한편 막스 베버(Max Weber)는 1904년과 1905년에 발표한 그의 저서 "프로테스탄티즘의 윤리와 자본주의 정신"에서 근대 시민계급은 종교개혁을 수용한 사람들로서 인간의 본능적이고 세속적인 이익추구 위주의 욕망에 대해 "프로테스탄티즘의 엄격한 근면, 검소, 성실 등의 가치와 금욕"으로 제한함으로써, 최선을 다해 일하게 한다고 했다. 그리고 재산의 획득을 정당화하여 결과적으로 자본의 축적과 이를 생산활동에 재투자함으로써 자본주의 발전을 돕는다고 언급하면서 종교개혁을 자본주의의 발달과도 연결시켰다.

당시 프랑스 인구의 10-15%가 이미 신교로 전환했는데 그 중에는 상인계급, 학자, 귀족(모두 칼뱅주의 개신교 신자-위그노)들이 많다. 이들 위그노들은 로마 교황권과 왕권에 반항심을 느끼고 결국 종교에 비교적 관대했던 네덜란드 지역으로 막대한 부와 기술을 가지고 이민하게 되어 이 지역에서 큰 발전의 견인차 역할을 한다. 이는 향후 네덜란드 지역이 유럽에서도 가장 발달한 보험, 주식회사 개념 도입 등을 위시한 '신 상업주의'가 되는 토대가 되는데 이후 네덜란드가 가장 잘 살고 강력한 유럽국가로 변신하게 된 한 원인인 것이다.

또한 1618년에서 시작해 1648년 베스트팔렌 조약으로 끝난 30년 전쟁은 처음에는 로마 교황청에서 개신교를 믿는 보헤미아(현 체코) 제후에 대한 탄압으로 시작해서 추후에는 유럽각국의 패권다툼으로 진행된다. 그 전쟁의 주무대였던 독일의 경우는 전 인구의 1/3에서 2/3가 죽임을 당하고(페스트 역병 포함 독일 인구 1,600만 명이 600만 명으로 줄었음), 신성로마제국 전 국토는 초토화되어 수많은 소국의 연방으로 해체되는 피해를 입었는데 역시 근본은 종교의 차이로 인한 다국적 연합 전쟁이었다.

기독교와 이슬람의 가장 두드러진 특징은 '유일신' 개념인데, 이는 동아시아에서 불교, 도교, 유교가 가지고 있는 자비, 무위자연, 덕성과 같은 포용적인 종교개념과 매우 다른 양상으로 발전되어 왔다. 유일신을 표방하는 기독교와 이슬람은 다른 종교에 대한 배척감도 그만큼 크고, 그런 만큼 매우 강압적이고, 호전적인 형태로 발전되어 왔던 측면이 크다.

반면에 동아시아에서 종교는 원래 유불선이 애니미즘(Animism), 토템, 샤머니즘 등과 같은 다신교와 혼재되어 있어서 다원주의(Pluralism) 바탕을 인정하였던 것이고, 타 종교에 대한 거부감도 매우 약했기 때문에 호전적이지 않았다. 동아시아에서 종교전쟁이 거의 없었다는 것이 그에 대한 증거이다. 종교도 결국 컬처의 일종인데, 또 다른 종합적인 문화력, 경제력, 군사력과 동반하여 그 전파력(Transferable Power)이 기존의 컬처(Culture)에 대해서는 외세의 색채를 띠고 퍼지기 마련이다.

우리 국민도 이러한 종교가 인류에 준 엄청난 대립과 피의 역사를 잘 인지해야 한다. 심지어는 지금 현재로서는 일본의 우치무라 간조(内村鑑三)가 주창하고 김교신, 함석헌이 이어받은 바와 같이 성서만이 유일한 믿음의 근거이고 교회 자체는 껍데기에 불과하다는 "무 교회운동 (No Church Movement)"도 전적으로 벌여야 할 시점이다(실은 이러한 사상도 일찍이 16세기 성서주의자였던 칼뱅주의자들의 개혁교회운동과 성상파괴운동과 연결되어 있음). 사찰과 성당도 물론 마찬가지로 이 운동에서 예외일 수 없다. 한중일을 놓고 바라볼 때에 유독 한국에서만 종교의 열풍과 폐해가 유난히 두드러져 보인다. 이를 바로 잡기 위해서는 톤-다운(Tone Down)할 필요가 있다.

이민 정책

글로벌 시대로 접어 들면서 세계 어느 국가이건 난민, 이민의 문제에 봉착하지 않은 나라가 없다. 지난 십 수년간 지속 되어온 불안정한 세계정세 속에서 중동의 여러 이슬람국가, 발칸반도에서의 대규모 침략과 내전으로(코소보, 크로아티아, 보스니아, 우크라이나, 아프가니스탄, 리비아, 이라크, 시리아 등), 지금 유럽은 각지에서 흘러 들어오는 난민(Refugee) 문제와 북아프리카를 통해 사하라사막 남부(Sub-Sahara Desert) 각지의 중서부 아프리카에서 몰려드는 불법 이민자들로 골머리를 앓고 있다.

시리아만해도 2011년 내전이 발발한 이후 전체 인구 2,300만 명 중 난민만 400만 명이 생겨서, 공식적으로 약 25-30만 명이 목숨을 잃었고(비공식적으로는 80만 명이라고 함), 200만 명 정도는 터키의 난민 캠프에서 지내고, 100만은 레바논, 나머지는 팔레스타인을 비롯한 인근 중동 각지에서 캠프에 억류되어 있거나 떠돌아다니는 신세가 되었다.

이들은 목숨을 건 필사적인 탈출 노력으로 그리스나 동유럽 국가를 경유지로 하여, 최종 목적지인 독일이나 북유럽의 가장 부유한 국가를 향해 물밀듯이 들어오고 있다. 특히, 유럽 26개국이 국경 통과 시에 검사 없이 자유로이 진 · 출입하는 솅겐 조약(Schengen Agreement)에 가입된 국가를 우선 타깃으로 삼아 일차로 진입을 하고, 그 이후는 국가 간의 국경 컨트롤(Border Control)이 없는 약점을 이용하여 무작정 목적지로 향하고 있는 것이다.

더욱 큰 문제는 많은 난민들이 아무런 인적 사항이 파악되지 못한 상태에서 서류 없이(Undocumented) 유입되는 것이다. 이 상황에서 독일 수상 메르켈은 난민 100만 명을 수용하겠다고 통 크게 약속했지만, 최근 일련의 이슬람 IS의 테러 영향으로 많은 독일국민들의 반대에 부딪히고 있다.

밀라노, 마드리드, 파리, 바르셀로나와 같은 유럽의 대도시들을 보면, 하나같이 불법이민자들 때문에 골머리를 앓고 있다. 불법이민자들은 도시 곳곳에 낙서(Graffiti)를 하고 공공기물을 파손하며 반달리즘(Vandalism)에 의한 무질서를 보인다. 불법이민자들이 집단 거주하는 곳은 테러, 마약과 범죄의 근거지가 되고 사회질서를 혼란시킨다. 각국의 정부가 거의 속수무책으로 방관하는 현실을 우리는 직시해야 한다.

그러므로 한국으로서는 불법이민을 철저히 근절해야만 한다. 스페인, 이태리, 그리스 곳곳에서 이민자들의 불법, 탈법 상업 행위, 차량 절도 등 각종 범죄를 봐도 그렇다. 대한민국은 북한 카드가 있기 때문에, 이러한 이민문제는 철저히 중국과 북한의 자국 동포 위주로 해야 할 것이다. 가정을 꾸리고자 한 국제결혼의 경우 외에는 이민을 제한해야 한다. 향후를 길게 보면, 이태리, 스페인, 프랑스와 같은 사회 혼란을 야기할 뿐이다. 만일 이민을 받아들인다면, 캐나다와 같은 점수제도로 지적 능력, 학력과 재력수준을 어느 정도 측정해야 한다.

많은 인권단체가 불법 취업자나 불법 이민자들을 옹호하고 있는데 이것은 잘못된 것이다. 노동력이 부족하다면 북한인력을 활용해야 한다. 다른 불법노동자를 쓰기 전에 북한과의 통일을 위한 경제협력부터 준비해야 한다.

문화 개혁

대한민국이 가장 취약한 부분 중 하나가 바로 문화의 육성 문제이다. 우리 국민의 문화수준은 국민 소득에 비해 대단히 낮은 것으로 평가되어 있다. TV에서 방영하는 드라마나 저급코미디 또는 일반 오락영화 등 대중문화는 조금 앞서가는지 모르겠지만, 이는 전부 엔터테인먼트에 속하는 것이다. 보다 근본적인 고급문화의 저변은 매우 약하다. 우리보다 소득이 낮은 동유럽 국가들만 봐도 일반 국민들이 연극, 문학, 음악, 발레, 현대 미술 등을 즐기고 철학이나 역사의식에 있어서 수준이 높다. 또 그러한 것들을 즐기는 시설과 문화가 훌륭하게 조성되어 있다. 문화가 인생에 주는 윤택함과 덤으로 주는 삶의 기쁨은 누릴 수 있는 사람만이 느끼는 소중한 경험임을 알아야 한다. 일반 국민에게 깊숙하게 다가서지 못하고, 고급문화의 확산과 번성을 이루지 못한 우리 문화계의 여러 분야에서 깊은 반성과 노력이 요구된다.

미술부문에서는 영국과 같이 국가가 지정하는 터너(Turner)상과 같은 가장 대표적이고 권위적인 상을 제정하여야 한다. 한국이 내세울 수 있는 겸재 정선, 추사 김정희와 같은 전통 화가뿐만 아니라 백남준과 같은 동시대(Contemporary) 화가 관련 미술상도 더 늘려야 한다.

미술 분야 역시 미술관 예산, 직원 임명권, 경비 처리 등을 둘러싼 각종 잡음과 비리가 있다. 그러나 수상자 선정을 둘러싼 문제는 전문적인 평가단의 패널(Panel) 수를 많이 늘리고 최고점과 최저점 평가점수를 제외한 나머지를 합산해 평균을 내게 하면 바로 잡을 수 있다. 상이란 것은 하나의 이벤트에 불과하지만 더욱 권위 있는 제도가 정착됨으로써 그 방면 수상자에 대한 상당한 관심과 붐을 전국적으로 일으킬 수 있다. 그런 방식으로 예술방면에서도 스타를 양산할 수 있다. 몇 년 전 조성진 군의 쇼팽 피아노 경연대회에서의 우승도 그 일례이다.

베네수엘라 청소년 관현악단(Venezuela Simon Bolivar Youth Orchestra)의 엘 시스테마(El Sistema) 운동이나 로스앤젤레스 LA 'YOLA(Youth Orchestra LA)' 처럼 극빈층 불우 유소년, 청소년의 오케스트라 교육의 예를 본받아, 국내의 명망 있는 음악가와 지휘자에게 그 교육을 맡겨, 본격적인 재능기부 운동 확대를 목표로 하고, 또한 사회운동의 일환으로서 이와 같은 음악을 통한 사회사업을 대대적으로 펼쳐 나가야 한다.

어릴 때부터 협동정신을 배워 소외감에서 탈출할 수 있고, 자칫 잘못하면 사회의 낙오자로 변해 각종 범죄가 가능한 성인이 될 수도 있는 것을 미리 방지하는 차원에서도, 미래의 사회적 비용을 오히려 미리 최소화할 수 있는 방법으로서도, 이러한 사회 예술운동이 기존 사회 자체가 정화되는데 커다란 역할을 할 수도 있을 것이다.

"The Book of Courtier and Its Fortunes"은 1528년 카스틸리오네(Castiglione)가 쓴, 당시 성경 다음으로 많이 팔린 유럽 최고의 베스트 셀러이다. 이 책에는 왕이나 귀족들이 갖추어야 할 매너(Manner)에 관해 적혀 있다. 이 책은 이태리 베니스에서 처음 발간되었지만 토마스 호비(Thomas Hoby)가 1561년에 영국에서 영역하여 다시 대유행을 불러 일으킨다.

이 책은 유럽에서는 일찍부터 왕족이나 귀족들이 갖추어야 할 덕목과 교양으로서의 댄스(Dancing), 에티켓(Etiquette), 축하연(Ceremony), 예술(Arts), 체임버 뮤직(Hall and Chamber Music) 등에 조예를 갖추게 하고 지배층 계급의 개화와 세련미의 표본(Paragon of Civility)을 지향하게 만든 지침서였다. 그만큼 유럽에서는 왕이나 귀족들이 덕(Virtue), 언어(Language), 예술(Art), 매력(Charming-Grazia), 아름다움(Beauty)을 갖추고 주변과 국민을 향한 우아함을 지향하는 것이 중요했음을 알 수 있다.

이러한 전통이 유럽 전체의 생활 수준이 높아지면서 귀족, 신흥 부유상인계급을 거쳐 중산층과 일반 국민들까지 퍼져 내려오게 되어 유럽 내에서의 음악, 미술, 발레, 패션, 무대 공연 등, 각종 예술이 비약적으로 발전하게 되었다.

결국, 한 국가가 갖는 문명의 척도는 각 시민이 지니고 있는 시민성(Civilized된 정도)과 교양(Cultured Degree)의 평균치라고 보이는데, 지금 현재의 한국 국민의 평균 수준은 과연 북유럽 보통 시민들의 평균에 미칠 수 있는지 의문이다. 한국은 여러 방면에서 뒤떨어져도 한참 뒤떨어져 있는 것이 현실이다. 지금보다 조금 더 작은 단위에까지, 최고 수준의 건축가를 동원하여 아주 작은 음악당, 미술관, 도서관과 같은 복합 문화센터를 조성해야 하며, 쉽게 관리할 수 있도록 주민센터, 읍, 면사무소와 같은 장소나 주변에 지어야 한다.

기존의 국립 합창단, 국립 발레단, 국립 관현악단 등을 활용하고, 전국을 돌아다니며 예술에 대한 소개와 교육을 담당하는 전문적인 국립 예술교육 순회단을 만들어 수시로 교양 세미나와 즐길 수 있는 이벤트를 만들어 나가야 한다. 입장료도 각 지방자치단체의 형편에 따라서 무료 개방하든지, 단지 운영비만 나올 정도로 한층 낮추어야 한다.

국공립 미술관, 공연시설은 날짜를 정해서 일주일에 한두 번은 무료 관람을 허용해야 한다. 굳이 비싼 돈을 들여 외국의 유명 오케스트라나 무용단을 초빙해서 비싼 입장료를 받을 것이 아니라, 국내의 우수한 인재들로 구성된 시립, 국립 오케스트라와 무용단을 앞세워서 시민들에게 더 친숙하게 다가가야 한다. 또한 해외에서 두각을 나타내는 스타를 영입하는 등 공연을 더 자주 열어야 할 것이다.

일반 국민들이 아직 못 따라와서 그렇지 우리나라도 각 부문의 예술 전문가 집단의 음악, 발레, 연극 수준이 이미 국제적인 수준이 되어 있다. 일반 국민들에게까지 문화의 혜택과 보급을 확대해 나가야 한다. 이러한 교양의 수준향상이 결국 모든 분야로 퍼져나가서 국가발전에 지대한 공헌을 하게 되는 것이다.

인터넷 지식혁명(MOOC)

현 세계에서 "모든 것은 인터넷으로 통한다"고 볼 수 있다. 지난 수세기 동안 활자에 의한 지식혁명이 이루어졌다면, 지금은 전적으로 인터넷에 의한 지식혁명의 시대로 접어들었다. 웬만한 것은 인터넷 검색으로 다 해결할 수 있고, 마음만 먹으면 학교 교육을 전혀 받지 않고도 대학원이나 박사 과정의 교육 수준 이상의 지식을 습득할 수 있다.

앞서 말한 바와 같이 유럽의 가장 중요한 발전의 원동력은 구텐베르크에 의한 인쇄혁명의 선행이 마르틴 루터의 종교개혁을 도왔다는 것이다. 성경을 각국의 언어로 번역해서 싸고 널리 보급한 것이 각 국민의 문자해득을 단 시간 내에 가능하게 했고 이것은 곧 새로운 쁘띠 지식인들의 양산을 이끌어서 결국 구교권 중심세력이 아닌, 신교 주변국들의 프로테스탄트들이 뒤를 이어 산업혁명의 주역으로서 활약하게 되었다. 1517년 마르틴 루터가 종교개혁을 발표했을 때도 2주일 안에 전 독일에, 2년 안에는 전 유럽으로 그 사상이 보급이 되고 실제로 일반 국민들에게도 해득이 되었다. 이것을 참고하면, 지식혁명이라는 것은 전국민을 대상으로 빠르고 효과적인 방법으로 전달되는 방식을 구사해야만 함을 알 수 있다.

종교개혁 사상은 프랑스, 이태리, 스페인의 구교(카톨릭) 중심의 기존 기득권세력에 대한 반항에서 비롯되어 그 주변국가들에게 새로이 신교라는 이데올로기로 갈아타게 하였다. 기존의 불평등한 구교 질서를 무너뜨리고, 더욱 평등이 강조되는 "교권(敎權)에 관련된 민주적 보편주의, 즉 성경을 읽음으로써 신과 직접대화"에 대한 욕구가 사회 전반으로 전달된 것이다. 그리하여 이에 대한 시민계급의 자각으로 부의 균배도 이루고, 기회의 상승, 지적 욕구, 문화발전으로 파급이 이어지게 된 것이다.

국가와 국민 전체의 지식기반이 모자라면, 그에 따라서 과학, 문화력, 디자인, 생활수준, 개개인의 세련됨(Refinedness)이 뒤떨어지게 되는 원인이 된다. 당시 동아시아에서는 일반 시민에까지 지식혁명이 전혀 일어나지 않았고, 그 후 지식혁명의 진행이 너무 늦고 천천히 된 것이 서양과 동양의 문명발달에 커다란 차이를 가져온 가장 큰 원인이 된 것이다.

영국의 금융경제사학자, 니얼 퍼거슨(Niall Ferguson)의 "문명-Civilization : The West and the Rest"이라는 책에 의하면 "1789년에 파리에 사는 남성의 90%가, 여성의 80%가 글을 읽고 쓸 줄 알았다"고 한다. 그런데 동아시아의 사정은 달랐다. 중국은 1949년 국가가 설립되었을 당시 80% 이상이 문맹이었다. 우리나라도 20세기 초까지도 문맹률이 90% 이상이었고 해방 직후까지도 78%에 달했다는 사실을 상기해야만 한다.

동아시아에서 유일하게 일본은 예외였다. 콜롬비아 대학의 사회학과 일본학의 대가였던 허버트 패신(Herbert Passin)의 연구에 의하면 동시대 도쿠가와 막부시대(1603-1868년) 대부분에 걸쳐 40% 이상, 그리고 막부 말기에는 간단한 문자해득이나 조금 힘을 들여야만 읽을 수 있는 사람을 포함해 70%의 국민이 글자를 해득했는데, 그 후 메이지 유신을 거치고 1885년에 의무교육이 자리잡기 시작해 1902년에 이미 85%가 문자해득이 가능했고 1905년도에 이미 95%의 취학연령의 아동이 학교에 다니고 있었다.[23] 이와 비교하면 조선이 얼마나 세계 평균수준에 현저히 뒤떨어져 있었는지 알 수 있다.

흔히 일본이 메이지 유신과 쇄국정책을 풀고 개항 후에 대대적인 후발 산업혁명으로 근대화를 이루고 강대국이 되었다고 잘못 알고 있는데, 일본은 문화적으로나 문명의 개화 정도가 서양보다 느렸지만 기초체력만큼은 크게 뒤떨어있지 않았다. 도쿠가와 막부시절을 통틀어 과학의 지나친 후진성을 제외하고는, 동시대 어느 서양의 문화보다도 문화 면에서 크게 뒤떨어지지 않았다. 후쿠자와 유키치(福澤諭吉)와 같은 탈아입구(脱亜入欧) 개념이 괜한 자만심에서 나온 것이 아니다. 당시 한국과 중국과는 수준이 전혀 맞지 않았던 것이다.

이제는 과거와 같이 더 이상 뒤처져서는 안된다. 대한민국이 세계에서 가장 빠르게 지식혁명이 이루어지는 곳이 되어야 한다. 오스만 터키, 무굴 제국, 청 왕조(강건 전성시대) 모두 한때 세계 최강으로 인구 면이나, 무력에서는 그랬지만, 실제로 일반 국민들의 문맹률과 개인소득, 생활 문화 수준은 당시 유럽인들에 비해 현저하게 뒤떨어졌기 때문에 훗날 이들에 의해 쉽게 무너지게 된 것이다. 국민의 문맹률과 이로 인한 기술과 문화

23) J. Marshall Unger, *Literacy and Script Reform in Occupation Japan : Reading between the Lines*, Oxford University Press, 1996, p. 28, p. 30 graph.

의 낙후성이 세계의 헤게모니를 서양에 넘겨준 결정적인 원인이었음을 알아야 한다.

지금 전 세계에서 하버드, MIT, UC 버클리가 주동을 해서 EDX(www.edx.org)라는 온라인 코스를 무료 제공하고 있는 일이 큰 이슈가 되고 있다(물론 과목을 이수하면 인증서(Certificate)를 발행해서 수입을 올리고는 있다.). MOOC(Massive Open On Line Course)라는 온라인 공개 수업인데 자체적으로 튜터링(Tutoring)이나, 참여자들끼리 하는 그룹 스터디(Group Study)도 있고 기본적으로는 거의 무료로 학습이 가능하다. 스탠포드, 코넬, 시카고를 비롯한 62개 대학들이 주도하여 만든 코세라(www.coursera.org)라는 MOOC도 있는데, 각 학교의 교수가 강의하고 있는 기존의 유명한 강의나 더 좋은 자료를 보강하여 새로 만들어, 온라인으로 무료 오픈하고 있다. 이런 것들이 기존의 대학교육에 심각한 영향을 주고 있다.

지금 일반적으로 세계 어느 곳의 대학 강단에 서서 수업을 진행해도 최고 많아야 100명, 200명이 강의를 듣는 정도인데, 웬만한 MOOC 유명 강의는 전 세계에서 평균 5만-6만이, 최고로 유명한 강의는 50만 이상이 수강한다. 전부 영어로 된 강의지만, 그 영향력이 기존의 교실 교육방식과 어느 정도 차이가 나는지, 또 그것이 파급하는 효과나 받아들이는 사람에게 어떤 무게감과 볼륨감이 될 것인지, 상상이 안 갈 정도로 우리와는 상대가 안 된다.

특히 MOOC에서는 각 과목에서 세계 최고의 교수진들로 정선되고, 더 조직적이고 화려한 시청각 자료와 함께, 언제 어디서나 쉽게 예습 복습이 가능한 온라인 교육의 최대 이점을 발휘하고 있다. 구태의연한 강의 노트에 의거해 몇 십 년씩 우려먹는 우리나라의 교수진과 비교해봤을 때 한국의 교수진들이 과연 국제 경쟁력이 조금이라도 있는지 의문시 된다. 전자

지식혁명은 이미 많이 진행이 되어있고, 대한민국도 서둘러 쫓아가야 한다.[24)]

예를 들어, 조지아텍(Georgia Institute of Technology) 같은 경우는 컴퓨터 사이언스 학과가 제일 유명하다. 대학원 코스를 완전히 온라인 코스로 열어놓아서 세계의 어느 누구도 다 들을 수 있다. 문제는 그런 강의를 진행하는 언어가 다 영어라는 사실이다. 또한 거기에 뒤따르는 스토리파이, 구글 행아웃, 코스 빌더, 엘리아데미 같은 각종 툴(Tool)들을 다 연계 동원해서 스터디 그룹도 만들고, 튜터링(Tutoring)도 하고 있는 자생적인 생태계가 저절로 형성되어 있다. 이러한 생태계가 영어권 학생들에게는 더욱 광범위하고 편리한 학술자료를 제공하므로 비영어권 학생들과의 정보 격차는 더욱 벌어질 전망이다.

일본은 야후 재팬, 한국은 네이버가 검색을 주도하고 있다. 대부분의 네이버 오프닝 페이지는 거의 광고 위주의 전단지(Fly) 수준이고, 검색엔진이라기보다 포털사이트에 가깝다. 구글이나 위키피디아에서 제공하는 깊고 방대한 고급정보에 비해서는 월등히 질이 떨어져 있다. 일본하고 한국이 적당한 인구와 적당한 기술력을 가지고 갈라파고스화 현상으로 들어가고 있는 것이다.

우리는 이것을 극복해야 된다. 세계적으로 돌아가고 있는 현상을 직시하고 인터넷 지식혁명으로 빠르게 목표를 정하고 먼 훗날을 대비해야 한다. 네이버가 중국의 바이두와 함께 전 세계적으로 봐도 구글에게 안방을 내주지 않고 분투하고 있는 거의 2-3곳 중 하나인데, 더욱 국제화를 하려

---

24) Shah Dhawal. 'Here are 250 Ivy League courses you can take online right now for free.' FreeCodeCamp. n.p., 08 02 2017. Web. 26 March 2017. https://medium.freecodecamp.com/ivy-league-free-online-courses-a0d7ae675869#.i7xmpshmy.

면 네이버 자체에서 순차적으로 더 걸러지고 순도 높은 많은 고급 영어정보를 병행해야 하는 것이다.

전자정부 및 벤처 설립(Venture)에 대한 모든 진입장벽을 폐지하고 투자가 신속하고 공정하게 진행되도록 도와야 한다. 한때, 대한민국도 전자정부를 표방하며 세계에서도 가장 높은 수준으로 모든 공공서류에 대한 전자화를 잘하다가 지나친 보안문제로 주춤한 꼴이 되고 있다. 그 결과 어떤 부분에서는 새로 막 시작되는 중국보다도 뒤처지는 경우도 있다. 한국의 인터넷사이트 결재나 가입에 대한 보안문제는 과도하게 보안설치를 요구해서 사용자가 너무 불편하여 그 사용을 중도 포기해야 할 만큼 지나치다.

이것을 기술력으로 보완해야지 소비자의 불편함을 수반해서는 안 된다. 반드시 탈피해야 될 숙제이다. 될 수 있으면 사용자 편의를 도모하는 방향으로, 한 사이트에서 쉽게 원 스톱 서비스(One Stop Service)가 가능하도록 해야 한다. 과거 모든 역사의 교훈은 일단 자유스러움과 진입장벽을 제거했을 때에 혼란은 있어도 비약적인 발전을 도모할 수 있는 생태계가 형성되었음을 교훈 삼아야 할 것이다. 혼란만 방지하는 식의 규제 일변도에서 반드시 탈피해야 한다.

참고로, 중국의 웨이신(微信 Weixin-WeChat)은 인스턴트 메시지 기반(Instant Messaging Platform) 으로 우리나라 카카오톡(Kakaotalk)과 같은 기능을 가진 소셜 미디어(Social Media) 중 하나이다. 웨이신은 2014년 춘절에 처음 홍빠오(红包 붉은 봉투에 세뱃돈 넣은 것) 기능을 도입했다. 소비자들이 자기의 은행 계좌번호(Account Number)를 기입하고 연동하여, 보내고 싶은 친구나 그룹에게 금액과 보내고 싶은 상대방 수까지 기입해서 돈을 보내게 한 것으로, 빨간 봉투를 받은 사람은 화면에서 "OPEN" 버튼을 누르고 열면 돈의 액수를 확인하고 돈을 수령할 수 있다. 2014년 춘절에는 5백 만의 사용자가 썼는데, 2015년에는 5억 천 6백 만 인구가 썼다고 하는데, 상상을 초월한 무려 100배의 증가를 보여준 것이다.

알리바바에서 하는 알리페이(Alipay), 바이두(百度 Baidu)에서 하는 바이두 월렛(Baidu Wallet)이 2015년과 2016년 춘절(春节)에 경쟁적으로 홍빠오(红包)를 도입했는데 설 전날에 매년 개최하는 중앙 TV(C.C.T.V)의 대공연(春節晩會)에 알리바바가 무려 4천 100만 달러를 협찬했고, 1억 2천 3백만 위안을 그날의 행사에서 100만 명의 알리페이(Alipay) 사용자가 나누어 가지도록 했다.

이는 전자지불 결제시스템(Digital Payment System)의 위력을 보여준 것이며, 앞으로 중국 인민은행으로부터 허가를 받은 알리바바가 온라인 은행을 직접 운영하게 될 것이다. 과거와 같은 창구가 없이 온라인을 통한 대출까지 기획하고 있어, 기존의 은행 시스템에 결정적인 타격을 가져다 줄 것임에 틀림없다. 컴퓨터와 인터넷이 가져다 준 새로운 혁명에 전 국민은 대비하고 신속히 동참하며, 사회와 국가도 지속적인 교육을 통해 이를 이용한 새로운 개념을 자주 도입해야 한다. 이를 방기한 한국의 철저한 반성이 요구되는 시점이다.

청년실업 및 일자리 창출문제

전 세계적으로 일자리는 점점 줄어들 수밖에 없다. 정보의 세계 보편화에 의해 1등만이 살아남을 수 있는 승자독식의 쏠림 현상이 생기고, 과거 각국에서 국가주의에 의거해 보호받을 수 있는 제조 및 서비스업 환경도 자유무역주의와 세계화에 의한 관세, 규제 철폐로 더 이상 설 자리를 잃어버렸다. 따라서 전 세계에서도 품질대비 가격이 가장 두각을 나타내는 상품 및 서비스만이 살아 남을 수 있고, 2위, 3위는 자동 퇴출되는 방향으로 점점 가고 있으므로 일자리도 따라서 자연적으로 없어질 수밖에 없는 것이다. 결국 자본과 기술면에서 세계적인 경쟁력을 갖추지 못한 기업은 점점 사라지게 되어있다. 이는 대한민국만이 가지고 있는 문제가 아니고 전 세계가 똑같이 겪고있는 문제이다.

앞으로는 전 세계 마켓을 완전히 장악해 성공한 다국적 기업(Multi National Corporation) 하나가, 역으로 그 기업의 해당 국가나 심지어 나머지 국가의 인민들까지 먹여 살려야만 하는 초 국가 기업주의 사태가 예상된다. 그래서 한국을 대표하는 경쟁력 있는 다국적 기업은 불공정거래를 하지 않는 범위 내에서, 국가의 대표 선수로서 모든 국민과 국가가 힘을 합쳐서 최대한 뒷받침해야 하는 것이다.

우선 필수적으로 대기업의 병폐인 정경유착, 분식회계, 세금탈루, 부당 내부거래, 일감 몰아주기, 불법상속 등 수많은 불공정관행과 모든 부조리에 대한 말끔한 청소가 선행되어야 한다. 그러고 난 후에는 각 기업의 고질적 적폐인 노조와의 갈등이나, 해외보다 불합리하고 불공정한 요인을 정부가 친 기업주의를 표방하고 적극적으로 나서서 없애 줘야 한다. 그렇게 해야 국내에서 많은 일자리를 만들 수 있다. 그렇지 않으면 해외로 나가 노동력을 구할 수밖에 없는 것이다.

일자리 창출의 가장 좋은 방법은 첫 번째도, 두 번째도, 재능 있는 청년들이 누구라도 쉽게 벤처(Venture)를 창업할 수 있도록 적극적인 국가지원을 해주는 것이다. 왜냐하면 벤처를 육성하는 정책이 다른 모든 정책을 합한 것을 상쇄하고도 남는 방법이기 때문이다.

국가 설립의 벤처사관학교나 벤처창업에 관한 학점을 대학교 필수과목으로 반드시 따고 졸업하게 만드는 방법을 동원해서라도, 본인이 본인 일자리를 스스로 만들어 나가도록 유도해야 한다. 세계 어느 나라를 봐도 성공한 벤처가 대량의 일자리를 만들어 냈지, 대기업의 신 사업 진출이나 국가가 주도하여 많은 세금을 퍼부어 훗날 감당도 못할 일자리를 억지로 만들어, 대량의 일자리 창출에 성공한 예가 매우 드물기 때문이다.

그러나 이러한 청년들의 창업의지를 꺾어 놓는 가장 큰 문제는 실패에 대한 두려움이다. 사업에 실패해서 가정과 주위에 심각한 피해를 준 사례가 너무도 많기 때문에 새롭게 도전하기를 꺼린다. 청년들 스스로가 안정만을 추구하는 나약함에 빠져있는 경우도 문제이다.

초중고, 대학까지 16년이나 시험공부에 매달렸으면서, 공무원시험준비에 이렇게 많은 청년들이 몰려서 주야장천, 어떤 경우에는 몇 년씩 시험공부를 또다시 하는 나라에 과연 미래가 있을까? 이러한 추세를 방지하기 위해서는 벤처창업자가 회사에 무한책임을 지는 연대보증제도를 하루빨리 없애야 한다. 이것이 마음껏 청년들이 도전할 수 있게 도와주는 것이다.

그리고 무엇보다 재정 백업시스템(Financial Support System)이 일체감있게 돌아가야 한다. 이를 위해 벤처 산업을 대규모로 양성할 수 있는 스타트업 에코시스템(Start-up Ecosystem)을 마련해야 한다. 즉, 정부의 해당기관, 대학 연구개발(Research and Development)에 인센티브제도를 도입해서 우량 벤처 아이디어를 지속적으로 발굴하여 벤처 캐피탈(Venture capital)과 멘토그룹(Mentor group)과 매치(Match)해줘야 한다. 벤처를 받쳐주는 재정시스템도 해외의 투자회사나 엔젤투자가들과 연동되어야 한다.

스타트업 클러스터(Start-up Cluster)를 지정해서 각 분야별로 한꺼번에 동종 산업체가 모여 있어야 서로 자극을 받고 동기부여가 되니, 같은 업종의 벤처(Venture) 및 산업단지(Industrial Complex)를 조성해야 한다. 이러한 붐이 일면 누가 시키지 않아도 24시간 밤새도록 자발적으로 즐겁게 일하는 생태계가 저절로 형성이 된다. 대한민국은 반드시 벤처왕국이 되어야 하며 이를 위해서 정부가 할 수 있는 모든 방법을 동원해 벤처 붐을 일으키고 정착을 시켜야 한다.

기존의 일자리를 위협하지 않는 전혀 새로운 첨단산업으로 대규모 진입해서도 많은 일자리를 마련해야 한다. 미래형 농업(수직 농장, LED 조명을 이용한 원예업과 특용작물), 나노 산업(Nano Comp, Nanocoat, ISOTEC, Nano-Health, Nano Electronics), 바이오 생명공학(Bio & Life Science), 메디컬과 후생산업(Medical & Wellness Ind.), 그에 따르는 서비스산업인 스타트업 인큐베이션과 촉진산업(Start-up Incubation & Acceleration) 등의 새로운 첨단산업이 스타트업 펀드(Start-up Fund), 시드 펀드(Seed Fund), 벤처 캐피탈(Venture Capital), 크라우드 펀딩(Crowd Funding) 등, 투자자와 멘토 네트워크(Investor & Mentor network)와 긴밀하게 연결되어야 한다. 또한 경영자 수업(Entrepreneurship Education)과 같은 경영, 회계도 창업자 및 사원에게 수시로 교육해야 한다. 그래야만 벤처 생태계의 기반이 풀뿌리처럼 더욱 튼튼하게 뻗어나갈 수 있다. 벤처가 벤처를 낳는다는 사실을 명심해야 할 것이다.

청년실업에 대한 기존의 몇몇 자치단체가 추진하는 여러 방법으로, 지역경제 상품권으로 청소년에게 무료 배포하는 청소년 기본소득제도(유럽연합의 청년 보장제-Youth Guarantee를 참고로 함), 청소년 문화카드(상품 디스카운트와 교통카드 겸용), 또는 보호자와 정부가 일정금액을 공동으로 납입하는 청년자산 형성 계좌(Asset Formation) 등이 있다. 그런데 이것들은 정부와 보호자의 부담만 늘릴 뿐 별로 좋은 방법이 아니다. 이러한 것들은 정확하게 선별해서 배포하는 것이 아니므로 일률적인 적용을 해서 정치적 포퓰리즘으로 흐를 가능성도 크지만, 청년들의 도덕적 해이를 불러 일으키는 것이 더 큰 문제이다.

이보다 더욱 중요한 것이 사회적 약자에 속하는 계층에게 일자리를 찾을 수 있게끔 훈련하는 교육 프로그램이다. 제과, 제빵, 요리, 미용, 설계, 의상 디자인 등 다양한 직업교육훈련을 각 동사무소를 중심으로 수시로 매우 저렴하게 출장 서비스를 열어서 누구나 교육 프로그램에 참여할 수 있도록 도와줘야 한다. 배우고자 해도 학원 등록비가 없어서 못 가는 청년, 중장년층에게 무료로 돈을 나누어 주기보다 물고기 잡는 법을 가르쳐야 된다. 국가가 지원해서 하는 기술교육원, 직업 훈련원도 있지만 너무 교육기간이 길고 입학 조건도 까다롭고 접근성이 별로 없다. 자격증시험도 합격요건을 완화해야 하며, 조금 더 쉽게 배울 수 있는 장소와 길을 활짝 열어줘야 한다. 국가 전체로 봐도 누구나 쉽게 교육받을 수 있는 평생교육 차원에서도 그렇고, 많은 사람들이 여러 교육을 받아서 전체적으로도 해당 분야의 수준이 업그레이드 될 수 있으니 손해 볼 일이 전혀 없는 대책이다.

청년 실업의 가장 중요한 해결책 역시 직업교육이다. 청년실업 문제는 정말 심각하고 중요한 문제인데, 2016년 청년 실업률이 9.8%에 육박했고 2017년 2월에 들어서는 12.5%로, 점점 그 비율이 높아지는 추세이다. 참고로 고용통계에서 청년이라 함은 15세에서 29세까지를 말한다. 하지만 15세에서 19세까지는 대부분이 학생이니, 문제는 20-29세 사이의 청년들이며 이들의 구직난은 매우 심각하다. 앞으로 고령화로 은퇴가 늦어지고 정년연장이 가속화 되는 상황이라, 세대간의 일자리를 둘러싼 갈등 문제가 걸렸기에 해결이 더욱 시급하다.

청년 실업뿐만 아니라 여성 취업 문제도 심각하다. 남녀, 세대를 불문하고 실업문제는 항상 대두되는 문제이다. 한국사회가 안고 있는 근본적인 사회 갈등, 양극화 문제도 실업문제 해결로 풀어야 하는 측면이 많다.

특히 사회에서 낙오되어 소외된 계층이나 학력이나 능력면에서 현저히 떨어지는 계층에서 발생하는, 가장 기본적인 먹거리를 해결하는 문제는 결코 개인차원에서 해결할 수 없다. 국가가 전적으로 나서야 하며 사회적 약자, 빈곤의 악순환의 덫에 걸린 최약자층에 대한 많은 배려를 해주어야 한다. 청소년, 취약 여성, 노인 빈곤층 등이 사회적으로 유리되어 가는 것을 방지하고 사회 불만층이 되지 않도록 사회 통합 차원에서라도 반드시 갈등구조를 없애는 방향으로 가야 한다.

이와 같은 사회적 약자층의 보호와 안정적인 기본소득 문제를 해결하기 위해서는 우선 일정 규모 이상의 회사(종업원 30인)에서는 반드시 비 정규직을 없애야 한다. 비 정규직이란 자본주의 사회에서 일종의 사회적 약자에 대한 착취적 성격이 다분하다. 만일 비 정규직을 시간 안배 문제라든지, 어떤 이유에서 꼭 써야 된다면, 최저임금을 높여서 해결해야 한다. 근로자를 정규직으로 하든가 아니면 높은 최저임금을 지불할 것인가 선택하면 되는 것이다.

최저임금도 몇 년 내로 세계 최고 수준으로 올려야 한다. 2017년 기준 시간당 6,470원인데, 이것을 시급 1만 원 이상 수준으로 올려야 많은 문제가 해결된다. 유럽의 선진국 수준이 시간당 12,000원에서 22,000원(노르웨이)이고 덴마크와 같은 곳은 법정 최저 월급여가 520만 원이다. 미국은 물론 주마다 조금씩 다르지만, 최근 3년에 걸쳐 시간당 17,500원(15불)으로 올렸다. 한국의 최저임금이 구미 선진국의 평균 최저임금의 50% 이하라면 상당한 문제점을 안고 있는 것이다. 물가지수, 인플레이션 지수와 연관해서도, 그리고 실업자, 취준생, 파견, 용역 등에 의존해야만 하는 사회의 가장 취약한 계층을 보호하고 나눔의 차원에서 보조해 준다는 의

미에서도, 한국의 최저 임금은 반드시 현재보다 대폭 올려야 한다.

실은 이런 것들은 다른 나라와 비교할 대상이 아니다. 우리 사회의 특성을 감안해 해결해야 한다. 인건비로 승부를 거는 매우 빈약한 제조업이나 이러한 것을 해결 못하는 정도의 이미 지나친 경쟁에 빠져있는 소규모 소매업, 자영업이라면 자동판매기, 자동전달기 도입이라든지 자체 구조조정을 통해 아르바이트 인력을 활용하지 않는 방안을 마련할 것이다.

그리고 청년, 중 · 장년을 비롯한 관심 있는 모든 계층을 대상으로, 귀농을 장려해야 한다. 시골에 가서 일할 사람은 일부 자금을 융자해줘야 한다. 무엇보다 앞으로는 새로운 농업혁명이 일어나고 1차산업의 중요성이 점점 부각되고 있으니, 농촌에서도 상당한 부를 창출할 수 있다는 것을 명심해야 한다. 투자의 귀재라고 불려지는 짐 로저스(Jim Rogers)와 같은 세계적인 투자자도 농업이야말로 차세대 가장 유망한 매력적인 미래산업이라고 피력한 바 있다.

유럽의 농촌이 잘사는 이유 중 하나는 시골에서 농사를 짓는 대부분의 인력이 젊은 세대로 교체되면서도 투 잡(Two Job), 또는 쓰리 잡(Three Job)을 계절별로 일하기 때문이다. 즉, 조상 대대로 물려받은 농사일은 주업이든 부업이든 새로운 세대가 물려받아 더욱 생산성을 증대시키고, 또 한편으로는 인근지역의 회사에 고용되어 동시에 사무직이나 전문직의 일을 하기도 한다.

이것은 농촌지역에 사는 일반 국민들이 그러한 일을 처리할 수 있는 충분한 지식을 갖추었기 때문에 가능한 일이다. 그들의 지적 수준이 현재의 우리 국민보다 현저히 높기 때문에 시골에 살아도, 영어를 동원한 해외 마케팅, 엔지니어링, 기계 유지보수를 감당할 만한 능력이 된다. 청년들

스스로가 본인의 능력을 함양해야만 풀리는 문제도 있는 것이다.

독일 및 스위스의 경우는 청년의 72%가 대학(Gymnasium)을 가지 않고, 기술계(Meister) 고등학교라든지 요리, 디자인, 패션 등 직업 고등학교를 가서 18세부터는 직접 직업전선에 뛰어든다. 이들은 고등학교를 졸업하기 전까지, 인력이 필요한 각 회사와 사전에 연계하여 각종 인턴십 프로그램(Internship Program)에 참가를 한다. 졸업 후 그들은 거의 고용되며, 대학 졸업자와 월급의 차이도 별로 없게 된다. 한국의 경우 최 정점을 찍은 대학 진학률이 2009년도에 77.8%로 2015년에는 68%로 낮아졌다. 이는 세계 2위인 캐나다보다도 10%가 높은 수치이다. 우리와 사회구조가 비슷한 일본도 37%에 불과하다.

대학 진학률이 높은 것 자체가 나쁜 것은 아니다. 다만 그 젊고 혈기 왕성한 4년 동안, 아니면 그 이상의 시간을 들여서 과연 효과적으로 공부를 얼마만큼 했느냐가 중요하다. 또한 무조건 대학을 가야만 인정받는 학력만 중시하는 사회풍조도 문제이다.

우리나라에서는 대학 4년 후에 군대 2년 반에서 3년(대부분 앞뒤로 3-4개월은 까먹게 되어 있음) 다녀오고, 취업준비 4-5개월, 심지어는 1-2년 하고(딱 맞게 취업시험이 있는 것도 아니고 매년 정해진 날짜가 있으니까) 이십대 후반이 되어야 겨우 취직을 하여, 실제로 사회생활에 뛰어 들게 되는 것이다. 이것은 우리나라 청년 대부분이 대학생활을 거치고, 그리고 남자라면 군대 2-3년의 공백을 생각하면, 서구의 대부분 청년에 비해 거의 10년 정도 늦게 사회에 진출하는 것이다. 이 같은 실질적인 '준 실업자' 상태의 긴 공백기가 있어서 가정과 사회에도 큰 부담이 되는 일인데 실제 실업률에는 집계되지 않는다.

상황이 이런데도 노동집약적 산업에서는 노동인구가 부족하여, 동남아에서 인력을 수입하여 쓰고 있고, 일부는 불법노동자들을 고용하기도 한다. 3D 업종을 기피하는 우리나라 청년들도 문제가 있지만 국가 대계를 위해서는 남북한 경협을 본격적으로 하루빨리 재개해서, 이러한 제조업 산업현장의 노동력 부족 문제를 해결해야 될 것이다. 고등학생 때부터라도 인턴으로 실무 경험을 쌓고, 후에 실제로 직업을 구할 때는 아무런 문제없이 현장 투입이 가능한 정도의 인턴제도를 대폭 활성화해야 한다.

청소년들의 사회참여가 늦다는 것도 큰 문제이지만, 실제로 고등학교, 대학을 나와도 실무에 투입하기에는 너무 아는 것도 없고 부모의 지나친 간섭과 보살핌으로 독립심이 부족한 것도 문제이다. 같은 나이대의 서양의 청년에 비해 실무 능력이나 독립성이 훨씬 뒤떨어진다. 인턴제도를 활용하도록 고치고 세밀한 트레이닝과정을 거치도록 해야, 우리나라가 더욱 효과적이고 질 높은 산업 인력을 육성할 수 있다.

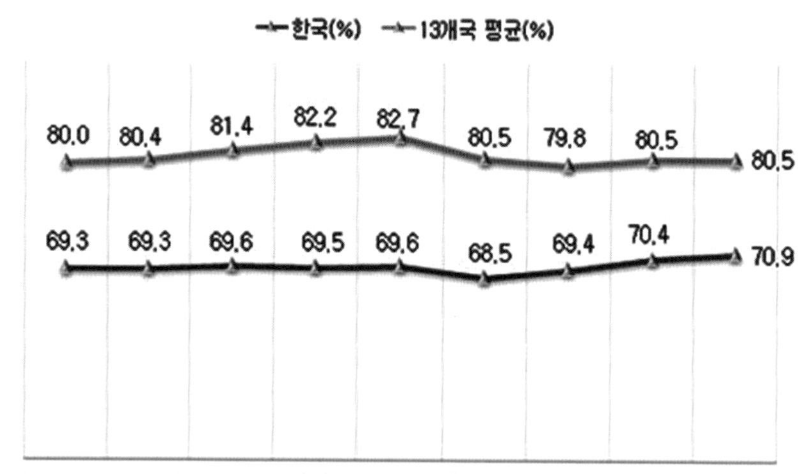

청년고용률국제비교

출처 : 현대경제연구원, "주요 선진국과의 비교를 통해 본 한국의 고용 현황과 시사점" 2013

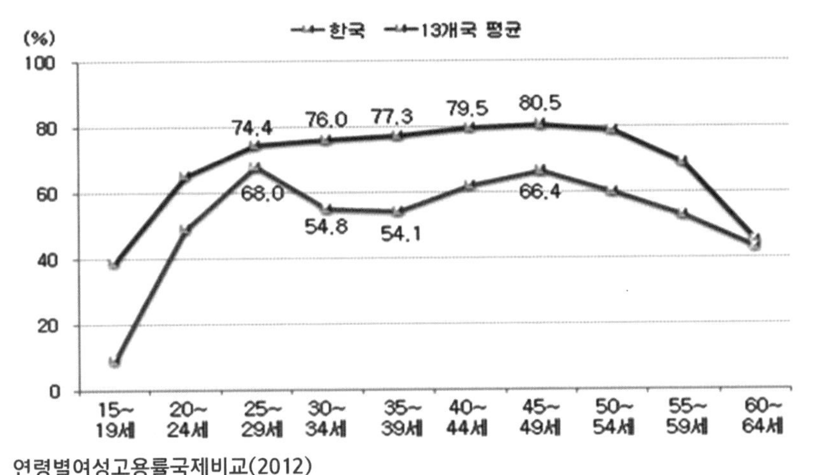

연령별여성고용률국제비교(2012)

출처 : 현대경제연구원, "주요 선진국과의 비교를 통해 본 한국의 고용 현황과 시사점" 2013

현대경제연구원이 2013년에 발표한 "주요 선진국과의 비교를 통해 본 한국의 고용 현황과 시사점"의 연구보고에 의하면, 영국, 독일, 네덜란드, 호주, 뉴질랜드, 캐나다, 일본, 오스트리아, 북유럽의 선진국 덴마크, 노르웨이, 핀란드, 스웨덴, 아이슬란드를 포함한 13개국의 평균 청년(24-34세) 고용률을 비교해 보면 한국이 70.9%이고, 13개국 평균이 80.5%이다. 그리고 여성 고용률은 한국이 53.5%, 13개국 평균은 69.4%이다. 이것은 한국 청소년들과 여성들이 취업에 취약한 현실을 보여준다.

수많은 능력 있는 여성들이 일하고 싶어도 할 수 없고 재능을 썩히고 있다. 재능이 넘쳐 흘러도 제대로 대접 못 받고 허드렛일이나 하고 있는 청년들이 또 얼마나 많은가. 건강한 사회를 만들기 위해서도 국가가 나서서 다양한 방법으로 각 부분에 일자리를 만들어줘야 한다. 이들이 안정을 찾을 수 있을 때까지 조그만 소득이라도 받을 수 있게끔 임시직 시간제 봉사자나 보람 있는 사회사업이나 지역 봉사활동으로 연계하는 국가 프로젝트도 가동해야 한다. 그들의 소득은 국가의 개인당 GDP(Per Capita)와도 직결되는 것이기 때문에 국가는 신경을 써야 된다.

일자리를 빠르게 창출하는 또 다른 확실한 방법은 서비스 산업을 더욱 육성하는 것이다. 서비스업의 취업유발계수가 제조업의 2배라는 통계를 보면, 왜 서비스업으로 일자리 창출을 도모해야만 하는지 알 수 있다. 지금 한국경제의 가장 큰 문제 중 하나가 서비스산업(관광, 의료, 금융, 보험, 운수업, 광고, 지적재산권, 교육, MICE 산업-Meeting, Incentive, Conference, Exhibition 등)의 지속적인 수지 적자이다. 이러한 적자를 흑자로 전환하는 방법은 전반적인 산업구조개편이다. 이를 도모하는 과정에서 일자리 창출도 수반하는 것이다.

제조업 자체만으로 승부를 보는 개발 도상국 형태의 산업구조를 완전히 전환시켜야 한다. 예를 들어 의료 관광만 봐도 지금 태국과 같은 나라는 한 해에 250만 명의 고객이 성형, 라식, 대체의학 등 치료를 받기 위해 온다. 그런데 한국의 현황은 아직도 영리 의료법인의 설립 규제로 인해, 태국의 1/10 정도인 26만 명(2014년 통계) 정도가 입국하는 걸로 되어있다.

영종도와 같은 곳에 무비자로 출입국 가능한 완전 자유무역지대를 만들어 누구라도 한국의 발달된 의료 서비스를 받을 수 있게 대규모 의료단지를 설립하고 동시에 제2의 마카오와 같이 동북아시아 지역 전체 시장을 목표로 하는 카지노산업을 육성해야 한다. 디즈니랜드와 같은 오락산업과 싱가폴의 마리나 베이 샌즈(Marina Bay Sands)와 같은 전시산업, 회의산업(MICE-Meeting, Incentive, Convention, Exhibition-Event))과 리조트 산업과도 복합연동을 시켜줘야 한다.

이렇듯 고용과 부가가치가 높은 산업구조의 전반적인 체질 개선을 위해 규제를 과감히 풀고, 그에 따르는 부작용은 최소화해야 한다. 요식업, 일반 도·소매업 등 경쟁이 치열하고 부가가치 창출이 낮은 쪽에서 부가가치가 높은 서비스 산업으로 전환도 필요하다.

대한민국의 내수산업과 일자리 창출을 위해서는 해양레저산업의 붐을 대대적으로 일으켜야 한다. 그동안 대한민국은 해양 레저, 스포츠의 진흥과 인프라 설비구축에 너무나도 소홀히 해 왔다. 이제는 소득과 생활수준이 높아진 각 가정의 레저, 관광 소비를 무작정 해외로 나가서 쓸 것이 아니라, 3면이 바다인 국내에서 얼마든지 즐겁게 보낼 수 있도록, 수많은 소형 파워보트, 요트 판매와 서비스구축으로 제2의 자가용 붐을 일으켜야만 한다.

각 지방 자치단체의 어촌과 섬과 바닷가 그리고 한강, 낙동강, 금강, 영산강의 곳곳에도 향후 전기자동차의 충전소를 겸한 요트와 소형 선박의 전기 충전소와 마리나 데크를 적합한 장소에 설치해야 한다. 이렇게 해서 국내의 수요창출을 도모하는 동시에 이를 기반으로 국내의 낙후된 요트와 모터보트의 레저용 선박제조에도 많은 기업이 뛰어들도록 유도와 보조를 할 수 있다. 이를 조선산업의 위기에 대처하는 도약산업으로도 키워야 할 시점이다. 이는 동시에 대규모 일자리 창출의 견인차가 될 것이다.

우리나라와 같이 인터넷이 발달한 환경에서 자라 컨텐츠와 미디어에 익숙한 청소년들을 게임 산업, 컴퓨터를 동원한 음악의 작곡, 편집, 뮤직비디오 광고, 디자인, 웹툰 등의 분야에서 일자리를 늘려주는 것도 아주 좋은 산업 방향이다.

우리나라는 수출의존도가 매우 높은 나라이기 때문에 급작스럽게 제조업의 비중을 낮추는 것도 일자리 창출에 별로 도움이 되지 않는다. 그러나 현재 많은 경쟁력 없는 제조업은 일자리를 창출하지 못하고 해외이전(물론 북한이 가장 이상적)이나, 저절로 문을 닫게 되는 경우가 늘 것이다. 그러므로 서비스 산업과 경쟁력을 갖춘 제조업을 결합하는 것에 주력하여, 투자대비 효과를 배가하고, 두 마리 토끼를 잡는 방법을 취해야 한다.

예를 들어, TV 드라마, 영화배우, K-POP 아이돌, 웹툰 등의 캐릭터 상품과 결합한 부가가치가 높은 각종 제조업(문구, 아이디어 상품)이나 섬유 산업과 디자인이 결합한 부자재, 원단, 패션 제조업, 파인 아티스트와 시계, 보석, 액세서리 제조가 결합하고, 그리고 수제품장인과 명품산업을 결합한 육성 등이다. 우리나라는 제조업 비중이 아직도 크고 이것은 내수보다는 수출위주이기 때문에 경상수지(무역수지) 흑자는 보고 있으나, 내수 산업 진작이 경제 성장과 직결되어 일자리 창출에도 크게 도움이 되므로, 내수 산업을 키우는 일도 병행해야 한다.

내수산업은 주변국과 거의 국경이 없이 인적 · 물적 출입이 완전히 자유롭게 되어야 하며 이 또한 북한과의 경제 연합, 더 나아가 한중일 삼국의 경제적 통합으로 향해야 한다. 유럽을 보면 쉽게 이해가 갈 것이다.

많은 서비스 산업 중에서 한국이 국제경쟁력에서 가장 취약하면서도 실상 중요한 것이 금융산업이다. 국내 은행업은 이미 해외자본이 주요 시중은행(KB 국민 68.6%, 하나 70%, 신한 68% 2015년 말 기준)의 거의 70%를 장악하고 있다. 대부업(특히 산와머니, 러시앤캐시 등의 일본 대부업체의 진출이 크게 눈에 띈다), 캐피탈(일본계 : 오릭스, JT, OK 아프로, 씨티캐피탈), 저축은행(일본계 : OSB, OK, JT, SBI 등)에서도 해외자본은 물밀듯이 들어오고 엄청난 이익을 내고 있다. 한국은 GDP로는 세계 11위이지만, 국제적으로 한국의 은행 규모는 시가 총액 면에서 모두가 세계 60위권 바깥이다. 서비스 산업(특히 보험업, 금융업)에서 엄청난 흑자를 보는 미국과 영국 같은 선진국은 이미 서비스 산업의 고용률이 80퍼센트를 넘었다. 이에 반해 한국은 2015년 기준 70%이다.

한국에서 어떠한 큰 빌딩, 큰 선박이나 초대형 설비의 화재보험을 들어도 한국 자체로는 재난발생 시에 보험으로 해결하기 불가능하기 때문에 영국의 로이드(Lloyd's)에 예탁금을 내고 신디케이트를 구성한 손해보험 회사에 재보험을 들 수밖에 없는 것이 현실이다. 여기에 따르는 중계업인 브로커(Brokerage) 기술들과 신디케이트에 들어가서 활동할 수 있는 규모 있는 보험 회사 숫자 등에 비춰보면 한국의 금융산업의 후진성은 국제 기준에 비해 이루 말할 수 없이 뒤떨어져 있는 형편이다. 동아시아에서 삼국의 대형 보험회사가 뭉쳐서 초대형 보험을 커버할 수 있는 신디케이트를 조성할 시점도 도래한 것으로 보이고 반드시 가까운 시일 내로 이루어 나가야 한다.

한국의 은행도 과감한 합병과 구조조정을 단행하여, 소매 금융위주에서 투자금융은행으로 전환해야 하고 외국자본의 지분율도 일부분 제한을 가해 몇몇의 일정 국가에 치우치지 말고 더욱 다변화 시켜야 한다. 한중일의 경제 공동체가 하루빨리 이루어져야 하는 이유도 이 중 하나에 속한다. 외국자본이 지배하는 시중은행체제에서 벗어나도록, 새로운 인터넷 뱅크 방식의 신규 은행설립을 정부가 유도해야 한다. 해외자본 이탈이 일어나기 전에, 속히 금융업 설립의 규제를 풀어, 완전 새로운 판을 짜서, 우리 자본 위주의 최첨단 인터넷 뱅크의 설립이 시급한 시점이다.

소매 금융은 그 규모도 작을 뿐만 아니라 인터넷 뱅킹의 발달에 의해 인원도 크게 필요 없는 걸로 점점 변하고 있는데, 기존방식으로 각 지점의 점포에서 그렇게 높은 인건비, 임대료를 지불하면서 유지할 필요가 있는지 의문이다. 새로운 인터넷 뱅크의 설립으로, 과거의 관행을 빨리 떨쳐 버리고 금융의 큰 물줄기를 바꿔줘야 할 시점이다. 그렇게 함으로써 구미 선진국의 금융 횡포에 대항할 수 있고, 미래산업으로써 파이를 계속 키워 향후에는 더욱 많은 일자리를 만들어나갈 수 있다.

노조, 전교조, 관변단체, 노동 개혁

1960-70년대 영국에서는 노조가 파업을 밥 먹듯이 일으키고 선거에 막강한 영향력을 행사해 오면서 거의 30년 동안 모든 법률을 노동당의 근본 세력인 노조와 노동자 위주로 만들어 왔다. 그렇다 보니 영국에서는 지속적인 고임금, 저 생산성, 인플레이션을 유발하고 모든 산업이 경쟁력을 잃기 시작했다. 이를 영국의 '고질병'이라고 한다. 이로 인해서 영국 내의 많은 공장들은 남아공을 위시하여 제3국으로의 탈출이 시작되었고 급기야 1976년에는 경제침체와 심각한 불황으로 파운드화의 가치가 하락하면서 급격한 외환보유고 감소로 IMF 관리를 받을 지경에 이르렀다.

1979년부터 1990년까지 10여 년간 만성적인 '영국병'을 치료하기 위해 '노조퇴치'와 '사회주의 추방'의 깃발을 들고, 정부재정지출 삭감, 공기업 민영화, 규제완화 등의 강력한 공공부문 구조개혁과 철저한 자유시장경제를 들고 나와 불굴의 의지로 이를 성공시킨 인물이 바로 '철의 여인' 마가렛 대처 수상이다.

지금의 한국을 보면 마치 1970년대의 영국을 보는 것 같다. 특히 대기업의 귀족노조, 강성노조는 집단이기주의로 자기권리만을 주장하며, 타협에는 소홀히 하면서 국가 경제를 악화시키고 있다. 노동 생산성이 경쟁국과 비교해도 전혀 높지도 않은데 높은 임금과 권리만 주장하고, 심지어는 노동과는 전혀 관계도 없는 정치문제에까지 참견하며 국가의 혼란만을 야기하고 있다. 그들은 본인들의 높은 급여가 비정규직이나 대다수 하청 중소기업의 2,000만 원 이하 월급자(우리나라 전체의 45%)의 피땀을 간접 착취하고 있다는 사실은 간과하고 있는 것이다.

이는 지금의 노조와 친밀한 관계가 있는 문재인 정부가 임기 내에 반드시 해결하지 않으면 안 되는 절체절명의 국가 과제이다. 더 이상 방치했다가는 대한민국은 '한국병'으로 제2의 금융위기를 당하게 되어 있다. 지금까지는 김대중 정부 이후 20여 년간 야권이 강성노조와 힘을 합쳐서 정치적으로 협업을 하기도 하고, 또 이리저리 끌려 다니며 마지못해 실행했던 분배 위주의 정책이 더 유효했을지 모르나, 지금부터는 다시 성장위주의 정책을 적극적으로 펼칠 때가 온 것이다.

이와 관련해서는 노동시장의 유연성이 더욱 필요하고, 기업이 채용, 해고, 임금 및 노동시간과 같은 근로조건 변경을 각 기업의 종업원과 사업장별 단위노조와 개별적으로 상의해서 더욱 자유롭게 정할 수 있어야 한다. 이를 위해 법으로 정해서, 대규모 소모적인 노동 투쟁을 통해 일률적으로 정해버리는 노동시장 경직성에서 하루빨리 탈피해야 오히려 노사합의가 쉽게 될 수 있고, 실업률도 낮출 수 있다.

노조의 온갖 반대를 무릅쓰고라도, 모든 적자가 나는 공기업을 철저하게 관리하여 민간부문에 매각하거나 종업원 성과급 위주로 방향을 전환하여, 적자가 나게 되면 경영진의 즉각 퇴진과 종업원 급여 삭감을 추진해야 한다. 그리고 적자에서 벗어나게 되면 경영진과 종업원 모두에게 그 보상을 철저히 해야 한다. 공공부문에 있어서는 작은 정부를 지향하여 비정규직 수용, 공공일자리 확대 등으로 필요 이상 늘어난 공무원 수도 대대적으로 줄여나가야 한다. 그래서 각 부처의 효율성, 부채 삭감 위주로 정책을 실행해야 마땅하다. 그 기본은 철저한 자유시장 경제체제를 기틀로 삼아야 하며 개혁이 필요한 곳은 과감히 개혁하는 것이 우리 국가가 살 길이다.

대한민국의 노동자들의 평균 급여도 국제수준에 비해 절대 낮은 편이 아니다. 우리와 비슷한 개인 국민소득을 보이는 국가들인 대만, 남부 유럽(그리스, 포르투갈) 등의 임금수준은 대한민국의 평균보다 약 70-75% 수준밖에 안 되고, 우리의 임금수준은 구매력 평가기준으로는 전통 선진국인 일본, 이태리나 스페인의 급여수준보다 높다. 이태리의 대학졸업생의

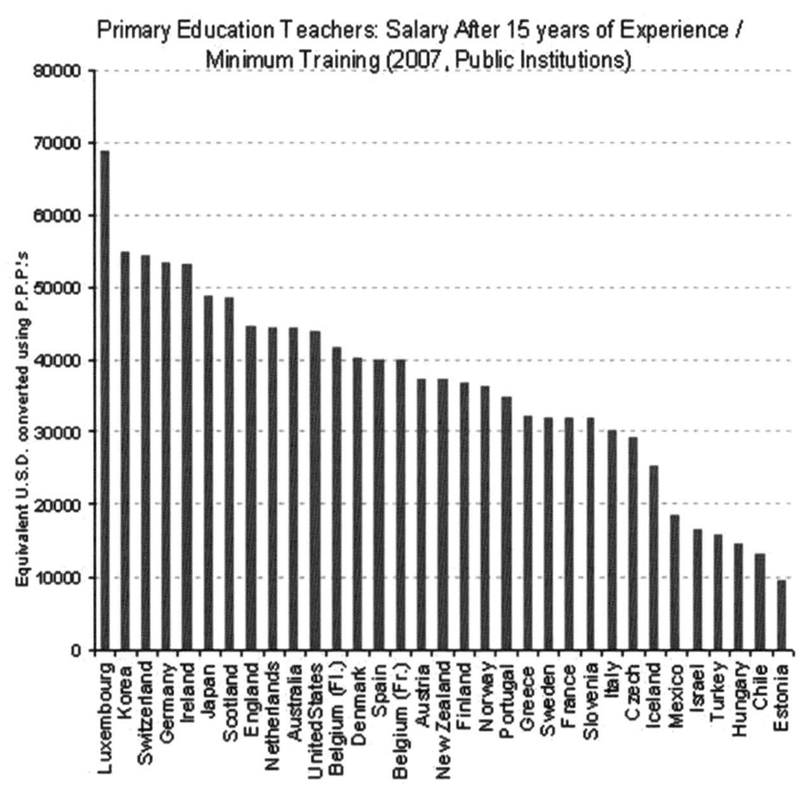

출처 : OECD Annual statutory teachers' salaries in public institutions in primary education, in equivalent United States dollars converted using purchasing power parities.

평균 봉급은 월 150만 원 수준이다.

또, 일례로 초등교사들의 임금 실태를 보면, 세계 2위로 랭크된 2007년 OECD 통계 이후 2016년까지 어느 통계를 봐도, 지난 20여 년간 초임은 세계 OECD 국가의 평균 급여보다 낮지만, 15년 이상 근무했던 교사들의 임금은 항상 전 세계 1-5위 안에 들 정도로 높았다. 중등, 고등학교 교사들도 마찬가지이다. 이러한 교사들이 과연 그러한 세계 최고 급여수준에 맞게, 세계 최고수준의 교육을 제공해 왔는가는 정말 의문이다.

자원이 부족하여 교육에 의한 인재양성에 국가발전의 상당부분을 의존할 수밖에 없는 한국의 현실을 직시할 때, 또한 공교육의 붕괴에 의한 위기에 봉착해 있는 한국의 교육현장을 볼 때, 교사의 자질과 열정, 헌신이 얼마나 중요한지 모른다. 국가의 장래가 달려있는 이러한 현실을 외면하고, 소수의 전교조를 장악하고 있는 과격 교사들은 과거에 집착한 낡은 운동 논리로 시대착오적인 역사인식과 가치관을 학생들에게 심어주는데 열심인데, 이는 유연한 사고와 다양한 각도의 철학적 사고방식이 요구되는 청소년기의 학생들에게는 매우 편협한 사고를 주입하게 된다. 이러한 비교육적이고 정치적인 행위를 학내에서 해서는 안 될 것이다. 결국 교육시스템에 대한 신뢰도를 높이는데도 방해가 될 뿐임을 간과해서는 안 된다.

보수, 진보를 막론하고 교총, 한국노총, 전교조, 민노총 등의 많은 관변단체, 조합, 이익단체들의 공통적인 문제점은 그 설립목적에 무관하게 항상 일부 불순한 세력들이 조직을 의식화하고 선동투쟁을 내세워 정치세력화로 몰고 나가는 것이다. 이들은 이로 인한 정치적인 발판을 마련하고 또, 정당들도 표를 의식하여 이러한 단체를 이끌어 가는 리더들을 영입할 수밖에 없는데, 상부 상조의 악순환이 매번 반복된다.

각 단체는 언제나 정치적인 중립을 지키고 시국선언, 연대파업이나 과격한 이념 투쟁 일변도를 지양해야 한다. 협조, 타협, 실용성, 전체적인 국가이익에 부합하는지만을 따져야만 한다. 한편으로는 보수 정당들도 "종북"이니 "좌파 빨갱이"니 하는 억지주장으로 대결구조를 첨예화하여 정치적 목적을 달성하려는 의도를 당장 그만두어야 한다. 어떠한 조직에서나 불순한 목적으로 각 단체들을 이용하는 강경파들의 득세를 막아야 한다. 이들은 국민 분열을 조장하고 소모적 논쟁을 부추겨 국가 발전에 독을 가져다줄 뿐이다.

국정원을 비롯한 국가 기관의 공작에 의해서 언제 어디서든지 정권의 입맛에 맞추어 동원할 수 있는 모든 관변단체는 당장 없애거나, 정부와 지방자치단체는 이러한 관변단체의 보조금 지불을 즉각 그만 두어야 한다. 과거 군사정부시절부터 지원받아온 보수단체로서 자유총연맹, 재향군인회, 고엽제전우회, 바르게 살기운동 중앙연합회, 새마을 운동연합회 등이 거론되어 왔는데 정부 주도로 구성된 단체이기에 정부 행사나 선거에 동원되기도 했다.

국민의 피 같은 세금이 여론을 조작하고 공작정치에 일조하는 데 쓰이는 것이 문제이다. 정부보조금의 사용 내역도 매우 불투명했으며 지출내역에 대한 정보공개도 꺼려왔다. 이런 단체들은 없어지는 것이 아쉽다면 자발적인 공익단체나 정부 보조를 전혀 받지 않는 자립적인 시민단체로의 전환이 필요한 시점이다.

지금 대한민국에 필요한 것은 전 국민의 '사회적 대타협'이다. 서로가 서로를 비난하고 싸우는 데 드는 비용이 크다. 지금도 '국민대통합위원회'라는 국가기관이 있지만, 국민여론을 형성시키고 통합시키는 데에 별로 효과가 없다. 국가와 사회를 이끌었던 훌륭한 경험과 인성을 지닌 원로 집단이 대거 참여해서 이 기구를 적극 활용하여, 초대형 국민 토론회를 주도하고, 세대와 이념이 다른 사회 각계 각층 국민들의 의견을 좁혀나가는 토론회를 시리즈로 열어야 한다.

즉, TV든 인터넷에서 댓글을 달게 하든 완벽하지는 않을지라도, 국가적 과제로서 토론과정에서 국민들의 의견을 수렴하고, 대국민 '컨센서스'를 도출해 나가야 한다. 국회나 지방자치제도의 근간인 대의 민주주의가 그 존재부터 위협을 받는 상황에서, 국민들의 다양한 의견을 수용하는 시스템간의 괴리가 너무도 크기 때문에 직접민주주의의 요소를 도입하여 그 간극을 메워야 한다.

4.
동아시아 공동체 수립과 그 도전과업

동아시아 지역은 전통적으로 한자 문화권의 공통적 배경과, 유교문화에 의한 강력한 충, 효 사상이 요구되는 곳이고, 유교, 불교, 도교(유불선) 문화가 겹치는 곳이다. 획일성의 폐단이 지적되지만 오히려 문화적 동질성으로 단결과 집합의 용이성, 대규모 사회, 문화, 인적 교류를 통한 대동단결과 일체감 형성이 쉽게 이루어지고, 중국, 일본 각국에 퍼져 있는 동포 한국인들은 이 3국을 묶어주는 매개체 역할을 충분히 해줄 것이다.

동아시아 3국은 지난 15세기 이후 서양의 비약적인 경제 과학발전에 비해 상대적으로 뒤처진 지난 4-5세기를 극복해야 한다. 이 4-5세기에 걸친 구미의 물질문명과 과학문명의 발달에 의해 발생된 상대적 후진성으로 말미암아, 동아시아 3국은 서양의 정치, 군사, 경제, 문화 주도권(Hegemony)에 희생양이 되었다. 이제는 이를 극복해야 될 시점이 되었다. EU, NAFTA에 대항할 세계 최대의 제조업 기지이자 최고의 교역량, 최고의 생산력을 갖춘 곳으로서 동아시아 공동체는 필연적으로 만들어져야 한다. 또한 정치, 군사적 갈등해소, 군비 축소와 더불어 미래의 지속 가능한(Sustainable) 3국의 동아시아 집단 방위체제 확립, 안전보장 기구설립(예: NATO, SEATO, CSTO–Collective Security Treaty Organization, SCO–The Shanghai Cooperation Organization)까지 바라보고 함께 움직여야 한다. 이런 식으로 집단방위체제를 마련하여 3국이 가까운 장래에 대규모 국방비 삭감에 들어가야 마땅하다.

치열한 무기생산 경쟁국이었던 미국과 소련 사이의 핵무기 생산과 배치를 제한하는 전략무기 제한 협정(SALT–Strategic Arms Limitation Talks 1969–1979)의 일부 성공 사례도 자세히 들여다볼 필요가 있다. 참고로 롤란드 버거 전략 컨설팅(Roland Berger Strategy Consultants)의 NATO에 관한 보고서에 의하면, NATO 창설 이후 지금까지 회원국의 모두가 매우 괄목할 만한 각국의 군비축소와 무기 구매 축소로 이어졌다는 것이다.[25] 그리고 이는 매년 계속적으로 더욱 축소하는 경향을 보이고 있다. 즉, 유럽 각국의 감소율(Reduction Rate) 평균 수치는 다음과 같다.

항목			평균 축소율
주 전차 탱크(Main Battle Tanks)			-75.4%
군 인력(Military Manpower)	UK	212,000 to 166,000	-31.0%
	Germany	333,000 to 196,000	
	France	317,000 to 229,000	
	Italy	266,000 to 181,000	
	Swiss	187,000 to 136,000	
전투기(Combat Aircraft)			-35.6%
주요 수상 전투 함정(Principal Surface Combatants)			-33.6%

출처 : Roland Berger Strategy Consultants report 2015

25) 'Roland Berger: Defence spending halved in 3 decades.' Consultancy.uk. n.p., 15 12 2014. Web. 31 March 2017.
http://www.consultancy.uk/news/1201/roland-berger-uk-defence-spending-halved-in-3-decades.

모든 EU 국가들이 국방비, 군 인원 삭감을 했는데, 특이한 점은 이탈리아(Italy)와 같이 경제사정이 좋지 않은 국가가 가장 많이 군사비 삭감을 했다는 사실이다. 2012년 이탈리아는 국방비를 28% 삭감했고, 다음해까지 30,000명의 군인을 더 줄이고, 민간 고용인도 10,000명 더 줄이기로 했다. 이는 현재 일본과 같은 수준인 국가 GDP의 1.1%를 쓰게 되는 것이다. 경제가 안 좋으면 경비 축소는 당연한 일이다. 미국마저도 "Sequester" 정책으로 계속 군사비 삭감을 진행하고 있다.

영국해군은 최근 국방비 축소에 대응하는 일환으로 항공모함을 프랑스 항공모함과 공동운항하는 것에 동의했다. 네덜란드 육군의 상당수가 독일 육군과 함께 훈련하고 있고 독일 해군의 일부 또한 네덜란드 해군에 통합되어 있다. 독일과 폴란드의 군사 통합도 추진되고 있고, 체코도 독일과의 군사 통합을 추진하고 있으며 이처럼 군비축소에 대한 긴밀한 다국가 간의 협력이 순조롭게 진행되고 있다.[26)]

심지어 유럽은 경제면으로는 세계의 기축통화가 미국 달러화로 계속되어 왔던 것에 대한 손실 보전으로서 유로화의 탄생을 주도하여 경제 주도권이 더욱 더 미국의 손에서 좌우되는 것에 대한 저항을 시도하게 된다. 한중일 삼국도 유럽과 같이 동아시아 내에서의 통용 통화창설(ECU/EURO화의 예, ASEAN의 움직임)을 지향하고, 자유무역협정으로 관세와 각종 규제철폐로 하나의 공동시장(One Market), 통합 경제공동체 실현을 도모하여 역내 발전유발과 공동 평화와 번영을 누려야 한다. 우선 동북아시아(Intra-Northeast Asia) 역내 재투자, 각 3국의 지나친 달러 자산 위주의 외환보유 문제를 해결하고, 달러가 동아시아로 회귀해야만 더욱 번영된 동북

---

26) 이병한. '[유라시아 견문] 터키-필리핀은 왜 '악마'가 되었나?' 프레시안. n.p., 23 08 2016. Web. 31 March 2017.
http://www.pressian.com/news/article.html?no=140393.

아시아가 될 것이다.

각국별 외환보유고는 해외 국채, 기관채, 예치금, 금 보유액, 국제통화기금(IMF) 특별인출권(SDR), 그리고 IMF에 대한 교환성 통화 인출권인 IMF포지션인데, 참고로, 각국의 외환보유액은 중국(3조 7,300억 달러) 일본(1조 2,458억), 사우디아라비아(6,797억), 스위스(5,992억), 대만(4,190억) 한국(3,750억) 러시아(3,500억) 브라질(3,500억) 홍콩(2,800억) 인도(2,600억) 싱가포르(2,400억) 등이다.[27] 이것을 보면, 동아시아에서 특히 한중일 3국이 가장 많은 달러 자산을 보유하고 있음을 알 수 있다. 우리도 이제는 미국 위주의 달러 기축통화가 가져온 세계 금융질서에서 탈피할 시점이다.

중국은 AIIB(Asian Infrastructure Investment Bank)로 과거 세계 경제를 이끌어왔던 IMF 체제에 도전하고 있다. IMF 내에서 기존의 USD, EUR, GBP, JPY 4개국 통화에만 허용되었지만, 위안화의 특별인출권(SDR-Special Drawing Right) 기축통화 제안이 받아들여졌다. 얼마의 지분이 허용될지 미지수인데, 현재는 SDR 배분율이 달러 42%, 유로화 38%, 파운드화 11%, 엔화 9%(구미 91% 대 비구미권 9%)이다. 이 지분율 구성을 봐도 현재의 동아시아에 얼마나 불평등한가를 알 수 있다. 결국 중국을 중심으로 한중일이 공동 화폐 문제에 대해 심각하게 논의를 시작해야 한다. 과거 아시아 개발은행(ADB-Asia Development Bank) 창립 시에, 삼국의 지분율을 매우 잘 분배한 훌륭한 전례가 있기에 유로화처럼 삼국의 공동 통화사용도 전혀 불가능한 것은 아니다.

일찍이 홍암 나철과 안중근은 동양평화론(1909)을 주장한 바 있다. 안중

27) 유엄식. '외환보유액 3747.5억달러 '사상 최대'…세계 6위 유지.' 머니투데이. n.p., 03 07 2015. Web. 31 March 2017.
http://news.mt.co.kr/mtview.php?no=2015070218261889452&type=1.

근의 '동양평화론'은 한중일 3국간의 상설기구인 동양평화회의를 뤼순(여순)에 조직해 기타 아시아국가가 참여하는 회의로 발전시키고 동아시아 3국 공동은행 설립, 동북아 3국 공동평화군 창설 등을 주장했는데, 당시로서는 파격적이고 매우 이상적인 주장이었다.[28] 일본 제국주의 시절 대동아 공영권(Great East-Asia Common Development Sphere) 주장은 1931년은 일본, 만주를 대상으로, 1933년은 일본, 만주, 지나(China) 블록을 대상으로, 1938년에는 이곳에다 동남아를 포함했던, 실제적으로는 무력을 통해 일어난 일이 되었지만, 일본의 태평양전쟁 패망으로 물거품이 되었다.

최근 들어와서는 일본 민주당정권 때의 하토야마 수상이 2010년 주장했던 "동아시아 공동체론"이 있는데, 무역, 금융, 투자를 비롯해 에너지, 환경보존, 테러방지와 같은 면에서 기능적 공동체를 지향하다가 점차 가치공동체로 발전시켜 가자는 주장이었다. 그리고 한중일 간에 통화바스켓을 구성해 자국통화와 공동화폐를 동시에 쓰는 시스템을 구축하고, 매년 3개국이 하나의 도시를 선정해 다채로운 문화예술행사를 하는 동아시아 문화 사업, 한중일의 각 대학이 네트워크를 구성해 무료로 교차 대학수업을 들을 수 있는 캠퍼스아시아 비전(Campus Asia Vision), 일본은 우애가 없는 TPP(Trans Pacific Partnership) 대신에 한중일 FTA에 가입을 해야 하며, 아시아 슈퍼그라운드(Asia Super Ground)의 개념을 염두에 두고, 한중일이 사회, 경제분야 협력으로 확대하자는 "아시아가 주도하는 새로운 아시아"라는 주장을 했다.

이는 너무도 타당한 제안이고, 이와 같은 훌륭한 제안을 아무 조건 없이 동시에 받아들이고, 한국, 중국의 정치지도자들도 적극적으로 서로 맞장구를 쳐주어야 한다. 한중일 3국은 유럽연합과 같은 공동체를 목표로

28) '동양평화사상.' 안중근의사기념관. n.p., n.d. Web. 3 May 2017. http://www.ahnjunggeun.or.kr/ab-1111.

이러한 기초적인 3국 경제협력체와 평화협력체계를 하루라도 빨리 만들어야만 한다.

한중일 각 국가 간의 역사인식, 소득, 문화, 경제력 격차는 분명 존재하지만, 1967년 미얀마와 싱가포르와의 격차에도 불구하고 아세안(ASEAN)을 결성했던 예처럼, 그리고 독일, 프랑스, 영국과 같은 선진국과 몰타(Malta), 사이프러스와 같은 조금 경제적으로 차이가 나는 국가들과의 불균형을 극복하고 결성한 EU의 예는 한중일이 북한 문제를 고려하더라도 더욱 더 충분히 가능성이 있다. 한편, 3국은 다음과 같은 여러 문제점을 각국 스스로 해결해야 될 것이다.

도전 받는 중국

중국의 문제는 지나친 애국주의(Chauvinism), 자국주의, 국제주의에 대한 이해 부족으로 동북아시아 공동체에 대한 저항세력이 지속적으로 있어 왔고, 미국의 중국 봉쇄(Containment) 정책에 맞서서 중국 내부에서 특히, 군부를 중심으로 팽창주의, 패권주의적 군사 대국화를 유지하려는 세력이 있고, 남, 동중국 해에서 방공식별구역 일방선포 및 인공섬 건설, 동북공정에 의한 역사 왜곡 등으로 주변국에 위협을 주고 있다. 중국의 군부는 언제 폭발할지 모르는 폭탄의 뇌관이고 행정부도 실질적으로 컨트롤하기 매우 어려운 부분이 산적해 있다.

투키디데스의 덫(Thucydides's Trap)이라는 말은 하버드대학 케네디 스쿨 교수인 그래함 앨리슨(Graham Allison)이 만들었는데, 그는 과거 세계역사상 열강들의 힘의 축이 바뀔 때마다 전쟁으로 엮였던 사례를 들며, 중국과 미국은 도덕적 의무감을 가지고 충돌을 피해야 한다고 역설한다. 중국은 미국의 압박을 너무 민감하게 받아들이지 말고 군사 팽창주의를 내부에서부터 차단해야 한다. 중국은 2026년 미국의 GDP를 능가하기 시작해 2050년에는 미국의 1.5배가 되고 그 차이는 점점 벌어질 것이기 때문에 너무 조급하게 군사적 패권에 집착하여 서둘 필요는 없다. 오히려 더욱 도덕적이고 관대한 중국적 철학개념을 앞세우고 도광양회(韜光養晦)의 정신으로 인내하고 아직도 산적한 내치문제에 힘을 기울여야 한다. 세계에 대해서는 종갓집 장형(宗家长兄)의 더욱 너그럽고 포용적인 태도를 갖추고 대국으로서 모범을 보이는 방향으로 나가야 한다.

중국의 문제점을 가장 잘 표현한 세 마디가 있는데, 첫째로 관얼다이(官二代)로 세습하는 권력, 둘째로는 후얼다이(富二代) 같은 부의 세습, 셋째로 가난의 대물림인 충얼다이(窮二代)가 있다. 현재 당면한 중국의 문제점 전부를 말해준다. 중국은 부패한 권력이 자식 대까지도 힘을 발휘하는 후진성이 여전하고, 지난 몇 십 년간의 초고속 경제성장의 뒤안길에 나타난 심각한 빈부격차가 사회질서를 위협하는 수준에 이르고 있다. 그밖에도 불안정한 사회 전반에서 각종 사기와 불법거래가 판을 치고 있다. 소위 신용과 신뢰가 사회적 자산인 선진국 기준에는 한참 멀어서, 과연 대규모 집단 반란이 언제 일어날까 항상 불안하고 위태로운 상황이다.

도시(Urban)와 농촌(Rural)간의 심각하게 불균형한 경제적 생활수준 차이도 풀어야 할 숙제이고, 또한 금융계의 부패한 대출관행도 문제이다. 대부분의 은행 대출 담당자들이 대출금액의 5-10% 정도를 커미션으로 받아 챙기는 것은 너무도 익히 알려진 사실이다. 이러한 심각한 부패는 부실대출로 이어져 경제의 버블을 야기하게 되어있다. 또한 티베트, 신장 위구르 자치구의 독립운동도 간과할 수 없다. 아무리 중국정부가 한족의 집단이주 정책으로 이러한 지역적 모순을 희석시키고자 해도 풀기 어려운 숙제이다.

티베트의 승려집단은 거의 언제든지 무장단체로 변할 수 있을 정도로 항상 준비하고 벼르고 있다. 이에 따르는 종교적 갈등도 항상 내재되어 있다. 심지어 남부의 광저우와 같이 겉으로 평온해 보이는 곳조차도 수백 년간 쇄국을 표방했던 중국에서도 유일하게 개방을 했던 항구였던 탓에 이슬람의 종교세력이 생각보다 많이 퍼져 있다. 중국 북서부의 쓰촨, 칭하이, 깐수성에는 티베트인(중국 전체 약 500만 명)과 회족(무슬림 한족-약 1,000만 명)들이 섞여 사는 곳이 많고 이들 간의 분쟁도 매우 심각한 형편이다. 남서부의 윈난의 묘족이나, 광시 서남부(베트남 북부와 접경지역)의 몽족과 같은 소수민족들에게는 기독교가 매우 빠르게 퍼져 나가고 있어 종교적 갈등이 잠재되어 있기도 하다.

식품 안전문제도 너무 심각해서 과거 영아 멜라닌 분유 사태나 가짜 계란 문제 등이 수시로 일어나고, 거품경제로 인한 부동산가격의 불안정 등도 심각한 문제이다. 중국이 이런 숙제들을 잘 풀어야 더욱 용이하게 미래의 동아시아 3국이 평균수준을 맞추게 될 수 있을 것이다. 특히, 중국의 환경문제는 상상을 초월한 단계라서, 지금이라도 바로잡지 않으면 전 지구의 재앙이 될 심각한 문제이다. 북경을 위시하여 거의 모든 대도시가 심할 때는 한치 앞을 볼 수 없을 정도의 스모그(Smog) 대기오염을 일으키고 있다. 1952년 겨울, 런던에서 최악의 스모그 현상으로 1만 2천 명 이상의 사망자를 냈던 전례를 상기해야 한다. 심지어 중국의 미세먼지가 태평양을 건너 미국 서부연안까지 건너와 전 아시아 태평양지역을 오염시키고 있는 실정이다. 이밖에 식수부족, 산성비와 사막화문제도 심각하다.

이와 같은 환경에 관한 논의는 아무리 강조해도 모자랄 정도로 현 지구에 심각한 문제로 대두되고 있지만, 의외로 많은 정부는 이에 소홀히 대처하거나 아예 무시하는 방향으로 가는 면도 있다. 최근에는 트럼프 미국 대통령이 파리 기후변화협약을 탈퇴해서 국제적인 물의를 일으킨 바 있는

데, 이는 세계 공동의 환경보호 노력에 대한 무지막지한 배신행위라고 말하지 않을 수 없다. 더욱 더 자세히, 지금까지 환경에 대한 범 세계적인 논의를 살펴보면, 다음과 같다.

1992년 브라질 리우데자네이루 어스 서밋(Earth Summit)을 시작으로, 1995 베를린 맨데이트(Berlin Mandate), 1997 미국이 불참한 교토 프로토콜(Kyoto Protocol), 2007 인도네시아 발리(Bali) Cop-13, 2009 덴마크 코펜하겐(Copenhagen), 2010 멕시코 칸쿤(Cancun), 2011 남아공 더반(Durban), 2015 프랑스 파리 어그리먼트(Paris Agreement) 등이 있어 왔다. 최근에는 파리협약에서 각국이 전 지구의 온도를 평균 1.5℃-2℃로 줄이기로 결정했다. 참고로 지구 온난화의 주범으로 간주되는, 2013년에 추정된 각국의 CO2 온실 배기가스(Emissions) 배출량은 다음과 같다.

중국(China) 29%, 미국(USA) 15%, 유럽연합(EU) 10%, 인도(India) 7.1%, 러시아(Russian Federation) 5.3%, 일본(Japan) 3.7%, 독일(Germany) 2.2%, 한국(Korea) 1.8%, 이란(Iran) 1.8%, 사우디 아라비아(Saudi Arabia) 1.8%
Top 3(중국(China), 미국(USA), 유럽연합(EU) - 각국 총계의 54% Global Total, Top 6(중국(China), 미국(USA), EU, 러시아(Russia), 독일(Germany), 일본(Japan)) - 각국 총계의 70.1%

출처 : Global Carbon Project 2013(http://cdiac.ess-dive.lbl.gov/GCP/carbonbudget/2013/)

중국의 커다란 문제점 중 하나가 심각한 에너지부족 문제이고 급속한 경제발전으로 인한 전력 부족은 더욱 큰 문제이다. 이를 해결하기 위해 제일 저렴하고 손쉽게 건립할 수 있는 화력발전소를 많이 세우고 있고, 아직도 많은 가정에서 값싼 갈탄이나 연탄을 연료로 사용하고 있다. 이로 인해 개발도상국인 중국이 화석연료에 대한 의존도가 높아, 압도적으로 CO2 배출 문제를 야기하고 있고 그 다음이 미국이다. 양국은 자국들에 주어진

책임을 회피하지 말아야 하며, 해결을 위한 지대한 노력이 요구된다.

일본, 한국을 포함한 동아시아 3국도 세계적으로 보면 전 세계의 34.5%나 되는 CO2 배출의 주역이다. 그러므로 동아시아 3국은 각별한 책임의식을 갖고 긴밀한 협조를 통해 연도별 계획과 할당량을 정해 CO2 감량에 상당한 노력을 기울이고 개선해야 한다.

일본의 숙제

일본의 문제점들은 대 아시아 국민들에게 식민지 지배에 대한 사과와 보상이 부족했다는 데 있다. 조금이라도 더 과거 그들이 침략한 국가와 주변국의 경제발전에 협조를 아끼지 말아야 한다. 전후 평화헌법 채택 후 군사비 대규모 축소와 한국전쟁의 발발에 따른 비약적 경제성장을 인정해야 한다. 한국의 천문학적 방위비 부담과 과도한 군대를 유지함으로써 '방패막'이 되어 일본의 경제 안정과 성장이 이루어 질 수 있었다는 것을 인정해야 할 것이다.

일본은 과거 위안부문제에 관해서도 한국의 여러 곳에 설치한 소녀상에 대해 대단한 불쾌감을 표명하며 철거를 요구하고 있다. 그러나 막상 일본의 위정자나 행정 담당자들이 한번도 본심으로 그 사건의 본질에 대해 공식적으로 인정하고 실제적인 사과를 한 적이 없었다. 1995년 종전 50주년 기념식에서 무라야마 총리가 집권할 때 딱 한번 내각의 공식 담화로써 식민지지배에 대해 총괄적인 간단한 사과가 있었지만, 무라야마 총리가 곧바로 한일합병의 합법성을 주장하여 큰 물의를 빚었다. 또 하토야마 총리가 퇴임 후에야 한국에 와서 서대문형무소의 역사현장에서 무릎을 꿇고 사죄한 적이 있었다.

하지만, 그 뒤에는 여러 차례에 걸쳐 국민의 대표인 총리와 수 많은 국회의원이나 장관들이 야스쿠니 신사에 참배를 하고 은근히 식민통치와 태평양전쟁의 정당성을 과시해 왔다. 일본 위정자들은 항상 비신사적인 언어로 정식적인 사과는 교묘하게 피해나가고 있고, 역사 부정만을 거듭하고 있으니, 한국을 비롯한 주변국에 전혀 진실성과 신뢰를 줄 수가 없었다. 일본말에 혼네(本音)와 다테마에(建前)라는 말이 있는데, 나카소네를 비롯한 일본의 과거 많은 수상들의 하는 말과 행동이 본직에 있을 때와 다르게 퇴임 후에는 엉뚱한 발언으로 항상 주변국들을 들끓게 만들었다.

이러한 진실성이 부족한 비열한 정치 행태와 불쌍할 정도의 낮은 역사 인식은 반드시 고쳐져야 상대국가의 신뢰를 회복할 수 있다. 끊임없는 사과와 보상으로 전 유럽의 신뢰를 겨우 회복했던 독일의 반만이라도 흉내를 내면 될 텐데, 왜 반복적인 실수를 저지르는지 일본의 정치 지도자들의 진의를 알 수 없다. 일본정부는 하루 빨리 마음 깊은 곳에서 우러나오는 진정성을 보임으로 상대국가에게 지속적인 신뢰를 주어야 한다. 소녀상과 같은 한국이 자국의 신경을 거슬리는 행위를 저절로 철회하도록 만드는 노력을 해야 마땅하다.

이러한 신뢰회복은 거의 일본 천황 차원에서 직접 무릎을 꿇고 사죄를 해야만 할 정도의 큰 문제인데도 아직도 그런 인식이 전혀 없는 것이 더 큰 문제이다. 1990년 일본의 아키히토 천황이 조선 식민지배에 대한 사과의 말을 "통석(痛惜)의 염(念)"이라는 조잡한 표현으로 언어유희를 한 적이 있는데, 실로 현실 파악을 전혀 못하는 "상대국 멸시와 우롱"에 가까운 것이었다.

또한, "집단적 자위권" 행사를 위한 헌법을 개정하여, 언제든지 군사력을 동원할 수 있는 체계로 전환한 것은, 주변국에게 과거 일본의 제국주의적 행태로 회귀하는 것이 아닌가 하는 거부감을 주는 점도 극복해야 할 것이다. 일본은 과거 소위 "야마토 민족을 중핵으로 하는 세계 정책 검토"라고 하는 프로젝트를 1943년에 이미 끝내고 자민족의 타민족에 대한 우월성을 강조했다. 유교주의에 입각한 아시아 인종의 가족화를 추구했으며, 그 정점에 아버지와 같은 존재로서 일본민족이 그 역할을 맡아야 한다고 주장했다. 이는 과거 나치(Nazi)가 주장한 것과 비슷한 인종우월주의의 하나인 레벤스라움(Lebensraum)을 흉내낸 것으로 식민지지배와 전쟁의 당위성을 강조했다. 이 같은 어리석음에 대해서는 철저한 반성이 요구되는 바이다.

정치적으로 가장 큰 문제는 바로 아베 총리가 역사에 대한 문제의식이 전혀 없고 과거 일본의 군국주의의 망령에 사로 잡혀서 보수 우경화의 길로 치닫고 있다는 것이다. 지금 미국 주도의 미사일 디펜스 체계(MD System)에 스스로 들어가길 자원하여 동북아 평화행진에 역행하는 갖은 만행을 저지르고 있다.

특히 일본은 제2차 세계대전 후에서 현재까지 국민 총 GDP의 1% 미만의 군사비 지출을 유지해 왔는데, 아베 총리는 향후 이 이상 1.2%까지 늘릴 생각을 하고, 사드 시스템도 더 많이 도입하여 미국이 획책하는 동북아 중국 봉쇄정책에 선봉역할을 스스로 자임하고 나섰다. 아베는 출신성분부터 극보수주의를 표방하는 집안 출신이며, 지금 세계사적 시점에서 "일본이 어디로 가야 되는가?" 하는 데 있어서 매우 잘못된 방향으로 일본을 이끌고 있다.

이는 결코 동북아의 평화에 이득을 주는 방향이 아니라 긴장을 더욱 조성하고 군비 확충의 레이스로 빠져들게 만드는 어리석은 행위이다. 동북아의 평화를 위해서는 어떠한 긴장 조성이나 삼국의 공동 평화를 유지하는 데에 조금이라도 반대방향으로 나가는 것을 배제하는 것이 관건이다. 한중일 삼국은 가까운 미래의 공동번영과 발전을 위해서, 그 시작은 매우 어려울지라도 동아시아 공동체를 만드는 것이 필연적이다. 이러한 목표 하에서 정치, 경제, 외교 등이 포커스를 맞추어 나가야 더욱 복잡한 관계를 벗어나게 되는 것이다.

일본의 보수 우경화에 대해서는 "일본회의 にっぽんかいぎ"라는 보수단체에 대해 언급을 아니할 수 없다. "일본회의"는 천황제를 국민단결의 구심점으로서 받들어 신봉하고 평화헌법을 개정하는 데 중점을 둔 일본 최대의 보수단체이다. 1997년에 기존의 '일본을 지키는 국민회의'(1974년 설립)와 '일본을 지키는 모임'(1981년 설립)이 통합하면서 이루어진 극우 단체인데, 아베 총리를 비롯하여 일본 국회 내의 대폭적인 지지를 받는 일본 최대의 정치 로비 단체이다. 3만 5천 명의 실제 정 회비를 내는 회원이 있고, 현역 국회의원이 281명(전체 717명 중 참의원 242명, 중의원 475명), 그리고 전국의 47개 현에 지부가 있으며, 1,700-1,800명의 지방자치의원이 가입되어 있기도 하다.[29)]

이 단체는 대동아 전쟁의 당위성을 주장하며, 이 전쟁으로 아시아 제국의 해방과 독립을 보장받을 수 있었다고 강변한다. 전후 일본의 역사 교육은 전부 잘못되어 돌아가고 있으며, 전면적 개혁을 통해 전통적인 일본 프라이드를 재생하고, 도쿄 전범재판에서 기인한 자기비하의 시각을 바꾸어야 한다고 주장한다. 심지어 여성관도 문제인데, 결혼한 여성이 결혼 전의 본인의 성을 계속 쓰는 것을 반대하고 전통적 일본 가정에서의 남성 위주 위계질서를 존중해야 된다고 주장한다.

29) Koji Sonoda, 'NIPPON KAIGI AND GRASSROOTS MOBILIZATION OF JAPAN'S RIGHT WING', USJP Occasional Paper 15 page

그리고 영주권을 가진 외국인의 참정권을 반대하고, 미국과 일본의 동맹을 존중하고 한국과 중국이 일본 총리나 각료들의 야스쿠니 참배에 반대하는 것을 맹렬히 비난한다. 이 단체는 과거 역대 일본 총리들에게 보수 우경의 여러 정책을 실시하라는 계속적인 압력을 가해 왔는데, 아베 총리가 처음으로 적극적으로 이것을 수용하고 내각에 이 단체 소속의 각료를 19명 중 15명이나 지명하여 논란이 벌어지기도 했다.

일본의 평화헌법은 그 자체로도 세계적으로 내놓고 충분히 자랑할 만한 매우 평화적이고 이상적인 것이다. 다른 나라에 대한 침략을 절대적으로 부정하고, 군대보유와 전쟁금지를 표방한, 세계의 모든 국가가 따르고 본받아야 할, 세계평화의 대안으로도 훌륭한 이러한 헌법을 왜 거꾸로 자꾸 고치려고 드는지 알 수 없는 노릇이다. 이는 모든 일본 국민들이 합심하여 막아야 할 일이다. 일본은 과거 몇 십 년간 세계적 열강이었음에도 불구하고 군비에 GDP의 1% 수준을 능가해서 쓰지 않는 이런 훌륭한 정책을 앞세워, 세계 각국에 이러한 자랑스러운 철학이 깊은 국가 정책을 한국과 함께 주도해야 될 입장이다.

한국도 결국 이런 일본을 본받아 곧 GDP의 1%이하로 군비를 축소하는 정책을 따라가서 일본과 함께 세계 평화운동을 주도해야만 한다. 하지만 최근 군사대국화와 군국주의의 부활을 연상케 하는 아베 내각의 행보는 기존의 일본이 평화를 지키려는 노력을 하고 있는가에 의문을 던지게 한다. 아베 내각은 일본이 그 동안 견지해 왔던 '무기 수출 3원칙'을 깨고 '방위장비 이전 3원칙'을 다음과 같이 새로 개정 보완했다.[30]

30) 김윤규, '방위 산업' HMC 투자증권, 2014.

• 국제조약/유엔 안보리 결의 등을 위반한 국가, 분쟁 당사국에는 무기수출 금지
• 평화공헌/국제협력과 일본 안보에 기여할 경우 무기수출 허용
• 목적 외 사용과 제3국 이전은 일본 정부의 사전동의 필요

방위장비 이전원칙

출처 : 김민희. '日, 무기까지 내다 판다.' 서울신문. n.p., 11 03 2014. Web. 3 May 2017. http://www.seoul.co.kr/news/newsView.php?id=20140311012009.

이로써 일본은 전에 없는 본격적인 무기수출의 궤도에 올라타려고 하고 있다. 무기산업의 번성과 첨단 기술발전이 무기제조와 저절로 결합될 수는 있어도, 각국이 공히 GDP대비 1% 지출의 기준을 일제히 정해 놓는다면, 아무리 자유경제체제라 할지라도 신기술과 무기의 결합과 같은 그러한 방향은 고삐를 잡을 수 있을 것이다. 인류 평화와 세계각국의 균형 잡힌 예산집행을 위해서 별다른 뾰족한 방법이 없기 때문에 이러한 제도가 유일한 대안으로 더욱 필요한 것이다. 전 세계의 무기업자와 이와 결탁한 군부, 행정부의 온갖 방해에 맞닥치더라도 세계인은 모두 힘을 합쳐 전 인류의 평화와 공존을 위해 이러한 것을 반드시 관철해야만 한다.

일본의 관료들은 한국 관료들에게 우스개 소리로, "한국은 정책을 짜는데 참 편하겠다"라는 소리를 많이 한다. 왜냐하면, 일본이 한국보다 모든 경제현상이나, 사회 문화 등, 다방면에서 한 20년 정도 앞서 가니, 일본에서 채택해 성공한 정책은 그대로 받아서 따라 하면 되고, 실패한 것은 내버리고 다시 짜면 되니 편하게 정책관리를 할 수 있지 않느냐는 뜻이다. 이는 맞는 말이다. 일본을 항상 자세히 들여다봐야 한국이 보인다.

물론 국가정책이란 그렇게 단기간에 기획하여 실행될 일은 아니고, 더 많은 시간이 걸리고, 또한 구미 선진국의 정책도 연구를 많이 해야 한다. 그러나 일본은 특히 가까운 곳에서 더욱 들여다보기가 편한 면이 많기 때문에 일본에서 일어나는 일들을 항상 꿰고 있어야만 한다. 한국 스스로

더 창조적이고 세계를 리드하는 정책으로 먼저 선도해 나갈 시점도 되었지만, 항상 주변 국가의 성공과 실패를 타산지석으로 삼는 것도 병행해야 한다.

일본은 지난 20년간 18명의 수상이 바뀔 정도로 정치가 너무도 불안하다는 것이 가장 큰 문제이다. 전후 4-50년간 안정을 추구하는 국민들의 협조로, 보수정당인 자민당이 절대다수 의석 하에서 정치와 경제의 안정 상태를 이끌어 왔었는데, 과거 20년간을 경제도 안 좋아진 마당에 자민당의 실세였던 오자와 이치로 씨가 탈당을 해서 민생당을 만들고, 호소카와 전총리가 이끄는 일본신당과 같이 연립내각을 만들었다. 여러 과정을 거쳐 신진당으로 합쳤다가, 오자와가 신진당을 해산하고 자유당을 결성하여 또 하토야마 유키오의 민주당과 합했다.

동경도지사였던 이시하라 신타로는, 오사카 도지사였다가 자기를 따르는 동료에게 도지사 자리를 물려주고, 오사카 시장선거에 나와서 또 시장이 된 극우파 하시모토 도루와 의기투합해서 일본 유신회를 만들었다. 지금은 서로 또 갈라섰지만 일본에서 가장 대표적인 우익정당이다. 민주당은 이 극우파 유신회와 합쳐 민진당으로 바뀌고, 오자와는 또 탈당을 해서 일본미래당(일본 생활당으로 개명)으로 갈아타게 된다. 그동안 당연시 했던 자민당과 공명당의 공조도 더 이상 이뤄지지 못하고 안정을 찾지 못하고 있다. 지금은 자민당의 아베 신조 수상이 계속 집권하고 있는 게 그나마 다행이다.

일본은 이러한 매우 불안정한 정치 상황 이외에도, 경제적으로도 문제가 많이 적체되어 있다. 한국의 향후 20년 후에 일어날 표본이며, 또 일부는 지금 당장 한국과 똑같은 일이 벌어지고 있는 문제점이기도 하다.

일본경제의 문제점을 자세히 들여다보면,[31] 다음과 같다.

첫째, 일본 은행들의 자금운용을 보면 크게 대출(가계 대출/기업대출)과 유가증권(주식/채권) 투자로 볼 수 있다. 대출은 가계소비 위축으로, 내수기업은 매출감소로, 더 이상 대출에 의한 투자를 못하고, 투자위축으로 은행 돈을 더 이상 빌려 쓰지 않고 기업은 사내 유보금만 쌓인다. 이는 정확히 앞으로 한국경제의 상황과 흡사하게 나타날 확률이 매우 크고 실제로도 한국경제가 이러한 방향으로 가고 있는 추세라서 눈여겨봐야 한다. 일본의 1998년 기업대출은 63%였는데, 2014년에는 39%로 하락한 것이 그 증거이다. 오히려 채권투자는 13%에서 24%로 증가했는데, 특히 일본은행의 국채에 대한 투자는 6%에서 20%로 치솟았다. 이는 일본의 국가채무가 계속 증가하고 있다는 증거이기도 하다. 그리하여 채권금리(10년 만기)가 하락해 90년대 국채금리가 7%였는데, 98년도에는 1.5%로 하락하고 지금은 마이너스로 돌아섰다. 금리가 계속 떨어지고, 그에 따른 채권수익률도 자꾸 떨어진다. 일본의 대부분의 보험회사는 역마진이 나서 파산이나 합병(13개에서 4개로 통폐합)으로 구조 조정을 받을 수밖에 없었다. 2016년 한국을 보면 보험회사의 부채 이자율은 4.6%인데 자산운용의 수익률은 4.4%였다. 국민연금의 지난 5년간 평균 투자 수익률이 -0.5%이었는데, 이는 일본과 마찬가지로 국내 기업에 투자해서 이익 내기가 매우 어렵다는 것을 보여준다.

둘째, 일본의 기업자금 대출을 살펴보면, 2011년에 76조 6,050억원이었는데, 2015년에는 15조 458억으로 줄어들었고, 이 현상은 계속 진행되고 있다

31) 김영익. '0%대 금리시대 대비하라.' 중앙시사매거진. n.p.14 06 2016. Web. 21 March 2017. https://jmagazine.joins.com/economist/view/311857.

셋째, 일본 국내 총 저축률도 35.4%로 총 투자율 28.5%을 넘어서 자금이 남아도는 현상이 도처에서 계속 발생한다.

우리나라도 2-3년 내로 기업 잉여자금 초과현상으로 일본과 똑같은 전철을 밟을 것으로 예상된다. 이러한 일본의 문제점을 속속들이 파악해야, 같은 현상으로 한국에도 몰아 닥치게 될 가까운 미래에 완전무결하게 대비할 수 있다. 투자가 부실하고 자금이 남아 돌아가는 한국의 현실도, 당연하고 자연스럽게 북한에 대한 투자로 전환되어야 될 시점이 곧 닥칠 것이다.

일본은 1969년 독일을 제치고 G2로 부상한 이후, 2010년 중국에게 G2 자리를 내어주기까지 40여 년간 세계 제2의 강대한 경제력을 가지고 있던 국가였다. 그런데 알다시피 일본이 잃어버린 20년이라고 해서 1990년 초부터 힘을 못쓰고 경제력이 하강하고 있다. 그 사이 다른 나라들은 많이 발전했고, 특히 중국은 엄청나게 부상했다.

적도에 걸쳐 있는 에콰도르라는 나라가 있는데 그 옆에 갈라파고스라는 섬이 하나 있다. 이 갈라파고스섬이 왜 유명하냐 하면 다윈이 진화론을 쓸 적에 여기서 영감을 얻었기 때문이다. 이곳은 대륙에서 멀리 떨어져 있는데, 독자적인 생물 시스템을 가지고 있었다. 다윈은 이 섬의 동물, 식물들이 기존의 다른 대륙과는 상이함을 보고, 진화의 모티브가 된다고 생각했다.

세계 3위의 경제력을 가지고 있는 일본에서는 지금 갈라파고스 현상이 벌어지고 있다. 학자들은 갈라파고스(Galapagos)를 잘라파고스(Jalapagos)라고도 말한다. 이를 처음 언급한 사람은 나츠노 다케시(夏野剛)라는 일본 게이오대 교수인데 2007년도에 일본이 자기나라 특유의 어떤 시스템 내에서 자국 위주의 편의로 모든 것을 개발하고, 소비자 위주로 가다 보니까 국제적 스탠다드를 잃어버리기 시작하는 것에 대한 우려로 주장한 것이다.

그리고 사카키바라 에이스케라고 90년대 일본 대장성 국제금융국장이 있는데, 사람들은 그를 '미스터 엔'이라고 불렀다. 한창 일본의 경제성장과 경제력이 최고조에 달했을 적에 엔화를 올리고 내리며 세계를 좌지우지했던 것으로 아주 유명한 인물이다. 그는 "일본인은 왜 국제인이 될 수 없는가(日本人はなぜ国際人になれないのか)"라는 책에서 이런 잘라파고스 현상에 대해 '일본이 이래서는 안 된다'라고 주장했다.

일본이 전 세계 평준(Standard)에서 자꾸 밀리고 있다. 언어 면에서만 봐도 그렇다. 왜냐하면 일본은 번역시스템이 워낙 잘되어 있다. 그들이 메이지 유신 이후에 개항할 때부터(그 전에도 난학이라든지 많은 것을 받아들였지만), 특히 근대 이후로 번역시스템이 너무 잘되어 있어서 꼭 영어를 할 필요가 없었다. 그러나 전 세계 고급 텍스트의 60%가 다 영어다(참고로 한국어는 0.4%라고 한다.).

한국도 그렇지만, 유럽에 있는 공대생들도 자국언어로 쓰인 책을 보지 않고 전부 영어로 된 책을 읽는다. 이런 가운데 독일어, 스웨덴어, 덴마크어, 핀란드어가 거의 사어가 되어가고 있다. 앞으로는 영어가 국제 공용어이다. 이렇게 세계 각국의 인터넷 영어정보의 범람과 각 지역 간의 교류와 소통의 필요성이 초단위로 요구되는 이 현시대에서 영어를 읽고 해득할 수 없고, 말하지 못한다면, 그것은 거의 문맹이나 다름없는 것이다.

이를 거스르고 우리나라와 일본만 독자적으로 나갈 수가 없다. 한편 기술력이 아주 떨어져 자국의 검색엔진이 너무도 약한 제3세계의 청소년들이 영어로 되어있는 구글로 아주 어릴 때부터 직접 들어가 영어로 검색하는 경향이라(Googling), 이들의 영어 경쟁력은 이미 상당한 수준으로 올라가고 있다. 동남아시아만 보더라도, 인도네시아, 베트남, 말레이시아, 태국의 신세대 학생들의 영어실력이 일본이나 한국의 청소년보다 훨씬 출중하다. 한일 양국은 앞으로 더욱 개방적이고 집중적으로 펼쳐질, 인터넷을 통한 지식혁명의 시대에서 상당히 뒤처질 수도 있다. 우리 국민은 모두가 국제사회에서 뒤처지는 영어 문맹이 되지 않도록 각고의 노력을 펼쳐야 한다.

일본은 지난 1세기 동안 아시아의 유일한 자존심으로서 세계 만방에 그 아시아적 가치와 경제력을 마음껏 보여주어 왔다. 일본이라는 나라로 인해 한국 국민도 경제가 발전하고부터는 단기간 내에 세계 무대에서 일본인과 거의 동일하게 대접을 받게 되었고 그 여파로 기술의 한국 이미지가 동반상승, 무임승차를 하게 된 것은 틀림없는 사실이다.

일본은 뭐라고 해도 여전히 세계 최고 수준의 문화력, 제조능력(もの造り), 국민 개개인의 교양과 시민성이 있다고 보인다. 정치적으로 보수, 극우주의로 돈다고 하지만 그 정도는 충분히 극복할 수 있는 집단지성도 있다. 이것을 바탕으로 동아시아의 아직까지 덜 발달된 문화 면에서 계속 리더로서 역할을 해주어야 한다.

한국과 북한의 당면 과제

한중일 삼국의 동아시아 공동체 성립에 관한 문제점 중 한국 측과 관련된 문제부터 살펴 보겠다. 첫째로 한국은 남북간의 치열한 대치로 긴장이 고조되어 군비 증강을 지속해 왔다. 이로써 동아시아에서 주변 국가들의 정세 불안감 형성에 매우 악영향을 끼친 것을 한국은 직시해야 한다. 북한의 상대적 빈곤, 정치, 경제의 후진성은 상당기간 동아시아 공동체 형성에 부담이 될 것이란 것을 알고, 속히 이런 현실을 바로 잡는데 최선을 다해야 할 것이다. 현대사회에서 왕조국가가 아닌 나라에서 삼대에 걸쳐 정권을 이양한 나라는 북한이 최초이며, 상상도 할 수 없는 행정마비, 인권유린과 심각한 경제적 궁핍(개인 국민소득 약 1,200불-캄보디아 수준)을 겪고 있다.

북한은 정치체계, 경제, 사회, 문화 등 모든 면에서 정말 참혹하고 한심한 지경이지만, 이럴수록 경제협력을 도와주고 개혁과 개방을 이끌면, 자연히 다른 모든 비민주적인 부분은 개선이 되면서 따라올 것이다. 그러니 우선 경협부터 시작해야 할 것이다. 세계의 대부분의 국가가 겪어온 과정을 보면, 우선 산업화에 성공을 한 후에 민주화도 자연히 따라서 오는 경우가 태반이었다. 현재의 북한 인권수준을 너무 비판만 할 것이 아니라 우선 먹고 사는 문제를 인도적 차원에서 해결하도록 도와줘야 한다.

과도한 주체사상으로 물들어 있는 북한은 3대에 걸친 김씨 왕조를 각종 허무맹랑한 신화를 만들어 조작하고, 또 지속적인 우상화 작업으로 거의 종교와 같은 수준으로 신격화해 왔다. 북한이 이러한 허상을 극복하는 데는 많은 시간이 걸릴 것이다. 국제사회의 웃음거리로 전락하고 있는 이러한 우상화 작업은 북한 자체뿐만 아니라, 미래의 동아시아 협력에도 전혀 도움이 되지 않는다. 북한은 이를 당장 그만두어야 하고 민생과 인민들의 실용적인 교육에 더욱 힘을 써야 한다.

각종 한글 위주의 언어정책도 곧바로 포기하고 영어와 한자도 어릴 때부터 가르쳐야 한다. 남한과 마찬가지로, 한자와 컴퓨터 프로그래밍/소프트웨어 기초교육과 영어는 반드시 어릴 때부터 집중적으로 교육과정에 집어 넣어야 한다. 과거 일본도 이러한 민족 주체주의에 입각하여 어린이들의 영어교육이 특히 늦어졌는데, 이는 현재에 와서 글로벌한 국제주의(Internationalism) 실현에 엄청난 발목을 잡고 있는 것이다. 일본은 지금 초등학교 3학년부터 기초 영어교육을 가르치고 5학년부터 정규 필수과목으로 영어수업을 하고 있지만, 이것도 상당히 늦는 것이다. 초등학교 1학년부터 정규과목으로 가르쳐야 한다.

남한에서는 영어가 중학교 1학년부터 정규 과목이고, 북한에서는 영어는 물론이고 세계기준에서 한참 뒤떨어진 정책을 계속해오고 있다. 동아시아 공동체의 일원으로 하루 빨리 경제 협력체제를 이루는 데에 총력을 기울이고, 그 사이에는 각 국민은 영어, 중국어와 같은 국제 통용어는 대화하는데 문제없는 수준으로 아주 어릴 때부터 필수적으로 배워 놓아야 한다. 지금도 그렇지만, 앞으로 중국, 일본으로 다양한 각종 고급, 중급 인력의 취업과 협력이 더욱 빈번해지고 상호 협력해야 할 일들이 무수히 발생할 수 있다. 그러므로 주위의 다른 국가보다 최소한 언어 면에서라도 경쟁력을 확보해야만 한다.

영어도 문제지만, 한자에 대해서 잘 모르는 것도 문제이다. 과거와 같이 신문 잡지에서도, 학교 교과서에도, 최소한 일본과 같은 수준으로 한자혼용을 즉시 시행해야 한다. 한국과 북한은 수천년간 쌓아왔던 한자문화자산을 누가 어떻게 관리할지 고민해야 한다. 이렇게나마 저변이 확대되어 있지 않으면 앞으로 더욱 더 어려워질 것이 뻔한다. 미래 백 년을 내다보면 당연히 해야만 되는 것을 하지 않고 유기하는 정책인 것이다.

과거 미국이 1870년대부터 세계 최강의 경제대국으로(1916년에 와서야 영국 코먼웰스-Commonwealth of Nations의 총 GDP를 능가하기 시작했지만) 성장하기 시작하면서, 이후 영국에서 각종 직업의 인재와 기술이 미국으로 건너가기 시작한 것만 봐도, 자연스럽게 한국에서도 세계 최강의 경제 강국이 될 중국에 대한 수요는 충분히 예측 가능한 것이다. 이에 대비하기 위해서는 학과교육을 통해 필수 과목으로 영어, 중국어의 이수학점제도 실시가 요구된다. 각 국민은 영어, 중국어와 같은 국제 통용어는 대화하는 데 문제없는 수준으로 아주 어릴 때부터 필수적으로 배워 놓아야 한다.

일반적으로 세계 언어학자들의 공통된 의견은 오늘날과 같은 세계의 교통, 통신, 인터넷발달로 전 세계 언어의 90%가 머지않아 사라지게 되고, 300년 후에는 영어, 스페인어, 그리고 중국어만 지구상에 남을 것이라고 전망한다. 영어가 세계의 주된 공통언어로 쓰이고 나머지 언어는 바이링구얼(Bilingual)로 구사하게 될 것이라는 의견이다. 뉴질랜드의 스티븐 피셔(Steven Fischer)라는 언어학자는 심지어, 향후 200년 후에는 영어로 동질 표준화되어 "극소수의 언어를 빼고 지구상의 모든 언어는 사라질 것이다"라고 예견했다.

이는 통역기, 번역기 등 소프트웨어의 발달을 감안한 것이기도 하다. 결국은 한글, 일본어도 없어질 것이고 문자보다는 소리언어로만 겨우 남아있게 될 가능성이 크다. 아시아 전 지역에서조차도 영어와 중국어로 말할 것이며, 현재 사용되고 있는 각국의 언어는 실제 사용되지는 않을 전망이다.

물론 여기에 반대하는 학자도 있다. 노엄 촘스키(Noam Chomsky)의 제자로서 번역 소프트웨어의 발달과 영어사용지역의 출산율저하에 따른 인구감소로 영어가 그렇게 전 세계적인 지배언어가 되지 못할 것이라 예견하는 MIT의 니콜라스 오스틀러(Nicholas Ostler)가 대표적이다. 이것은 우리에게 많은 중요한 점을 시사한다. 뭐가 어떻게 될지라도 결국 앞으로 가면 갈수록 영어, 중국어의 중요성은 말할 필요가 없는 것이다.

일본은 한자를 계속 써왔기 때문에 중국과 기본적인 소통을 하는 데 크게 문제가 없지만, 한국의 경우는 전혀 한자교육이 되어 있지 않아, 한자교육을 다른 상대국가와 맞추어 강화해야 한다. 몇 천 년간 써왔던 한자를 불과 4-50년 전부터 민족주의인지, 폐쇄주의인지 알 수 없는 논리에 의해 쓰지 않게 되어, 앞으로의 더 큰 세계문화에 합류할 수 있는 기회를 잃어버리게 된 것은 매우 안타까운 일이다.

오늘날처럼 다국어를 접하기 쉬운 환경에서, 베네룩스 3국을 비롯한, 스위스, 북유럽의 스칸디나비아 3국 등지에서 3-4국어를 유창하게 하는 것은 그다지 어렵고 신기한 일이 아니다. 중국 국내만 해도 그렇다. 북경 표준어인 만다린(Mandarin)을 당연히 표준어로 하고, 그밖에 각 지역에서 자기 본향의 말을 유지하며, 인근지역의 언어 포함하여, 3-4개 언어를 구사하는 것을 당연한 일로 생각한다.

홍콩지역만 보아도 지역언어인 칸토니즈(Cantonese)를 바탕으로, 영어는 공용어로서 당연히 구사를 하고, 만다린은 중국 표준어로 구사한다. 그밖에 또 다른 인근 지역의 언어도 개인에 따라 자연스럽게 하는 것이 보편화되어 있다. 유태인들도 마찬가지로 영어는 필수이고, 본국의 히브리어와 프랑스, 독일, 스페인어 등 각기 출신지역의 영향을 받아, 3-4개국의 언어를 자연스럽게 습득한다. 어려서부터 당연한 일로 여기게 되면 그렇게 되는 것이다.

초등학교, 중학교, 고등학교도 마찬가지로, 각 학제의 졸업 시에는 국가 공인기관에서 시행하는 인증시험의 영어, 중국어를 몇 점 이상 일정 점수를 따야 졸업시키고, 그렇지 않으면, 과락 유급 시키는 제도를 반드시 시행해야 한다. 언어란 1년만 열심히 공부하면, 어지간한 회화는 다 되게끔 되어 있다. 초중고 12년을 학교에 붙들어 두는데, 영어, 중국어

등 세계에서 사용비중이 큰 언어를 제대로 공부 못하고 졸업한다는 것은 큰 문제다. 특히 초등학교를 마칠 때가 되면 어지간한 기본적인 영어회화는 다 할 수 있도록 해야 한다. 이점에 있어서 교육 당국과 학교 선생들의 책임도 엄격하게 물어야 될 형편이다.

이러한 정책과 더불어, 속히 단계를 밟아 한중일의 초 대규모 인적, 문화 교류부터 시작하여야 한다. 예를 들어 한중일의 중, 고등학생 청소년 교환학생들의 수를 다만 6개월이라도 의무적으로 몇 십만 명 수준으로 늘리고, 끊임없는 인적 교류와 상호 이해를 높여 나가야 한다. 이런 과정에서 상호 이해도를 높여야 각국 간에 산재해 있는 여러 문제점을 바로 잡아나갈 수 있다. 한중일의 어느 학제에 어느 학교를 다니더라도 공동 학점 인증제도가 가능하도록 속히 실시되어야 한다.

한국의 교육부는 현 시점에서 불필요한 대학의 인가나 인구 감소로 더 이상 필요치 않고 넘쳐나는 사립 중, 고등학교 설립과 유지에 수십억, 수백억의 보조금과 그 교사들 급여까지 모조리 지급할 생각을 하지 말고, 청소년시절에 국제감각과 다른 문화와 언어를 접하게 하는 정책에 예산을 아끼지 말아야 할 것이다. 이 같은 정책이 결국은 3국의 소통에도 도움이 되는 것은 말할 것도 없고, 청소년들의 시야와 세계관의 지평을 넓혀 자국과 동아시아 전체의 경쟁력을 확보하는 데도 크게 도움이 될 것이다. 앞으로는 한중일의 청소년들이, 국경에 관계없이 일자리와 상호 협력, 공동 개발, 문화 발전에 같이 소통할 일이 더욱 더 많아질 것에 속히 대비해야만 한다.

가장 학습에 대한 흡수가 빠르고 편견 없이 상대방을 받아들일 수 있는 나이에 대규모로 교환학습을 하여야 효과도 극대화된다. 세계의 동서양, 선진국, 후진국 어느 곳의 대학을 가봐도 신세대 젊은이들은 정확하게 세상을 파악하고 있고, 또 이미 변화를 너무도 잘 받아들여 탄력이 있고 또 어떤 세대보다 세련되어 있다. 신세대들은 신문화를 따라가고 만들어나가고, 현 지구의 문제점을 누구보다도 잘 이해하고 고치는 데 일조를 하고 싶어한다.

정작 문제는 기득권을 가지고 어떻게든지 기존의 자기 이익에 관련된 체제만 유지하려고 하고, 변화를 귀찮아하고 두려워하는 기성세대에 있다. 그들이 먼저 바뀔 자세를 가져야 하는데, 아집으로 똘똘 뭉쳐서 도무지 움직이려 하지 않는다. 참으로 비통한 현실이다. 그들도 시대와 세계에 맞게 변해야 한다.

통일 한국과 동아시아 및 세계

한편, 통일한국이 어떻게 동아시아의 평화와 번영, 발전을 가져다 줄 것인지 생각해 보자. 우리나라의 미래에, 북한과 통합하는 때가 오면 많은 경제적인 면에서 일본을 능가하게 된다. 골드만 삭스에서 발표한 2050년 국가별 GDP와 2050년 예상 국민 총생산액을 미화로 표기하면, 다음과 같다.

2050년 가상 GDP	
중국	44조 7,000억
미국	37조 2,000억
인도	28조 9,000억
브라질	7조 3,000억
일본	7조 2,000억
러시아	5조 7,000억
한국	4조 2,000억

2015년 수출입 총계	
중국	3조 9,570억
미국	3조 8,130억
독일	2조 3,790억
일본	1조 2,730억
홍콩	1조 2,170억
영국	1조 860억
프랑스	1조 790억

독일	4조 500억	네덜란드	1조 730억
		한국	9,630억
		이태리	8,680억

개인소득(Per Capita)은 한국이 6만 달러이고, 일본이 5만 5,000달러이다. 총 GDP는 독일을 비롯한 어느 유럽국가보다도 더 높다. 이 같은 상황에서는 한국의 시대가 분명히 도래한다. 남북한간의 갈등이 해소되고 최소한의 경제 협력으로 시작해 점점 그 폭을 넓혀나가다 보면, 소위 폭발적인 비상(Take Off)이 가능하다. 동아시아에서 지난 1978년 등소평이 시장경제와 사회주의 정치노선을 혼합하여 실용주의를 표방하며 개혁 개방을 주도한 지 40여 년 동안, 중국이 가져다 주었던 경제성장의 동력을 한반도에서 이어받아, 세계경제를 리드하는 견인차가 될 것이 확실하다.

2016년 IMF가 발표한 기준으로 GDP 총생산액은 한국이 1조 4,043억 달러이고, 일본은 4조 7,300억 달러로 일본의 1/3도 안 된다. 국민 개개인의 소득은 일본이 3만 400달러, 한국이 2만 8,000달러이니, 일본이 한국보다 1.3배가 높지만, 한국이 굉장히 분발하고 있다. 2015년도 수출액으로만 보면 아래 WTO도표에서와 같이 세계 6위에 있고, 수입과 수출(Import/Export) 합친 총액을 보면 9위에 랭크 되어 있다. 수입 수출 총액도 2015년까지는 홍콩, 네덜란드를 능가한 세계 7위였는데, 1년 사이에 하락한 것이다.

이것은 한국이 무역총액으로 이태리는 이미 능가했으며, 영국, 프랑스, 네덜란드는 곧 따라잡을 것임을 보여준다. 일본이 1조 2,700억 달러가 되니 한국보다 조금 더 많다. 북한과 합치면, 북한을 중심으로 한국이 주도하는 새로운 디자인과 부가가치를 더한 경공업제품이 급작스럽게 늘어나 세계 5위 내로 급부상한다.

Rank	Exporters	Value	Share	Annual % change	Rank	Importers	Value	Share	Annual % change
1	China	2275	13.8	-2.9	1	United States	2308	13.8	-4.3
2	United States	1505	9.1	-7.1	2	China	1682	10.0	-14.2
3	Germany	1329	8.1	-11.0	3	Germany	1050	6.3	-13.0
4	Japan	625	3.8	-9.5	4	Japan	648	3.9	-20.2
5	Netherlands	567	3.4	-15.7	5	United Kingdom	626	3.7	-9.4
6	Korea, Republic of	527	3.2	-8.0	6	France	573	3.4	-15.4
7	Hong Kong, China	511	3.1	-2.6	7	Hong Kong, China	559	3.3	-6.9
	- domestic exports	13	0.1	-16.2		- retained imports	134	0.8	-10.7
	- re-exports	498	3.0	-2.2					
8	France	506	3.1	-12.8	8	Netherlands	506	3.0	-14.2
9	United Kingdom	460	2.8	-8.9	9	Korea, Republic of	436	2.6	-16.9
10	Italy	459	2.8	-13.4	10	Canada a	436	2.6	-9.1
11	Canada	408	2.5	-14.0	11	Italy	409	2.4	-13.8
12	Belgium	398	2.4	-15.7	12	Mexico	405	2.4	-1.5
13	Mexico	381	2.3	-4.1	13	India	392	2.3	-15.3
14	Singapore	351	2.1	-14.5	14	Belgium	375	2.2	-17.5
	- domestic exports	174	1.1	-19.6					
	- re-exports	177	1.1	-8.7					
15	Russian Federation	340	2.1	-31.6	15	Spain	309	1.8	-13.8
16	Switzerland b	290	1.8	-6.9	16	Singapore	297	1.8	-19.0
						- retained imports c	120	0.7	-30.5
17	Chinese Taipei	285	1.7	-10.8	17	Switzerland b	252	1.5	-8.7
18	Spain	282	1.7	-13.2	18	Chinese Taipei	238	1.4	-15.7
19	India	267	1.6	-17.2	19	United Arab Emirates d	230	1.4	-8.0
20	United Arab Emirates d	265	1.6	-29.3	20	Australia	208	1.2	-12.0
21	Thailand	214	1.3	-5.8	21	Turkey	207	1.2	-14.4
22	Saudi Arabia, Kingdom of	202	1.2	-41.1	22	Thailand	203	1.2	-11.0
23	Malaysia	200	1.2	-14.6	23	Russian Federation a	194	1.2	-37.0
24	Poland	198	1.2	-10.0	24	Poland	193	1.1	-13.9
25	Brazil	191	1.2	-15.1	25	Brazil	179	1.1	-25.2
26	Australia	188	1.1	-21.9	26	Malaysia	176	1.0	-15.7
27	Viet Nam	162	1.0	7.9	27	Saudi Arabia, Kingdom of d	172	1.0	-0.9
28	Czech Republic	158	1.0	-9.7	28	Viet Nam	166	1.0	12.3
29	Austria	152	0.9	-14.5	29	Austria	155	0.9	-14.7
30	Indonesia	150	0.9	-14.8	30	Indonesia	143	0.9	-19.9
	Total of above e	13848	84.0	-		Total of above e	13126	78.3	-
	World e	16482	100.0	-13.2		World e	16766	100.0	-12.2

출처 : 세계무역기구(The World Trade Organization) www.wto.org

통일을 전제로 한다면, 통일된 후에 세계에서 한국이 엄청난 강국으로 부상할 것을, 많은 투자가나 미래학자들이 한결같이 예견하며, 한국의 미래에 대해서 많은 기대를 하고 있다. 한국은 분명히 미래가 밝은 나라이다. 남북한의 통일은 지난 수십 세기의 해양세력과 대륙세력의 충돌이 빈번했던 한반도의 지정학적 난제를 극복하고 더 이상 이러한 비평화적 충돌이 일어나지 않도록 종지부를 찍어, 동아시아의 평화를 영구히 지속시킬 수 있는 계기를 마련할 뿐만 아니라, 세계에서도 그 모범적인 사례를 보여줌으로써 세계 평화에도 크게 이바지할 수 있을 것이다.

동아시아와 서양 문명 비교

서양 문명의 발전 과정

이집트와 메소포타미아 지역에서 강 유역의 지형, 지물을 최대한 활용하여 인류의 세계 4대 문명 중 두 개의 문명이 이웃을 이루며 발생하였다. 이 두 문명은 위치적으로 다른 문명발상지보다 비교적 지리적으로 가까워 상호 상승효과를 가져왔다. 이 두 문명은 동아시아 최초의 황하문명보다 시기적으로도 많이 앞서 나갔고 이집트, 수메르, 바빌로니아, 히타이트, 아시리아 문명을 거쳐 레방트 지역(지금의 레바논 시리아지역)으로 모여서 에게해의 수많은 섬을 지나, 고대 그리스의 미노스 문명을 탄생시키며 유럽 쪽으로 이어지는 발판이 되었다.

즉, 고대 오리엔트와 이집트 문명이 추후 페니키아의 해양문명을 업고 비교적 항해하기가 좋은 잔잔한 지중해를 매개체로 서양문명의 뿌리라고 읽히는 고대 그리스, 로마문명으로 이어지기가 용이했던 것이다. 지형상으로도 사막과 산악지대로 이어지는 동진보다는 서진으로 평평한 레방트 지역과 연결되어 지중해를 넘어가기가 훨씬 쉬웠다.

그 후 결정적으로 고대 그리스인이 자음만으로 이루어진 페니키아 문자(시나이 문자로부터 유래)를 기초로 모음을 추가하면서 그리스 알파벳 문자가 탄생되었다. 훗날 이러한 편리한 모음 추가 방법은 역으로 이집트의 콥트 문자에 그리스 문자가 영향을 주기도 하였다. 이 고대 그리스의 선진화된 문자 시스템이 동 지역의 경제, 과학, 철학 및 문화 소통에 크게 기여를 하였고 동시대 세계 어느 지역보다도 문명의 레벨이 앞서게 된 원인이 되기도 했다.

문명의 발달을 가늠하는 척도 중 하나가 문자의 발명이다. 중국에서

BC 2-3000년대의 청동기에 새겨진 금문이나 다른 초기 형태의 문자체계의 존재를 감안하더라도 동아시아에서 가장 먼저 본격적인 문자의 형태를 쓰기 시작한 것은 상나라의 갑골문자(BC 1200-B.C 1050년)부터이다. 그런데 이 시기는 이집트의 상형문자(Hieroglyph B.C 4000-AD 394년)나 메소포타미아의 쐐기문자(Cuneiform Script수메르어 BC 3000년)가 활발히 쓰였던 시기보다 무려 2000여 년이 뒤진 시대이다.

인류가 아프리카에서 이동을 시작하여, 시기적으로나 지형적으로 이집트와 메소포타미아 지역에 먼저 자리를 잡아 비록 아프리카와 오리엔트 지역이지만 서양 쪽으로 그 문명들이 먼저 영향을 주면서 고대 그리스, 로마 문명이 동시대 동아시아보다 앞서 나가게 된 것이다. 결국 중화문명권에서 한자가 대표적으로 자리잡은 시기는 최초의 통일왕조인 진나라(BC 221-206년)의 승상 이사가 전국에 흩어져 있던 각기 다른 글자체를 통일하면서부터이다. 문자통일뿐 아니라, 진시황의 군현제 실시, 법률, 도량형 통일, 도로망 건설, 세금 징수체계 완성으로 중국문명이 비로소 당시의 고대 그리스, 로마 문명의 수준을 따라잡기 시작한 것으로 보인다.

인구의 밀집도를 보면 고대 아테네(도시국가)의 최고 전성기인 BC 5세기 때는 30만 명, 그와 경쟁관계였던 스파르타는 BC 4세기 전반에 7만 2천 명을 상회했다. BC 330년 페르시아제국을 무너뜨리고 헬레니즘 시대를 열었던 알렉산더 대왕이 세계 곳곳의 정복지에 본인의 이름을 딴 도시를 70여 군데 만들었는데 그 중에서 가장 번성했던 이집트 알렉산드리아가 50만 명, 그리고 로마시가 BC 100년에 120만 명을 돌파했다.

유럽 고대문명이 게르만을 비롯한 외부 야만족의 침입이 시작된 AD 3-4세기부터 7-8세기 정도의 공백을 가져다 준 암흑기(Dark Age)로 접어들어 쇠락을 시작하기 전에 정점을 찍은 시기였다. 한편, 한중일 3국을 포함한 동아시아 문명은 과거 동시대 세계 문명에서 가장 뛰어난 문명의 정점을 찍은 15세기 말 이후, 20세기에 들어올 때까지 서양과의 경제, 문화, 과학의 격차가 거의 평균 2-3세기 이상 차이가 났다고 보인다(일본은 1세기 정도).

중국과 서양 문명 비교

소위 서양이라고 통칭할 수 있는 유럽의 대부분이 AD 3-4세기부터는 이민족의 침입에 의한 극심한 내부 분열과 혼란이 있었고, 7세기에서 십자군 원정이 시작된 11세기 초까지 사라센의 포위에 둘러싸여 암흑시대(Dark Age)로 들어가 문명의 침체가 심각했던 반면, 동아시아의 3국은 특히 중국을 중심으로 그 문명의 발전이 화려함을 거듭했다.

거란에 밀려 남송이 임안(항주)을 수도로 삼아 문치주의를 더욱 더 강조하며 동시대 세계문명의 절정을 이루었던 이래로 명나라 중반기인 15세기까지는 분명히 동아시아 문명이 동시대 서양의 어떤 지역보다도 정치, 경제, 문화 등 모든 방면에서 몇 세기 정도 앞서 있었다고 볼 수 있다. 북방민족(북위, 요, 금, 원)의 침입과 지배, 전쟁이 거듭되었던 몇 시기의 침체기를 제외하고 대부분은 문화수준이 낮았던 북방민족이 중국의 문화에 동화되었고 모든 통치시스템도 거의 따르게 되어 동아시아 문명의 높은 수준이 유지되었던 것이다.

특히 이들은 인구증가 면에서 상대가 되지 않았는데, 이는 동아시아에서의 농경문화의 심화와 맥락을 같이 한다. 정착된 농경사회에서는, 이동이 잦고 유아를 데리고 다녀야 하는 목축 위주의 유목생활보다 훨씬 인구증가가 용이했다. 특히 동아시아 존(Zone)에서는 고온 다습한 몬순기후의 영향으로 물이 많이 필요한 벼농사를 짓기 시작했다. 이는 식량의 안정적인 확보가 가능하고 단위 면적당 재배되는 칼로리도 다른 귀리, 보리,

밀, 옥수수 등의 그 어느 작물보다 섭생하는 데 매우 우수한 것이기 때문에 인구증가에 한층 보탬이 되기도 했다.

지역과 시기에 따라 약간씩 생산성의 차이가 있었지만, 대체적으로 고대에서 중세에 이르기까지 유럽의 밀밭 1헥타르에서 생산되는 밀의 수확량과 칼로리를 비교해도, 같은 면적의 동아시아 논에서 생산되는 수확량과 칼로리의 1/4-1/5 정도밖에 되지 않았다. 특히 동북아시아에서는 생산성이 뛰어난 자포니카 품종을 생산하고, 동남아시아에서는 이모작에 더욱 맞는 인디카 품종을 주로 재배했는데, 이 또한 각각 그 지형에 맞아 가장 수확량을 많이 내고 잘 자랄 수 있었다.

유럽에서는 지형상 석회질이 너무 많고 강물의 유속이 대체로 너무 빨라 평지에서 유리한 쌀농사보다는 고지대 밭농사 위주에 목축을 주로 했다. 실제로 콜럼버스의 신대륙 발견 이후 16세기 중엽 남미 안데스에서 건너와 1800년대 유럽의 인구 폭발의 주원인 중 하나인 구황작물인 감자가 주식으로 되어 식량문제를 어느 정도 해결하기 전까지는, 기후변화(예: 1315년에서 1322년 저온 다습에 의한 The Great Famine, 1430년대 10년 동안의 혹한)에 의한 흉작으로 대기근이 오면, 중세이전까지는, 유럽 인구의 거의 1/3을 사망케하며 초토화시킨 흑사병 다음으로, 기아 사망률이 높았다.

심지어 근세에 들어와서도 1845년 아일랜드 기근 때는 100만 명 이상이 굶어 죽어, 미국으로의 이민이 러시를 이룰 정도였다. 인구증가를 감당할 대량생산이 가능한 작물이 없었고, 농업생산성이 전혀 따라주지 못했기 때문이다. 따라서 중세 유럽은 농노, 하인, 사제, 심지어 귀족들마저 미혼율이 매우 높았다. 이러한 것들은 근대 농업혁명이 일어나 생산성이 획기적으로 증가되기 전까지는 인구증가를 더욱 막았던 것이다.

물론 과거 중국, 일본, 한국, 인도와 같이 인구가 많아도, 여러 차례 지구를 강타한 소빙하기 때는 예외 없이 심각한 기후변화에 의해, 식량문제를 다 해결하지 못해 항상 기아 사망은 세계 어디에서나 예외 없이 대규모로 발생했다. 그러나 적어도 중세 말기까지의 형편은 서양보다는 더 나았다. 특히 동양에서는 몇 십만 규모의 대도시가 즐비해 소위 문명의 집합체인 도시문명이 매우 발달했다.

서양이 십자군 원정으로 암흑시대를 벗어나기 시작한 11세기부터는 동아시아 문명의 수준을 조금씩 따라오기 시작했지만, 산업과 도구, 교통의 발달, 농업 생산성, 도시 경제활동, 화폐경제, 상업의 발달 정도, 생활의 평균수준 면에서 도저히 상대가 되지 않을 정도였다. 도시인구 면에서 남송대의 수도였던 임안(항주)은 150만 명을 넘었고, 명대의 난징은 100만, 북경은 60만이 항상 넘었다.

11-12세기 유럽에서 제일 큰 도시였던 이태리 북부 밀라노, 베니스, 피렌체, 제노바가 10여 만 정도였는데 다 도시국가로 독립 발전했고, 14세기에 들어와서 유럽에서는 파리가 10만, 영국 최대도시 런던이 4만 5천 명, 독일 최대도시 쾰른이 겨우 4만 정도였다. 페르낭 부로델은 15세기 쾰른 인구를 고작 2만으로 보았다.[32] 서양이 그때까지도 인구 면에서도 절대 약세였음을 보여준다. 이에 따라 유럽에서는 문명의 가장 뚜렷한 결정체이고 집합체인 초대형 대도시가 형성되지 않았고, 도시 내에서도 세속영주, 수도원이나 대성당의 관할지가 많아 각자 주도권을 행사했으며, 행정이 통합적으로 돌아갈 수도 없었다.

참고로 일본은 1600년대 말에 에도(江戶)가 100만, 1800년경 140만 명으로 당시 세계 최대의 도시였고, 오사카와 교토도 각각 40만, 50만을 능

32) 페르낭 부로델, 주경철 옮김, 물질문명과 자본주의 I-1 일상생활의 구조 상, 도서출판 까치, 1995, p. 54.

가했다.[33] 16세기 이슬람 통치지역에서 최대 번성한 도시 이스탄불은 40만-70만, 1800년경 당시 런던은 86만, 파리는 54만, 베이징은 50만이었다. 서양문명이 절정에 이르렀던 그리스, 로마제국의 시대를 제외하고, 19세기 들어와서야 겨우 유럽의 대도시가 동아시아의 대도시와 비슷한 인구를 갖게 된 것을 보여준다.

결국 유럽은 14세기까지도 거의 장원을 중심으로 한 농경제가 자급자족의 수준에 머물러 있어서 자유마켓이 형성되지 못하였다. 대국으로 발전될 수 있는 통합된 지배세력은 더욱 더 형성되지 못해서 결혼 지참으로 왕가의 신부가 가져오는 세습 영지로 인해 행정력 또한 각 지방별로 흩어져 있어 분권화만 심화되었고, 영토의 소유와 행정이 복잡해졌다. 귀족과 성직자는 거의 영구세습되었고 특히 교권의 세력이 로마 교황청을 중심으로 완전히 따로 형성되어 시민을 이중으로 지배하는 체제였다.

중국과 서양 통치 체제 비교

이러한 봉건제도 하에서 기사계급과 영주, 그리고 영주와 왕권의 관계도 패권주의에만 따르는, 지극히 무력적이고 군사적 요소로만 맺어져 있었다. 그리고 왕권은 항상 교권의 눈치를 봐야 했기에 강력한 중앙집권은 더욱 어려웠다.

영국과 프랑스가 영토와 왕위 계승을 둘러싸고 벌린 100년전쟁(1337-1453년)때만 놓고 보더라도, 인구 면에서는 프랑스가 1,000만, 영국이 겨우 600만(1200년대 200만에서 1310년 600만으로 팽창했으나 후에 기아, 페스트와 같은 질병으로 30-40% 대폭 감소) 정도였다. 또한 유럽 전체의 왕가끼리 결혼동맹으로 인하여 국가 구분이 없는 왕가의 외교 전쟁이었고, 중앙을 완벽히

33) 와키모토 유이치, 강신규 옮김, 거상들의 시대, 한스미디어, 2008, p.47.

통제하는 권력이 거의 없다고 해도 과언이 아닌 상태였다. 그때까지도 일률적인 국가의 개념보다도, 왕권과 영주, 농노가 다 따로 존재하는 구조였던 것이다.

각 국가는 영역을 넓히려 전쟁을 치르려고 해도, 상비군이 별로 없었고, 외교노력에 의한 유럽전체에 흐트러져 있는 각 왕가를 끌어들이는 끈 맺기, 왕의 영향력 하에 있는 각 영주에게서 군인을 각출(Augmentation)하거나 또는 식량과 돈을 지불하고 용병을 쓰는 일이 다반사였다. 그것도 실제 전투에 들어가서는 각 영주에 속한 병사들에게 왕의 권위가 전혀 통하지 않았고, 통합 지휘체계 자체가 엉망인 경우가 많았다.

당시 프랑스 내에서도 수많은 백작, 공작령들이 판을 치고, 진정한 통일이 이루어진 적은 한번도 없었다. 가장 힘이 셌던 부르고뉴 공국은 백년전쟁 시에 영국 편을 들었고, 프랑스 내에 있는 영국영토(정확히 말해 영국 왕의 영토)가 프랑스 왕가가 차지했던 영토보다 더 많았던 적도 있었다. 이처럼 권력과 영토체계가 복잡했기 때문에, 민족 개념도 매우 약하고, 중앙 집권이 가져다줄 수 있는 전체적인 시스템은 아예 돌아가지 않았던 것이다.

이러한 구심점이 약한 국가 시스템에서 국민의식과 문화수준이 향상되기는커녕 그나마 결혼 동맹에 가입하지 못한 각 봉건영주는 살아 나가기도 힘든 상태였다. 이 백년전쟁이 끝난 후에야 비로소 농노해방과 상인계급의 대두, 이로 인한 기사계급과 영주로 대변되는 봉건제도가 무너지고, 프랑스와 영국의 왕권이 강화가 되어, 강력한 국가체계가 가능한 절대왕권(Absolute Royal Authority) 및 중앙집권체제로의 전환이 시작되었다.

반면에 동시대 동아시아는 중국을 중심으로 번영하고 있었다. 중국은 한, 수, 당, 송, 명을 거치며 더욱 치밀해진 관료주의와 중앙집권제도로 엘리트를 선발할 수 있는 과거제도와 유교주의에 입각한 사회전반의 교육을 통해 수준 높은 인재들의 지속적인 등용 또한 그런대로 잘 작동했다. 또한 그 통치의 영역이 지방의 아주 작은 소도시까지도 미칠 수 있는 꽤 완성된 체계를 갖추고 있었다.

당시 동서양 문명의 기술격차, 자본력의 차이를 간단히 비교해보면 다음과 같다. 콜럼버스의 신대륙 발견 시에는 200-250톤 규모 3척의 배로 120명이 대서양을 건넜고, 2차 항해 때는 그 규모가 커져서 17척에 1,200명이 참여했다. 바스코 다가마는 1497년 300톤급 함선 4척으로 173명이 승선해 인도항로를 개척했고, 마젤란은 1505년 함선 5척에 265명이 승선해 세계일주를 했다.

이러한 서양의 대항해시대보다 명나라 영락제 때 정화(鄭和) 제독의 7차례 대원정(AD 1405년-1430년)은 평균 80년이나 앞섰다. 정화의 최초 원정에서는 컬럼버스가 사용했던 캐랙선(Carrack)보다 열배가 넘는 2,500톤급 보선(寶船) 62척과 소형함선 백팔십여 척, 두번째 원정 때는 120척의 보선과 백여 척의 보급선으로 최대인원 3만 7천 명이, 나머지 여섯 차례는 모두 2만 8천 명이나 한꺼번에 움직인 정도로 서양과의 항해술, 조선기술, 선단에서 큰 차이를 보였다.

더욱 중요한 것은 정화의 원정이 각국의 조공만을 요구하며 종교도 강요하지 않았고, 명 황실의 존재감 확보를 위한 평화적 시위, 물물교역과 통상, 조화와 상생의 문명전파의 목적이 강했다는 것이다. 서양의 대항해의 근본 목적은 당시 각국의 무한경쟁에 의한 통상 루트, 식민지 확보였다. 서양은 이 과정에서 무자비하고 파렴치한 정복, 약탈, 노예 무역, 자원 강탈, 인종 말살 등으로 점철되었다. 콜럼버스가 신대륙을 발견한 이

후에 1500년대 초기 남미 페루지역에서만 거의 1,000만 명, 물론 질병과 전염병의 원인도 큰 이유였지만 16세기까지 100년 동안 북, 중남미 전체로는 몇 천만의 원주민이 죽어갔다. 청교도들은 북미에서, 천주교도인들은 중, 남미에서 원주민 대학살을 단행하여 그들을 거의 멸종 단계까지 몰아넣었다. 이렇듯, 서양세력의 신세계에 대한 악마와 같은 무자비한 착취는 야만적이고 폭력적이었다. 서양에 비하면 동양은 훨씬 신사적이었다.

그러나 중국은 15세기 말인 명나라 중기부터 그 피로감이 쌓이기 시작하여 결국 국가의 시스템이 무너지기 시작했다. 그 전 시대까지는 중국 자체가 너무도 광대하고 일사불란한 통치가 어렵다고 해도, 또 농민과 하부층을 핍박해서 관료들이 아무리 이익을 챙기는 구조라 할지라도, 그런대로 총체적인 제국의 관료주의 시스템 하에서 그럭저럭 균형을 잡고 버틸 수 있었지만, 명은 중기로 들어서면서 더욱 더 쇄국주의(청나라까지 이어짐)를 고수해 인구증가와 개인의 욕구를 충족시켜줄 만한 파이가 점점 부족해지고, 전국 곳곳에서 착취와 부패가 난무하는 것이 일상이 되어버렸다.

이로 인한 빈번한 농민 반란과 황제를 비롯한 정치세력이 자기 이익만 챙기기 바쁘고 무기력한 상태에서, 전혀 개혁의 의지가 없었던 것이 붕괴와 쇠락의 원인이다. 동양의 관료주의가 더 이상 질 높은 엘리트들의 투입으로 좋은 치세로 선순환이 되는 것이 아니고, 견제와 균형이 전혀 잡히지 않은 중앙집권주의 하에서, 고질적인 부패와 착취의 악순환으로 변하기 시작했기 때문이다.

반대로 서양은 똑같은 15세기 말부터 세계를 무대로 펼친 중상주의가 힘을 더해, 그로부터 얻은 경제적 이득을 바탕으로 팽창과 발전을 거듭해, 서양의 개인 소득, 교육 수준, 과학 발달, 사회제도 등은 모든 방면에서 동양을 앞서가기 시작했다.

동아시아 3국과 서양의 군사력 비교

거의 같은 시기에 발생했던 동서양의 전쟁을 규모 면에서 보면, 원나라 말기부터 시작된 당시의 왜구(주로 1350년대부터 침입)와 홍건적의 난과 백년 전쟁(1337-1453년)이 비교된다. 이 두 전쟁 모두 그로 인한 피해는 너무나 심각하여, 결국 원과 고려의 멸망과 영국, 프랑스에서는 기사계급(결국 신분제)과 봉건제의 몰락을 가져오게 된 것이다.

1359년에는 미륵불을 숭배하는 백련교도들인 홍건적이 원나라 공격에 쫓겨 만주로 밀려나면서 고려까지 침공했다. 고려군은 초반에 개경까지 함락당하고 공민왕이 안동까지 몰려났지만 결국 20만 명의 군사를 일으켜 홍건적을 몰아냈다. 왜구만 해도 전 한반도를 대상으로 침입했는데 당시의 선단규모는 최대 500여 척이 넘었고 금강 하류인 진포에서는 최무선의 화포를 동원한 화약무기의 기술 우위로, 고려 선단 100척으로 겨우 막아냈던 적도 있다.

당시 일본이 가마쿠라 시대에서 무로마치 시대로 넘어가면서 무로마치 초기에 남조와 북조로 갈라져서 서로 싸우느라 도서지방까지 행정력이 못 미치는 틈을 타고 왜구가 성행했던 것이고, 북조에 밀리는 남조의 협조도 어느 정도 받았으리라 추정된다. 또한 왜구 중 일부는 쓰시마와 규슈 남부지역의 일부 세력이 중앙 정부가 이미 매우 쇠약해질 때로 쇠약해진 고려, 원나라의 오도 갈데 없는 각국의 지방 해상세력과 합쳐진 것으로 보인다.

그런데도 당시 유럽과 비교해보면 그 병력 규모는 엄청난 차이가 난다. 보잘것없다 여겨졌던 일본 서남부 지방의 왜구는 수시로 몇 천명의 군대와 몇 백 척의 배로 전 한반도와 중국 동, 남부 해안을 전방위로 넘나들며 동시 다발적인 공격과 약탈을 해왔다. 단지 고려 말에만 해도 500여 차례 침략해서 배로 운반되던 공선의 식량과 물자를, 그것도 내륙 깊숙이까지 침투해 마구잡이로 약탈해 갔다.

병력 수		
1차 홍건적 침입(1359년)	고려군 2만 명	홍건적 4만 명
2차 홍건적 침입(1360년)	고려군 20만 명	홍건적 20만 명
왜구의 합포 공격(1374년)	고려군 5,000명(사상자)	왜구 350척(1만 2천 명 추산)
최영의 홍산대첩(1376년)	-	-
최무선 진포대첩(1380년)	고려군 100척	왜구 500척(2만명 추산-작은 배 30-40명 탑승)
이성계의 황산대첩(1380년)	고려군 2만 명 추산	왜구 1만-1만 5,000명 추산
정지 관음포 해전(1383년)	고려군 47척	왜구 120척(1만 명 추산-큰 배는 140명 탑승)
제1차 요동정벌(1388년)	고려군 6만 명 (10만 명이라는 설도 있음)	
박위 대마도 정벌(1389년)	고려군 1만 명 100척	왜구 300척 소각

출처 : 고려 말 왜구의 침입, 나무위키(표는 저자가 재구성)

병력수		
슬로이스 해전 (1340년)	영국군 260척 (사상자 4,000명)	프랑스 해군 190척 (사상자 2만 5천 명)
크레시 전투(1346년)	영국군 1만-1만 2,000명	프랑스군 3-4만 명
푸아티에 전투 (1356년)	영국군 1만 6,000명	프랑스군 2만 명
아쟁쿠르 전투 (1415년)	영국군 6,000명	프랑스군 2-3만 명

출처 : 백년전쟁, 나무위키(표는 저자가 재구성)

당시 유럽 전체가 휘말려 총력전을 펼쳤던 백년전쟁 때의 병력과 비교해봐도 유럽은 동원된 병력이 당시 동아시아에 있어서의 총동원 되지도 않은 부분 전투병력의 몇 분의 일 정도밖에 되지 않았다. 더욱이 백년전쟁 때 동원된 군사는 상비군뿐만 아니라 다른 나라의 용병을 차출하여 데

려온 것이다.

동아시아 3국과 서양의 경제력 비교

경제적인 면을 봐도 동아시아와 유럽은 큰 격차를 보인다. 당시의 지중해와 유럽 내부의 중심시장인 샹파뉴 정기시장을 포함시키고 그 후 한자동맹의 무역규모를 다 합친 것도, 동아시아뿐만 아니라 중국 자체에서 창출된 무역총액보다 상대가 안 되게 훨씬 적었다.

유럽의 무역이 폭발적으로 늘어난 때는 대 항해시대로 인도양, 대서양 무역이 열린 후이다. 1800년대에는 1인당 GDP(per Capita)는 유럽 각국이 1,500-1,200달러, 중국이 500달러 정도로 개인생활 수준은 이미 1500년대 초부터 계속 유럽이 앞서 나가게 되어 많은 차이가 났다. 동아시아에서는 소수의 권력층이 대부분 농민들의 이익을 다 차지하였고 개개인의 무기력한 자기발전에 대한 의지부족으로 인해 경제, 과학발전에 대한 동력이 매우 뒤떨어 있었다.

서구중심주의의 역사관을 신랄하게 비판하고, 종속이론으로 유명한 독일의 경제사학자 안드레 군더 프랭크(Andre Gunder Frank)가 리오리엔트(Re-orient)라는 책에서 기술한 바에 의하면 "적어도 1800년 정도까지 청나라는 세계 무역수지의 40% 이상을 점했다"라고 하고, 영국 역사학자 앵거스 매디슨은 1820년에 중국의 GDP는 전 지구의 32.9%를 점했는데, 아편전쟁과 태평천국의 난을 겪고 계속 급전직하로 떨어져 1870년에는 17.2%로 굴욕적인 하강을 했다고 한 바 있다.[34] 이것은 어떤 국가라도 한 세대인 30년이면 충분히 성장할 수 있고, 경제와 사회질서가 붕괴하는 데도 50년이 채 안 걸린다는 사실을 여실히 보여준다.

34) Angus Maddison, The World Economy Historical Statistics, (OECD, 2001), pp. 263.
http://www.ggdc.net/maddison/other_books/appendix_B.pdf

1358년 프랑스에서 발생한 쟈크리의 난에서도 정부군은 무력했지만, 영국왕 리차드가 런던탑으로 도망갔던 농민반란인 와트타일러의 난(1381년)을 진압하는 데도 영국군이 겨우 4,000명에 불과했다. 그런데 유럽에서 중무장한 기사집단이 급속적으로 해체된 이유는, 대포와 화승총이 발전을 거듭하여 가공할 만한 무기로 거듭났기 때문이다. 각국의 용병집단이 정규군보다도 더 무기를 잘 구비하고 있었고, 몸값을 더 많이 받기 위해 서로 경쟁적으로 무기의 발달을 촉진시켰다고 볼 수 있다. 이러한 무기의 발달은 추후 서양세력의 군사력증강을 동반한 제국주의의 팽창에 결정적인 역할을 했다.

프랑스 역사학자 페르낭 부로델(Fernand Braudel)의 "물질문명과 자본주의(Civilization and capitalism)"에서도 인용된 바와 같이, 문명의 최하위 단계인 1단계가 네덜란드 탐험가 아벨 타스만(Abel Tasman)이 1642년 이 섬을 발견하기 전 순수 원주민들만 살고 있었던 타스매니아, 그리고 2단계가 콩고의 피그미족이며 점점 올라가면, 중국이 74위, 한국이 75위 일본이 세계 최상위인 76위를 나타내고 있다. 이는 세계적인 인류학자 고든 휴즈(Gordon Hewes)가 발표한 전 세계 문명지도에 따른 것으로, 고든 휴즈는 전 세계 문명지도에서 AD 1500년도의 전 세계를 최하위 1에서 최상위 76의 문명 계층으로 나누었다.

이것은 적어도 한, 중, 일 삼국이 AD 1500년도 시점에서는 세계 어느 곳보다 문명이 앞서 있었고, 유럽의 핵심부 문명조차도 본격적인 르네상스에 돌입하기 전인 1500년대 초에는 상대적으로 문명의 발달도가 이 3국에 비해 확연히 뒤처졌음을 증명하는 것이다. 지리적으로 보나 인종적으로 보나 가까운 3국이 서로 너무 과거사에 매달릴 이유가 없을 뿐만 아니라, 과거 최고 전성기 때의 영화를 되찾아야만 할 시기가 도래한 것이다.

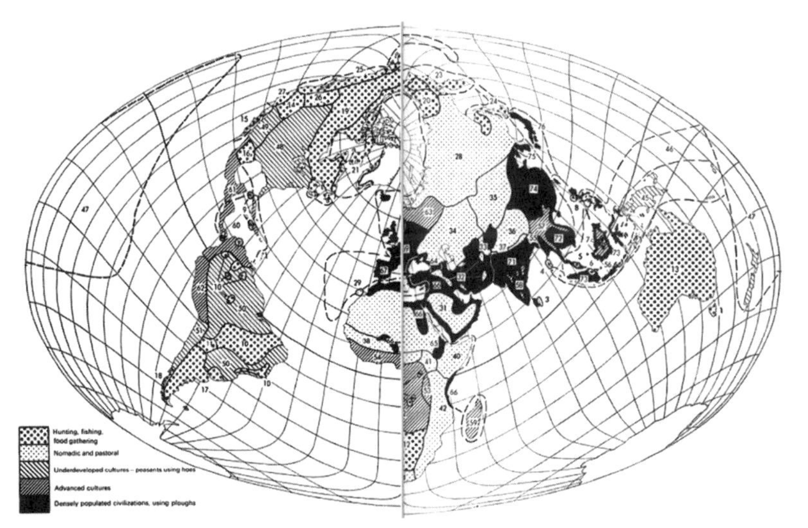

1500년경의 문명, "문화", 그리고 원시 종족들(고든 휴즈(Gordon Hewes), 전 세계 문명 지도)[35]

1. 태즈메이니아인 | 2. 콩고의 피그미족 | 3. 베다 (실론) | 4. 안다만 제도 사람 | 5. 사카이족, 세망족 | 6. 쿠부족 | 7. 푸난족(보르네오) | 8. 필리핀의 네그리토족 | 9. 시보네족(안틸레스 제도) | 10 헤-보토쿠도스족 | 11. 그란차코 인디언 | 12. 부시맨족 | 13. 오스트레일리아인 | 14. 대분지(미국) | 15. 남부 캘리포니아 | 16. 텍사스 및 북동부 멕시코 | 17. 파타고니아인 | 18. 칠레 남부 해안의 인디오 | 19. 아사바스칸족과 알곤킨족(캐나다) | 20. 유카기르족 | 21. 동부 및 중부 에스키모 | 22. 서부 에스키모 | 23. 캄차달족, 코리아크족, 추크치족 | 24. 아이누족, 질리아크족, 골디족 | 25. 북서 연안 인디언(미국, 캐나다) | 26. 콜럼비아 고원 | 27. 중부 캘리포니아 | 28. 순록을 치는 종족 | 29. 카나리아 제도 사람 | 30. 사하라 유목민 | 31. 아라비아 유목민 | 32. 근동의 산지 목축민 | 33. 파미르 고원과 힌두 쿠시 지역 목축민 | 34. 카자흐-키르기스 족 | 35. 몽골 인 | 36. 티베트 목축민 | 37 티베트 정착민 | 38. 수단 서부 주민 | 39. 수단 동부 주민 | 40. 소말리아 및 북동부 아프리카의 갈라족 | 41. 나일 강 유역 부족 | 42. 동부 아프리카 목축민 | 43. 서부 반투족 | 44. 호텐토트족 | 45. 멜라네시아 파푸아인 | 46. 미크로네시아인 | 47. 폴리네시아인 | 48. 아메리카 인디언(미국 동부) | 49. 아메리카 인디언(미국 서부) | 50. 브라질 인디오 | 51. 칠레 인디오 | 52. 콩고의 여러 민족 | 53. 동부 아프리카의 호수 거주민 | 54. 기니만 | 55. 아삼 및 버마 고원 종족 | 56. 인도네시아 고원 종족 | 57. 인도차이나 고원 종족 | 58. 중부 인도의 산지 삼림 종족 | 59. 말라가시족 | 60. 카리브종족 | 61. 멕시코 인, 마야 인 | 62. 페루 및 안데스 산지인 | 63. 핀족 | 64. 카프카스인 | 65. 에티오피아인 | 66. 정착한 모슬렘 | 67. 남서 유럽인 | 68. 동부 지중해인 | 69. 동부 유럽인 | 70. 북서 유럽인 | 71. 인도인(이 지도는 모슬렘과 힌두 교도를 구별하지 않았다) | 72. 남동 아시아 저지대 여러 나라 | 73. 인도네시아 저지대 여러 나라 | 74. 중국인 | 75. 한국인 | 76. 일본인

35) Fernand Braudel, Civilization and Capitalism, 15th-18th Century, Vol.1: The structure of everyday life, University of California Press, 1992, pp. 58-59.

하지만, 이러한 동아시아와 서양문명의 발전양상은 서양이 구텐베르크가 주도했던 인쇄술, 루터와 칼뱅이 주도했던 종교혁명, 콜럼버스의 신대륙 개척과 엔리케 왕자가 주도한 아프리카, 인도항로 개척을 위시한 대항해 시대부터 점차 달라지기 시작했다. 서양은 새로운 시장 창출에 대한 반향과 신대륙으로부터 유입된 막대한 금, 은이 산업 자본화되고 영국이 주도한 대규모 산업혁명을 거치면서, 부의 유입 및 확대와 재생산이 급속하게 일어났다. 노예무역과 그 노예를 부려 신대륙에서 일군 플랜테이션 무역도 한몫했다.

그 파급효과로 서양의 중산층 지식혁명이 더욱 빠르게 이루어지고, 이는 권력과 경제 발달에서 발생되는 파이를 나누기 위한 정치 시스템과 민주주의 발달을 증진시켰다. 이로 인해 부의 균배가 이루어질 수 있는 토대가 먼저 마련되었고, 경제적, 지적, 문화적으로 두터워진 중산층 계급이, 기회비용 상실에 염려하지 않도록 특허 보장, 보험, 주식회사와 같은 리스크 분담형 동업과 길드와 같은 도시 수공업의 분업형태 발달 등으로 인해, 개인에게 크게 이익을 가져다줄 수 있는 각종 상업과 과학의 발달에 매진할 수 있게 되었다.

중요한 점은 이러한 서양의 변혁 대부분이 개인주의(Individualism)에 근거를 두고 있다는 점이다. 구텐베르크의 인쇄술도, 수많은 개인들이 이익을 쫓아 참가한 콜럼버스의 신대륙 발견(카스티야 여왕 이사벨의 후원)도 국가가 주도한 것이 아니었기에 결과적으로 더욱 큰 동기부여를 한 것이 사실이다. 물론 이러한 개인주의가 국가의 통제를 전혀 받지 않았던 신대륙에서는 원주민에 대한 무자비한 살육을 동반하기도 했다. 반면에 동아시아에서는 국가가 주도했던 고려의 금속활자 인쇄술이나 명나라 영락제 때 정화(鄭和)의 원정의 경우처럼, 더 이상 개인의 이익을 보장해주지 못했기 때문에 결과적으로 지리멸렬하게 되었다.

서양의 개인주의 발달은 인간성 회복을 주창한 14세기 르네상스에서 시작해 이성과 합리성을 바탕에 둔, 17세기에 시작한 계몽주의의 발달과 그 궤적을 같이 하는데, 중세 내내 광적인 종교적 이념만으로 국가와 사회전체의 이데올로기로 삼았던 것과, 또한 비합리적이고 권위적인 교회 국가주의와 권력을 신으로부터 부여받았다는 절대주의적인 신권정치에 대한 반발로 시작되었다. 그리고, 오스만 터키가 1453년 콘스탄티노플을 함락시키고 동로마제국이 무너지는 계기로 그곳에 있었던 수많은 학자와 책들이 이태리로 건너가게 되어, 유럽의 지성들에게 많은 각성과 자극을 주게 되면서 르네상스 운동이 더욱 불붙기 시작하였다.

원래 르네상스 정신은 고대 그리스의 데모스(Demos-시민)에 의한 참여민주정치 요소와 헬레니즘의 근본이었던 인간 중심주의의 문화, 철학적 가치와 뿌리를 높이 평가하는 데 있다. 새로운 유럽의 정치 및 사회질서에 시민계급의 중요성을 인식시키고 반영하려는 움직임에서도 근거하는데, 중세가 무너지고 개인의 자유, 평등, 권리의 회복과 향상이 핵심적인 사상으로 대두했던 것이다. 이 같은 개인주의는 그 파이의 나누는 정도에 관해 심각한 논쟁을 거듭하며, 19세기에 들어와서는 무신론적 공산주의와 자유시장경제(Free Market Economy)에 바탕을 둔 자본주의의 발전적 토대를 마련하게 되었다.

한편, 춘추시대 공자로부터 시작한 유가의 개념은 동아시아에서 사회적, 신분적 질서(사농공상)만을 강요하며 개인의 활동과 성장을 억압해 왔던 일종의 전체주의(Totalitarianism) 국가관이다. 유가사상(한나라 때에 동중서가 뿌리 내림)은 사회경제(Social Economy) 이념으로 발달되어, 청나라가 몰락한 20세기에 들어와서까지 2000년 이상 개인주의의 발달을 저해하는 요인이 된다. 시대와 통치자에 따라 달랐지만 서양에 비해 개인의 창조력과 동기부여 면에서는 매우 뒤떨어지는 시스템이 되었다.

동양이 전체주의 사회가 된 근본적인 원인으로는 농경문화가 있다. 서양에서는 전통적으로 목축과 밭농사 위주의 개별경제가 발달하였지만, 동아시아에서는 수경재배가 가능한 벼가 도입되면서 타 작물에 비해 수확이 빠르고 에너지, 식량확보가 용이하다는 연유로 인구밀집을 가져왔고 논농사의 관리를 위해 대규모 노동인력의 투입이 필요한 공동의 모내기, 공동 수확, 공동 관개시설 설치와 치수, 또 이를 사회적으로 통제하는 권위를 가진 리더가 필요했다. 이 같은 이유 때문에 전체주의가 선호되어 왔다.

한편 서양의 개인주의의 발달과 이로 인한 민주적 사회변혁이 사회 전반으로 구석구석까지 미치고 평준화되고 보편화되기까지는 상당한 시간이 걸린다. 아직까지도 여성, 성 소수자, 마이너리티 인종, 아동과 청소년노동 등의 수많은 인권문제와 사상적 갈등은 항상 남아있다. 근대초기까지도 성행했던 마녀사냥의 문제만 봐도 그렇다. 이러한 인민재판과 같은 원시적인 행태로 당시 50여 만 명의 사회에서 소위 왕따를 당한 여자들이 아무 이유 없이 처형당했다는 사실은 인간이 얼마나 부화뇌동하고 집단 히스테리가 가능한 추악한 존재인가를 여실히 보여주는 것이기도 하다. 이후 마녀사냥과 같은 집단 따돌림은 유대인 탄압으로 방향을 돌리기도 했다.

동아시아 신문명론

동아시아 문명의 발전 방향

지금까지 동서양 문명의 비교를 통해서 서양문명이 주도권을 잡고 세계를 제패해온 지 이미 300-400여 년이 넘었다는 것을 알게 되었다. 하지만 자연의 이치(Law of Nature)는 "차면 기운다"는 것을 여실히 말해준다. 서구문명은 이제 서서히 한계를 드러내면서 기울고 있다. 유럽 최고의 지성인 중 하나인 파이낸셜 타임즈(FT)의 수석 칼럼니스트 기디온 라흐만(Gedion Rachman)은 "서양은 이미 지적 자신감을 잃었다(The west has lost intellectual self-confidence)"라고 일침을 가한 바 있다.

반면에 중국을 중심으로 한 동아시아는 그 문명의 중심축을 이어받아 향후 세계 정치, 경제, 문화를 이끌어 가게 될 것이다. 그동안 서구문명은 자기중심적이고 좁은 시야를 가지고, 공격적인 방법으로 무자비하게 타인을 지배해 왔다. 서구의 문명관은 인간이 자연에 대해 대결하여 정복하는 구조로 이해해 왔으며, 인간과 인간, 국가와 국가와의 관계도 약육강식의 경쟁적인 관계로만 보는 단편적인 시각이 팽배했다. 과거 신대륙 발견 이후 무자비했던 원주민 학살이나, 아프리카 전역에 있어서의 노예사냥과 아무런 대가를 주지도 않았던 자원 채취를 봐도 그렇다. 인간과 자연의 천인합일(天人合一)사상과 상호 순응사상, 인륜(人倫), 도덕, 의리, 화해(和解 Conciliation)를 강조해 왔던 동아시아 문명과는 대조적이다.

서양적 사고방식은 어떤 사건의 처리에 있어서도 단기적인 대증요법에 익숙하고 개별적인 대처에 능했던 반면, 동아시아 지역에서 보이는 한방요법과 같은 장기적이고 전체적인 원인 처리에는 아주 미숙하다. 그럼으로써 항상 부작용(사이드 이펙트-Side Effect)을 동반했다. 제1차 세계대전으로 3,200만 명의 사상자와 1,000만 명이나 사망자를 내고도 전후 처리에 미숙함을 보임으로써, 민간인 포함 7,000만 명(소련 3,000만 명, 중국 2,000만 명)의 사망자와 군인들만 2,400만의 사망자를 낸 제2차 세계대전과 곧 이어진, 수많은 사상자를 낸 한국, 베트남 등의 대리전쟁(Proxy War)으로 계속 이어진 것이 그 증거이다.

과거의 식민지 경영에서도 똑같은 방법을 취해왔다. 국가, 지역, 인종

분리를 먼저 진행하고 그 후 억압 분할통치(Divide and Rule)함으로써 내부 분열을 조장하고 각기 싸우도록 유도해서 힘을 빼고, 그 상부 꼭대기에서 이익만을 챙기고, 컨트롤하는 매우 단편적인 시각(Short Sighted)으로만 일관했다. 과거에 무관용적인 착취에만 힘을 기울이고, 식민지였던 아프리카나 중동을 살 만한 나라로 만드는 데 일조하기는커녕 오히려 발전을 방해하거나 소홀히 했다. 그러므로 현재 불법이민, 난민들의 무차별적인 대량진입의 역풍을 맞는 것이다.

과거 이슬람문명이 7-14세기까지 그런대로 융성했던 이유도 타 종교에 대한 관대함과 상생을 도모한 결과이다. 그때 이슬람 통치지역 대부분에서는 인두세만 내면 다른 종교와 관습을 인정해 주고, 평화와 공존을 모색했다. 예를 들면 이슬람 통치하에서의 발칸반도 내에서는 크리스천의 종교와 관습을 허용했으며, 스페인 남부지방에서는 많은 유대인과 원주민들이 각자의 종교를 믿으며 이슬람교뿐 아니라 다른 여러 문화와 함께 상생하도록 허용하고 있었다. 하지만, 스페인의 영토 회복(Reconquista)이 끝난 후에 서방세력은 기독교 이외의 다른 모든 종교와 풍습을 악랄하게 탄압하고 또한, 타종교를 믿는 모든 민족들과 유대인들도 완전히 쫓아냈던 것이다.

한방치료와 같이 전체를 놓고 보는 동아시아적 사고방식의 치유법은 현재 지구가 당면한 문제를 놓고 더 크게 멀리 보는(Far Sighted) 총체적 개념으로 평화와 화해, 공존을 이끌게 되어 앞으로의 세계평화에 큰 도움이 될 것이다. 현재의 세계를 봐도 그렇다. 한중일 3국은 동아시아의 일원으로서 중국을 봉쇄하려고 하고, 러시아를 고립시키려고 하는 미국의 단순, 일방적인 정책을 곧이 곧대로 따라가서는 절대로 안 된다. 물론 세계 최강의 군사력과 경제력을 가지고 있는 미국과 대립할 일도 없어야겠지만, 그들의 잘못된 세계 전략은 단호하게 지적하고 적극적으로 고치도록 설득해야 한다.

세계에서 가장 활력 있는 고성장 엔진으로 등장한 중국을 위시해서 세계 경제 10강 중에서 두 곳인 한국과 일본을 포함한 동아시아 3국은 어리석고 불필요한 상호 대립을 끝장내고 세계 그 어느 국가들보다도 정치, 경제, 문화, 군사적으로 서로 더 가까워져야 한다. 그리하여 새롭게 현대화된 세계관으로 집단지성을 발휘하여 세계의 리더로서의 역할과 대안을 제시하여야 한다. 그것이 "동아시아 신문명"의 미래 방향이다.

서양이 지난 수세기에 걸쳐 의학, 약학의 발전으로 인류 건강과 질병극복에 기여하고 비행기, 기차, 자동차, 전등, 전화기, 인터넷 등 교통 · 통신 수단과 같은 과학발전으로 인류에 한없이 기여한 사실과 무엇보다도 선진화된 사회 시스템 구축을 이루어낸 것에 비추어볼 때, 그 사이 동아시아에서는 한 것이 별로 없다. 그러니 이제는 동아시아에서 모든 역량을 모아서 과거 17세기 이후 서양 과학문명이 인류에 기여한 바와 똑같이 할 때이다. 동아시아 현재의 여러 경제 지표와 문화 역량, 그리고 우월했던 과거 문명에 비추어 볼 때 지금부터는 충분히 가능할 것으로 보인다.

동아시아는 과거 산업화와 민주화를 달성하지 못한 저급의 문명 상태에서는 서양의 신문명 모델을 좋고 나쁨의 정확한 판단을 하기도 전에 그대로 쫓고 따라갈 수밖에 없었고, 주변(Peripheral)에서 중심부(Central)로 들어가기 위한 몸부림을 쳐왔다. 따라서 서양문명에 종속적이 되었고 그 논리적 모순(Paradox)마저 생각 없이 받아들였다. 그러나 그 논리적 체계와 문명 중심부가 이제는 동아시아로 이동되어야 한다.

동아시아 3국의 문화 비전

정치와 경제뿐 아니라 문화, 예술, 철학 방면에서도 동아시아적 고유

가치를 재현해서, 문학, 영화, 음악, 패션, 건축, 디자인 등 더욱 활발한 역내 담론을 형성하고, 지금까지 서방 일변도였던 문화제국주의에서의 압박에서 탈피하여 동양문명의 자존심을 회복해야 한다. 서양이 세계를 주도하는 현대미술(Contemporary Art)만 봐도, 서양의 논리, 철학, 미적 개념과 서양자본의 주도 하에 끌려갔고, 서양 미술관, 화랑, 큐레이터, 작가 위주로 주도권(Hegemony)과 위계서열(Hierarchy)이 형성되어 있다.

지난 20여 년 전부터 겨우 중국 현대 작가들 정판즈, 장샤오강, 왕광위, 위에민준, 팡리쥔, 아이웨이웨이 등의 작품 가격이 천정부지로 오르고(당연히 중국 내 투기세력에 의한 버블 효과도 있지만), 일본 작가도 무라카미 다카시, 요시토모 나라, 나와 고헤이 등의 작품 가격도 올라서 겨우 체면을 유지하고 있지만(한국의 경우는 생존 작가로서는 이우환 작가 이외는 거의 없다고 봄), 전체적으로 그 숫자는 너무 미약하다. 실상은 중국 작가들의 작품의 경우도 구미의 투자가들만 돈을 벌고, 버블인지도 모르고 괜히 뒤늦게 몰려들어 붐에 휩쓸린 자국의 어설픈 미술 애호가만 거품 붕괴후 가격하락으로 엄청난 피해를 입은 것도 사실이다. 서양의 큰손 주도의 주식, 채권 시장과 똑같은 논리가 이곳 예술세계에서도 벌어지고 있다.

소위 문화 제국주의 실권과 구매력을 가진 서양의 힘에 눌려, 비슷한 급의 동양의 좋은 작가들도 서양의 작가에 비해 가격도 몇 십 분의 1 정도로 차이가 나고 전혀 각광받지 못하고 있다. 동양의 컬렉터(Collector)들마저, 모두 시장논리에 의한 또는 투기자본의 대상으로 서양작가들의 작품을 사지 않을 수 없다. 한국의 힘만으로는 작품에서 새로운 가능성을 발견하고, 마켓의 붐을 일으켜서 세계적인 트렌드로 이끌어 나가기가 어렵다. 최근 국내외 마켓에서 매우 붐을 일으키고 있는 단색화(Dansaekhwa)와 같이, 외부의 특정 국가나 세력이 이끌고 주어야 작품이 주목받는 형편이다.

이제는 새로운 동아시아에서의 예술관을 정립하고, 한중일 3국이 힘을 더해서 새로운 미적 기준(Norm)과 자체적인 마켓의 형성에도 힘을 기울여야 한다. 동아시아 3국의 경제력과 실력으로 충분히 실현시킬 수 있으나 이러한 협력이 언급조차 안 되고 있다.

동아시아의 예술 전통은 예술가에게 어느 정도 문, 사, 철(文史哲)의 기본 훈련과정을 거친 후, 시, 서, 화(詩書畫)로 넘어가는 문인화 전통이 자리 잡았고, 이러한 모든 예술적 행동도 결국 개인에 의한 수행의 한 과정이었다. 이 과정 속에서 예술가들의 자기 절제가 가능했던 반면, 서양예술에서는 방종도 예술가의 특성으로 조금씩 허용하기 시작하면서, 결국 자가당착적인 전위, 자기 파괴로 막다른 골목(Dead End)에 이르고 있고, 예술적 기준마저 완전히 무너져가고 있는 현실이다. 이러한 현상은 서구 문명에서 단지 예술뿐 아니라 다른 사회현상에서도 도덕과 윤리를 포기하고, 퇴폐(Decadence)와 허무주의(Nihilism)를 낳았다.

물론 동아시아의 미술개념이 너무 사유적으로 흐르고, 사회 변화와 현실반영의 명제에 너무도 소극적으로 뒤처지게 수용한 면도 없지 않았다. 그렇지만 이러한 현실도 언젠가는 바로 잡힐 것이고, 동아시아에서 새로운 3국의 문화 융성에 의해서 건전한 기준(Norm)을 제시하고 그 방향으로 발전시켜 나가면, 오히려 예술에 대한 관념의 세계 기준도 서서히 바뀔 것이다. 어떻게 동아시아 3국이 더 철저히 협조하느냐에 따라 새로운 예술관이 충분히 일찍 당겨질 수도 있는 것이다.

다른 예술, 문화 부분도 3국에서 공동으로 주는 각 부문의 공동 포상도 생각해야 한다. 건축에서는 프리츠커 상(Pritzker Architecture Prize-건축의 노벨상이라 불리고 있음)과 같은 상을, 미술부문에서는 영국과 같은 국가가 지정하는 터너(Turner) 상과 같은 권위 있는 상을, 연극(유럽 연극상-The Europe

Theatre Prize), 영화(미국 아카데미-Oscar Award), 문학(프랑스 콩쿠르-Goncourt, 영국 맨부커-Man Booker), 음악(미국 Grammy Award), 무용(국제무용협회 러시아 본부-브누아 라 당스-Benois de la Danse) 부문도 서양 사례와 같이 3국이 공동으로 인정하고 세계적으로 발돋움할 수 있는 상을 제정해야 한다. 각 상의 취지에 맞게 수상자를 선정하고 각 부문의 스타를 배출하여서, 각 방면의 예술을 한층 북돋아줘야 한다.

이렇게 하여 동아시아의 공통 가치인식의 고양과 문화 발전을 도모하고 세계적으로도 동시에 인정받을 수 있는 것이다. 결국 예술도 일부분은 힘의 논리가 작용하지 않을 수 없는데, 3국이 합쳐야만 각 분야에서 겨우 유럽과 미국의 헤게모니를 따라 잡을 수 있는 것이다.

인류의 문명이란 것은 3-4세기가 아니라 10세기가 뒤져 있어도 따라가서 모방하고 자기 것으로 만들어 들이는 데는 한 제너레이션인 약 30년 정도면 충분하다. 물론 저변이 확보되고 전체적으로 평균 수준을 따라잡는데 많은 시간과 비용이 소요되는 것은 사실이다. 하지만 30년이 그리 짧은 시간도 아니다. "총, 균, 쇠"를 저술한 UCLA 교수인 재레드 다이아몬드가 언급했듯이, 파푸아 뉴기니가 거의 신석기 때의 수준에서 몇 십 년 후에 가보니 본인이 알고 지내던 사람들이 비행기 파일럿이 되어있었고, 컴퓨터 오퍼레이터가 되어있었다는 일례를 봐도 쉽게 알 수 있다.

중국도 중국 역사상 가장 태평성대라 일컬어지는 강희, 옹정, 건륭 시대를 지나고, 건륭제 이후 급격히 나라가 기울어져 영국 연합군과의 아편 전쟁에서 치욕적인 패배로 엄청난 보상금 지불을 포함해, 불평등하게 체결한 난징 조약(1842년)이 있었다. 그 콤플렉스를 동아시아가 극복해야 한다.

세계 문명의 중심축은 동아시아로 이미 이동해오고 있다. 그러므로 조화와 인간관계를 더욱 중시해왔던 동아시아의 유교, 불교에 바탕을 둔 휴머니즘 철학과 새로운 수평적 사고와 연대(Solidarity)의식을 기반으로 하는 범 우주론적 가치관으로 무장한 "동아시아 신문명"이 발휘되어야 한다. 문명공동체로서 동아시아가 더욱 상호간의 네트워크를 강화시키고, 모든 분야에서 공동연구, 공동 문화활동을 비롯해, 인간과 타 문화에 대한 포용과 융통성으로 세계의 모범이 되는 일을 벌여나가야 한다. 동아시아는 이제 그럴만한 충분한 경제, 사회적 능력과 비전(Vision), 그리고 철학이 준비되어 있다.

일본이 걱정했던 전자산업이나 IT 산업에서의 갈라파고스화 현상도 동아시아 3국이 서로 더 가까워지고 그 표준(Standard) 포맷을 서로 받아들인다면 아무 걱정할 일이 없다. 중국과 한국도 이러한 문제에 봉착해 있다. 삼국은 서로 배타적이고 소모적인 경쟁을 벌이고 있다. 동아시아만의 새로운 표준을 만들어나갈 수 있고 더 기술력이 좋고, 품질도 우수한 상품을 생산할 수 있다. 그러나 이 같은 분열과 갈등으로 세계시장에서 조직력과 힘에서 밀리고 있는 것이 현실이다. 많은 인구와 구매력을 가진 동아시아지역이기 때문에 충분히 마켓이 형성되어 있고 이곳에서 세계를 주름잡을 표준을 만들어 나가서 상호 사회 · 경제적 손실을 막아야 한다.

현 상황을 놓고 보면, 서양의 문명은 이제 한계에 도달해 모든 것이 붕괴되고 있다. 더 이상 지구의 패권을 쥐고 흔들 만한 정신적 여력도 없고, 도덕적 윤리적 명분과 경제, 정치, 군사적 헤게모니도 점점 사그라져 가고 있으며 거의 최후의 몸부림을 치고 있는 것이 역력하다. 이러한 때에 새로운 대안은 동아시아 지역밖에 없다. 한국과 일본은 서양세력들이 정하고 이끄는 미국과 유럽의 질서에서 벗어나, 그들과의 관계 설정과 그 비중을 점점 줄여가고, 중국과의 관계 영역을 더욱 친밀하고 조밀하게 높여 나가야 마땅하다.

이것이 역사의 방향이다. 물론 서양의 어려움을 도와주고 상생의 길을 찾아야겠지만, 그것은 한계가 있다. 미래의 주된 세계 역사발전의 동력과 지도력은 동아시아 삼국에서 나올 것이다. 사회적, 경제적, 군사적으로 병든 지구와 혼돈의 세계 질서를 바로 잡을 수 있는 길을 동아시아 삼국에서 마련할 것이다.

동아시아 경제공동체의 당위성

세계 경제의 블럭화

한중일 3국협력 사무국(Trilateral Cooperation Secretariat)은 이미 2011년에 3국의 협력을 증진시키고 평화와 공동번영의 목표로 설립되었다.이 기구에서는 한중일이 돌아가면서 대사(Ambassador)급의 사무총장을 2년씩, 사무차장은 나머지 2국에서 맡게 되는데, 먼저 한국에서 맡으면, 다음에는 일본, 이번 차례는 중국에서 사무총장을 맡는 식이다. 그 구성은 정무, 경제, 사회 · 문화, 행정의 네 부서인데, 마치 한중일의 미래 동북아 공동체의 초기단계 협의체라고 보면 된다. 이것이 본격적으로 발전하면 진정한 동북아 공동체가 될 터인데, 지금까지 돌아가는 상황을 보면 여러 정치적 어려움으로 전혀 진전이 되고 있지 않다.

한중일 3국은 전 세계 인구의 21.3%를 차지한다. 삼국 무역규모의 합은 전세계의 16.7%이다. EU의 인구는 7% 밖에 안 되는데 무역액은 세계에서 32.2%를 차지하고, NAFTA(미국, 캐나다, 멕시코)는 인구 6.6%로 무역액은 15.1%를 차지한다. 이 사실은 아직도 한중일이 인구대비 여러 지표에서 갈 길이 멀다는 것을 전적으로 보여준다. 한중일이 전부 합쳐도 다른 강대국의 경제 집합체를 현재로서는 도저히 따라 가지도 못하는데, 왜 뿔뿔이 흩어져서 아직도 그 후진성에서 머물러야만 하는지 답답하다.

TCS 로고는 역동적이고 강력하게 치솟아 오르는 거대한 파도를 상징하고 있다. 세 나라의 협력이 21세기의 위대한 물결로 활기차게 파도 쳐 오른다는 의미를 담고 있으며, 세 나라가 공유하고 있는 서예 양식으로 제작되었다.

출처 : TCS Website: www.tcs-asia.org

투자, 물류, 상호 무역관세 등 경제적인 방면의 완전 규제 철폐뿐만 아니라, 환경, 교육, 관광 등 교류협력의 할 일이 태산 같은데도 답보 상태인 것이다. 우선적으로 몇 년 내로는 각국의 비자면제부터 전면 실시를 해야 한다. 과거 중국은 국민소득이 한국이나 일본보다 낮아서, 한일 양국은 불법취업이나 각종 문제점에 대비해서, 중국인에게 비자를 얻어 입국을 허용하게 했지만, 이제 중국도 개인 GDP 소득이 8,000달러를 넘었다(2017년 8,289 달러).

텐진, 상하이, 샤먼 등의 동부 연안지역의 자유로운 여행이 가능한 지역은 이미 개인 GDP가 20,000달러를 능가한다. 앞으로 3년 후면 1인당 GDP는 12,800달러가 될 것이며, 2025년에는 명목 GDP가 29조 1,000억 달러로 미국의 28조 4천억을 제치고 세계 1위의 경제대국이 될 전망이다. 조금의 부작용이 있을 수 있어도, 무비자 입국같은 것을 두려워할 시기는 지나게 될 것이다. 3년 정도의 유예기간을 두고, 자유여행과 비즈니스 트립은 15일간 아무런 조건 없이 유효비자를 주는 방법으로 시작해, 차츰 그 비자기간을 늘려가면 된다. 상황을 보고 철저하게 불법체류를 단속하면서도, 궁극적으로는 무비자정책으로 확대해 나가야 한다. 상호간에 잃는 것보다 분명히 몇 배의 실익을 가져올 수 있다. 전면 개방만이 삼국이 살길이다. 그래야 서로가 나눌 파이도 커진다.

3국은 동아시아 경제공동체부터 만들어야 한다. 한–중–일이 먼저 한중일 FTA를 속히 체결하고 경제동반자협정(Comprehensive Economic Partnership)을 맺고, 순수 경제합의체를 구성해야만 한다. 수천년 문화의 동질성에 기초하여 화이부동(和而不同–다름을 인정하고 다른 것과의 조화를 도모)과 구존동이(求同存异–우선 동일한 면을 찾고 상이한 점은 추후에 해결)의 개념으로 상호 이해를 구하고 차츰 그 범위를 경제 외의 다른 영역에까지 확대하여 궁극적으로는 동아시아 공동체(East Asia Community)를 거쳐, 한층 더 나아가 동아시아 연맹(League of East Asia Nations) 및 연합(East Asia Confederation, Union)까지 구성할 수 있다.

EU(European Union)가 온갖 어려움에도 불구하고 처음 6개국에서 출발해 지금은 28개국으로 늘어난 과정에 비하면, 3국이 협력하는 것은 상대적으로 쉽다. EU가 2012년 그러한 노고를 인정받아서 노벨 평화상을 수상했는데 이는 군사적 감축을 비롯해 많은 의미를 함축한다. 개인이 아닌 기구(Entity)가 받는 노벨상 수상의 다음 차례를 한중일 삼국의 동아시아 공동체가 되게끔 해야 한다.

아세안(ASEAN)에는 동남아 10개국이 가입되어 있는데 인구를 합치면 6억이다. 아세안+3의 바로 3이 한중일을 의미하는데, 현재 아세안(ASEAN)은 여러 국가 간의 문제점에도 불구하고 협력이 잘 되어가고 있다. 일년에 아세안 10국이 크고 작은 분과를 합쳐서 만나는 회의가 1,200여 차례 열리며, 1967년 방콕 선언(Bangkok Declaration)으로 아세안의 시작을 알리기 시작한 이래 50년이 되었다. 전 지구가 더욱 가까워지고 있는 동시에 분리와 통합을 거듭하면서도, 지역적인 블록을 형성하고 있다.

한중일은 3국의 정상회담도 2008년부터 정기적으로 개최되어 오다가 여러 갈등 때문에 2013, 2014년에는 못하다 2015년 다시 열렸다. 그런 다음 아직까지도 다음 회의가 기약이 없는 상태이다. 이는 정치와 경제를 분리해서 생각을 못하고 그러한 현상을 국민들을 부추겨 이용해 먹는 각국 정치인들의 야만적인 행동 때문이다. 이렇듯 갈 길이 힘들고 멀지만, 반드시 동아시아 공동체를 결성해서, 결국 정치적이고 군사적인 갈등을 해소해야만 하고, 조만간 3국가의 동아시아지역 집단안보 방위체제까지 생각해야 된다.

한중일은 외환보유액으로 엄청난 달러자산을 보유하고 있다. 3국이 각자 무역 흑자(Trade Surplus)로 남은 달러를 관리하기가 힘들고 안정성 문제도 있고, 운용(Operation) 비용도 든다. 가장 쉬운 방법은 미국 재무부 발행 채권(Treasury Bond)을 사는 것이다. 각국이 외화자산을 전부 미화로 보유하지는 않고(세계 평균은 60프로 정도), 유로화나 주식, 펀드 지분, 금 등 여러 재화로 헤징(Hedging)하여 운용하지만, 이제는 전부 동아시아로 들어와야 한다.

3국에 축적된 자본은 역내(Intra-East Asia)로 재투자의 형태로 회귀해야 하며, 또 같은 아시아권의 다른 개발도상국이나, 저개발국가의 인프라(Infrastructure) 구성이나 경제발전에 적극적인 투자가 이루어져야 한다.

나중에는 3국이 투자한 지역의 구매력이 형성되어 장기적으로는 더욱 발전된 동아시아의 모습으로 거듭 날 것이다. 결국, 동아시아 공동체 나아가 연맹의 실현으로 대 아시아의 시대를 건설하여 인류평화와 공존, 발전과 번영의 모범답안을 제시하고, 나아가 초석이 되어야 한다. 그러려면 우선 경제 공동체부터 세워야 하고, 공동 화폐를 써야 한다. 이는 매우 시급한 문제이다. 서두르지 않으면 동아시아는 EU의 EURO화나 미국 달러화에 의한 경제 패권에 영원히 끌려 다닐 것이다.

서양의 패권주의적 경제 정책

미국의 연방준비은행(Federal Reserve Bank)은 그 태생부터가 사기업(Private Enterprise)인 은행연합으로 출발했다. 이 기관의 운영 주체는 몇 안 되는 명문 은행가 출신들이다. 1971년 베트남(Vietnam)전쟁에 대한 과도한 경비지출 등으로 미국 국가 부채가 상상할 수도 없이 올라가게 되자 닉슨(Nixon) 행정부에서 1944년 종전직전부터 당시까지 유지되어 왔던 브레튼 우즈(Bretton Woods) 금본위제에서 벗어나, 거의 천문학적인 규모로 달러를 발행하기 시작한다. 그 후 지금까지 전 세계가 이러한 소수의 은행 신디케이트(Syndicate)의 손아귀에서 벗어나지 못하고 있는 것이다.

결국 금, 또는 은과 같은 정확한 현물로써, 국가가 실제 소유한 귀금속(Valuable Precious Metal)과 같은 어떠한 상품시장(Commodity)에 근거와 기준을 두고 발행해야 하는 것이 그 나라의 화폐이다. 그런데 지금의 미국 달러 가치는 종이에 불과하다. 그럼에도 마치 가치가 있는 것처럼 환상을 만들어가고 있다. 실제로 미국 국민조차도 세금(Tax Pay)의 몇 프로는 국가가 아니라, 연준의 대주주 소수 집단(FDR Share Holders' Syndicate)의 손에, 그것도 무자비한 화폐발행에 의한 통화 팽창과 그로 인한 국가부채에 대한 이자 지불로 들어가고 있다. 이로 말미암아 미국이 추진하고 있는 모든 글로벌한 경제정책은 왠지 모르게 의심이 가고, 뭔지 모르게 사기를 당하지 않은가 하는 우려가 생길 정도이다.

거의 일세기 동안이나 이러한 미국 연방준비은행의 달러화 등락 조치에 세계의 모든 국가들이 자국의 환율을 맞추어나가는 기준이 형성되어있기 때문에 미 달러화는 막강한 힘을 가지게 된 것이다. 이 같은 달러화 기준은 언제 바벨탑처럼 무너질지 모르는 위험한 상황이다. 아마도 중국이 눈치를 보다 언젠가 개시를 하겠지만, 해외자산보유의 달러화 탈출의 러시화가 갑자기 촉발되면, 달러화는 폭락을 하여 기존의 달러화 소유 국가들은 모두 큰 손실을 보게 될 것이다. 그러므로 대책을 시급히 강구해야 된다.

그 대책의 하나로 유로화와 같이 동아시아 새로운 화폐 제도(Monetary System)가 대안으로 구축되어야 한다. 중국 또한 이러한 경향을 인식해서, 무역흑자(Trade Surplus)로 발생한 3조 200억 달러의 외환보유액을 채권매입 다변화에 의해, 2007년 미국채권을 4,776억 달러 구매했다. 이것이 2014년까지는 1조 2,700억 원으로 계속 늘어났지만, 2014년 이후로는 미국 국채 매입을 중단한 상태이고 우리나라를 비롯한 다른 나라의 안정된 채권을 사 들이는 데 중점을 두고 있고, 미화보다는 금과 같은 안정자산을 사서 외환보유액을 운용하고 있다. 더 이상 3국이 이런저런 운용을 그만두고 통화 바스켓 시스템을 운영하여 당분간 각국의 통화와 3국의 통합 통화(가칭 ASA)를 공동으로 쓰다가 결국은 단일 공동 통화로 합쳐야만 한다.

일본의 잃어버린 20년의 시초는 다음과 같다. 1985년도에 미국 뉴욕의 플라자호텔에서 G5의 재무장관과 각국 중앙은행 총재들이 모여 비밀 회의를 진행했다. 1985년도 플라자 합의(Plaza Accord)에서 미국과 영국은 다른 나라를 견제하고, 자기네들의 금융게임과 상품경쟁력을 올리기 위한 방안을 논의한다. 그 당시 1985년도 전 세계를 놓고 보면 가장 잘나가는 나라는 독일, 일본이었다. 독일과 일본이 너무 잘 나가니까 다른 나라들은 위협을 느꼈다. 미국의 경우, 더 이상 자동차생산 경쟁력이 없어서, 디트로이트 노동자들이 일본 차를 산더미처럼 쌓아 놓고 부수고, 불지르기도 했고 일본제품 불매운동도 일어났다.

그만큼 일본의 제조업 경쟁력이 강해서 다른 어떤 나라도 일본의 제조업을 따라오지 못했다. 미국의 산업경쟁력이 자꾸 죽어가니까 미국이 주도하여 꾀를 낸 것이다. 환율 1달러가 240엔이었다, 그런데 일 년 여 남짓한 사이에 120엔으로 내린 것이다. 이 같은 상황에서는 일본 상품이 덜 팔리는 것이 당연했다.

한편, 독일의 마르크는 달러 당 3.2마르크에서 1.7마르크로 떨어졌다. 독일은 후에 1990년 독일 통일을 이루고, 유럽공동체(EC-European Community)를 거쳐 1993년 마스트리히트 조약에 의한 유럽연합(EU) 창설을 주도적으로 하고, 1999년 유로화로 갈아타면서 마르크에 대한 압력을 희석(Dilution)시키는 대 결단을 내려서 이러한 압력을 피해 나갔다. 실로 달러에 대항하기 위해 성숙하고 현명한 방법이었다. 유럽 공동체가 공동보조를 해줌으로써 가능했다. 하지만, 일본은 당시 다른 인근 국가와의 수준차도 너무나 많이 났고, 그럴 만한 대상도 아니었기 때문에 방법이 없었다. 결국 일본은 아무런 방법을 찾지 못하고 지금까지도 고통을 받고 있다.

다음 타겟은 한국과 중국이 될 것이다. 현시점의 중국과 한국은 지금까지 '환율 조작국'이라는 미국의 집요한 압력을 최대한으로 버티고 있지만, 곧 더 이상 버티기 힘들어질 것이다. 중국은 위안화 결제를 아프리카나 동남아를 중심으로, 전 세계적으로 최대한 늘리고 상품의 수출입대금도 브릭스(BRICS-Brazil, Russia, India, China, South Africa) 국가들끼리는 위안화나 구상무역(바터-Barter)으로 달러 결제를 줄이고 있지만 역부족이다.

지금 달러결제는 전 세계 교역량 지불의 41%, 유로화는 31%, 영국 파운드화는 8.73%(구미 도합 81%), 일본 엔화는 3.46%이다. 중국 위안화는 한때 2.7%를 점유했으나 헤지 펀드의 위안화 하락에 대한 배팅에 편승해, 많은 국가가 위안화 소유와 결제를 꺼리면서 지금은 겨우 1.72%(한국 포함 동아시아 도합 5-6%)를 차지하고 있다.[36] 세계 화폐 교역량 81%(구미) 대

36) China drives up RMB in face of rising FX demand, *Financial Times*, 21 07 2016.

5%(동아시아 3국)라는 이 비율은 동아시아에 있어서 3국의 공동 기축통화가 왜 절실하게 필요한가를 보여주고, 모든 것을 대변하는 매우 중요한 지표이다.

1985년 플라자 합의의 압력에도, 일본은 버텼다. 흡수할 만한 여력이 있었기 때문에 그 후에도 한 7-8년 동안 그런대로 잘 나갔다. 당시 일본 사람들이 해외여행을 많이 했다. 자국 화폐 경쟁력이 2배가 올랐기 때문에 일본사람들이 해외의 땅도 사고, 미국에 있는 많은 건물들을 사들인다. 또 그 당시 돈 많은 개인뿐만 아니라, 일본의 은행, 보험회사, 대기업들조차 고흐, 고갱, 마네, 모네, 르누아르 등, 인상파, 신인상파 화가들의 작품도 많이 사들였다. 그런데 결국 일본이 더 이상 버틸 힘이 없어지기 시작했다.

일본 자국에서 생산 경쟁력이 잃어가는 것을 느끼자마자 일본에서는 산업 공동화가 시작됐다. 태국을 비롯한 동남아, 중국으로 노동집약산업을 움직이기 시작했기 때문에 고용률이 점점 축소가 되고, 출산율도 급격히 하락했으며 노령화 시대로 들어섰다. 그러다 보니 소위 '잃어버린 20년'의 디플레이션이 지속되고 지금까지도 일본의 경제 탄력성이 없어지고 힘을 잃기 시작했다.

일본은 현재 아베노믹스를 통해 돈을 쏟아가며 경제활성화를 도모하고 있다. 돈을 투자하면 인플레이션도 유발되고, 이자율도 올라가게 된다. 그러면 다른 나라에서 투자자금이 들어올 수도 있다. 그런 이유 때문에 돈을 풀면서 경제를 활성화시키려고 했는데, 그것도 1년을 못 갔다. 아직도 일본은 경제가 풀리지 않아서 아주 힘들게 가고 있다.

일본은 GDP의 2배가 넘는 국가 부채가 있다. 이것이 일본의 가장 큰 문제이다. 최근 발표에 의하면 미국 GDP가 16조 9,000억 달러, 중국이 약 9조, 일본이 5조 9,000억인데, 일본의 국가 부채는 12조 달러가 넘는다. 일반적으로 국가 부채가 GDP의 100%가 넘으면 위험한데 일본은 240%가 넘는 12조 달러의 국가 부채가 있다.

국가 부채는 경제 성장률과 매우 관계가 깊다. 국가 부채에 대한 이자 부담률이 경제 성장률보다 현저하게 높아지기 시작하면 국가가 그만큼 파산할 가능성도 크다. 모든 국가 빚에 대한 이자는 국민의 세금으로 부담하는 것이고, 더 이상 이자를 못 낼 수 있는 상황이 결국 도래하기 때문이다. 그래서 국가 부채는 더욱 철저히 관리해야 되는 것이고 경제성장률 역시 계속 높여야 하는 것이다. 한국이나 일본같이 경제성장이 지속적으로 정체상태에 있는 경우 매우 위험하다.

부채의 채무자는 가계, 기업, 정부로 나누어질 수 있는데, 우리나라의 부채현황을 살펴보면, GDP 대비 가계부채는 1,300조 원으로 87.2%, 기업부채는 106%, 국가부채는 41.6%로 모두 가파르게 증가추세에 있다. 가계, 기업, 정부 부채를 모두 합한 총 부채 액은 GDP대비 2015년 234.7%로 2004년 156.5%에서 거의 70% 증가를 보였고 선진국에 비해 특히 가계(소규모 자영업 대출이 많음-신흥국 1위), 기업 부채(세계 3위)가 위험할 정도로 높다.[37] 매우 위험한 사태가 발생할 가능성이 크기 때문에 정부는 속히 조치를 취해야 한다.

이러한 부채구조개선이 이루어지려면, 방만하기 짝이 없는 국가예산 운용부터 잘해야 한다. 우선 불필요한 예산을 전부 삭감하고, 각 지역의

---

37) 김재현. '1300조 가계 부채에 가려진 또 하나의 시한폭탄. 정부 빚 증가 속도 위험 수위.' 헤럴드경제. n.p., 06 04 2016 Web. 4 April 2017.
http://biz.heraldcorp.com/view.php?ud=20160406000105.

지방 정부뿐만 아니라 중앙정부부터 솔선수범하여 빚부터 갚아나가는 관리 정책도 고려해야 한다. 개인과 소규모 자영업자, 기업도 예외가 아니다. 개인은 과소비와 지나친 교육비 부담을 줄이고 가계 부채에서 하루빨리 벗어나야 하고, 기업은 더욱 합리적 경영으로 최대한 이익을 낼 수 있도록 재무관리와 전략개선을 통해 부채문제를 해결해야 한다.

재벌도 문어발식 확장이 아니고, 건전하고 합리적 경영으로 세계제패에 합당한 사업에만 눈을 돌려야 한다. 특히 외채를 함부로 끌어다 쓰는 일을 줄여야 한다. 그리고 절대 중소기업의 영역까지 침범하는 사업은 시작하지 말아야 한다. 정치권도 괜한 포퓰리즘으로 선심성 공약을 남발하고 당선 후에라도 예산운용을 나눠먹기식이나 마구잡이로 지출하는 일을 그만두어야 한다.

일본은 국가부채의 90% 이상이 국내에서 빌려온 돈이므로 다른 나라에 비해서 덜 위험하다. 1998년도의 우리나라의 IMF 구제금융 위기 같은 상

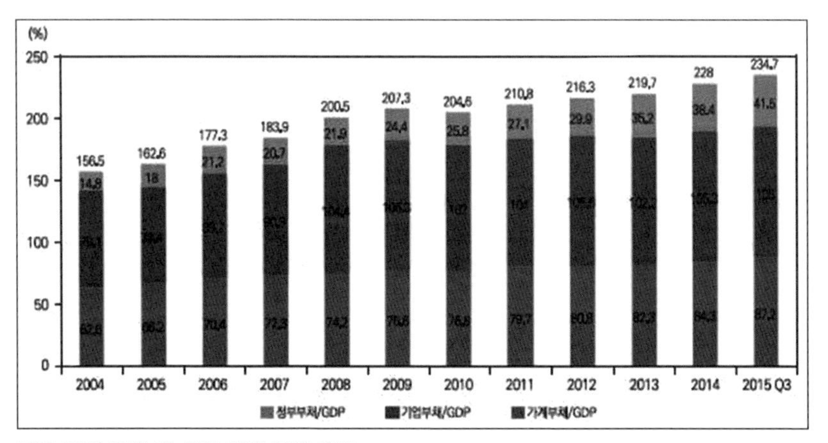

국내 경제 주체 별 GDP 대비 부채 추이

출처 : BIS(Bank for International Settlements-www.bis.org), '헤럴드 경제'에서 재인용

황은 외국에서 빌려온 돈이 많고, 단기 외채가 많았기 때문에 미국 금융재벌을 위시한 “빅 브라더스-Big Brothers”들의 거대 시나리오에 이용당한 측면이 있다. 일차적으로는 그러한 상황을 예상하지 못하고 국가경영에 무관심했던 정부와 경제관료들의 엄청난 관리미비로 부도가 난 것이다.

일본은 세수의 1/3을 국가 부채의 이자를 갚는 데 써야 되므로 심각한 재정압박을 받고 있다. 언젠가는 자국 내에서 자체적으로 해결을 하겠지만 장부상으로는 계속 해결하고 넘어가야만 한다.

일본은 국가가 빚이 많으니까 정치적으로 풀어나가는 데 상당한 견제와 제한을 받다. 이런 와중에 복지나 후생 같은 것들을 향상시키려면 세원이 있어야 한다. 그래서 소비세를 5%에서 2014년 4월달에 8%까지 올렸다. 지금은 계속 연기를 거듭하며 적당한 시기를 보고 있으나, 곧 몇 년 내로 10%까지 인상할 예정이다. 그러나 아직까지도 일본은 세수와 지출의 언밸런스(Unbalance)로 어려운 점이 산적해 있다. 일본을 비롯한 많은 선진국에서는 이러한 소비세 인상과 법인세 인상 등등, 세금에 관한 문제가 선거에서 이기고, 지고, 또 국민을 설득시킬 수 있는 요소로 크게 작용한다.

세입이 지출보다 현저히 모자라는 재정 압박보다 더 심각한 일본 경제 문제는 저성장과 고령화(65세 이상 20%인 국가 : 독일, 일본, 이태리---한국은 현재 14%) 문제이다. 저출산으로 인한 인구절벽(Demographic Cliff)이 형성된 것이 주요인이다. 일본은 1996년부터 시작한 출산율(여성 한 명당 아기의 수) 감소가 2004년에는 1.19명으로 떨어지고, 지금은 출산율이 1.14 명까지 떨어졌다.

생산력을 갖춘 활동인구가 지속되는 이상적인 출산율은 2.1명인데, 일본에서는 거의 그 반 정도로 하락하고 있다. 이로써 골목상권이 무너지고 내수에 의존하는 기업 중심의 매출하락이 동반되고, 임금과 고용률이 따라서 하락한다. 연쇄적으로 국가세수가 줄어든다. 대형 복지정책은 점점 늘고 있는데, 이에 대한 재원은 점점 고갈되어 재정적자는 더욱 확대되고 있다. 이러한 복합불황이 디플레이션을 유발한다. 그리하여, 노숙자, 빈민, 극빈층 등의 사회적 약자 층의 빈곤율이 상승하여 독거노인, 고독사, 노인 성범죄, 파산과 같은 심각한 사회문제를 유발한다.

전에도 얘기했던 사카키바라 에이스케 같은 사람도 '이러한 것들은 더 이상 일본만의 문제가 아니다. 한국도 문제다'라고 얘기했다. 그러면서 그는 중국을 포함한 극동아시아, 중국, 일본, 한국이 화폐도 공동통화를 쓰고 EU와 같은 공동체를 만들자고 주장했다. 일본은 전후 모든 국민이 필사적으로 절약하며 밤새워 일하고, 온갖 노력을 경주하여, 한때 세계 경제의 견인차 역할을 톡톡히 했었지만 실상은 미국을 위시한 구미 경제권에게 점점 헤게모니를 빼앗겨 결과적으로 그 피해가 막심했다. 이와 같이 3국이 합쳐서 나가지 않으면 이 같은 난국을 이겨 나갈 수 없다. 유일한 해결책이 바로 동아시아 공동체(East Asia Community)에 있다고 일본의 많은 정치, 경제 엘리트그룹도 다 공통적으로 느끼고 있다.

경제 전쟁에 대한 대비책

사카키바라 에이스케씨는 동아시아 경제공동체에 대해서 부연 설명하기도 한다. 각국의 이익이 충돌하게 되면, 옛날에는 총, 칼로 싸웠다. 그런데 지금은 경제전쟁의 시대이다. 경제전쟁이 얼마나 심각하냐 하면, 여러분이 잘 모르는 사이에 부모나 친척들이 평생 열심히 일해 모아 놓은 것이 순식간에 다 날아갈 수 있다. 대한민국은 1997년 12월 3일 IMF와 양해각서를 체결했다. 우리가 할 수 있는 정책이란 아무것도 없고, 경제정책은 그들의 말에 따라야만 했다. 경제식민지나 다름 없었다.

문제의 원인은 미국의 달러가 기축통화라는 데 있다. IMF, IBRD(세계은행 International Bank of Reconstruction and Development) 자체도 실질적으로 미국이 운용하고 있고, 미국과 유럽이 합자하는 경제전쟁의 본영(Headquarter)이다. 이러한 거대한 기구와 그들이 짜는 각본에 잘 맞서야 동아시아의 권리가 보장된다. 결론은 동아시아가 같이 힘을 합쳐서 준비해야 한다는 것이다.

IMF는 경제위기에 봉착한 국가에 구제금융을 빌미로 대출을 해주고 각국의 강력한 구조조정과 규제해제, 민영화, 금융 자유화를 요구하는데 이는 국경 없이 달러나 달러자산이 마구 퍼질 수 있도록 하여 미연방준비위원회가 얼마든지 달러를 찍어내어 유통을 자유롭게 할 수 있도록 토대를 마련해주는 것이다. IMF도 인출권(Drawing Right)의 제한이 원래는 300%였으나 멕시코와 태국/인도네시아 지원에는 500%, 한국의 지원에는 2,000%의 인출권이 사용되었다.

달러가 많이 풀리면 풀릴수록 채권을 쥐고 흔들 수 있으며, 그로 인한 경제적 우월성도 확보된다. 세계은행(World Bank)도 마찬가지로 개발도상국에게 매년 200억 달러를 신용대출해 주면서 달러가 풀리도록 하는 기관인데 한국 외환위기 시에는 100억 달러를 빌려준다. 이렇게 달러가 세계 전역으로 마음껏 풀리면 풀릴수록 연준의 대주주는 발행이익과 이자를 챙길 수 있으니 결국 미국이 주도하는 세계의 모든 금융기관이 경제패권과 이익을 위해서 한통속으로 돌아가는 것이다.

지금 대부분 국가의 해외결제 수단이 EU 경제권을 제외하고는 거의 달러이다. 우리나라에서 말레이시아나 태국, 일본, 심지어 중국 같은 나라로 송금하건, 받건 특수하게 지정하지 않는 이상, 대부분 달러로 결제하게 되어있다. 그리고 미국은 달러를 얼마든지 찍어낼 수 있다. 다른 어떤 나라도 거기에 이의를 걸 수가 없다. 소위 보이지 않는 손에 의거한 시장에서의 달러 강, 약세가 있을 것 같지만 이 또한 얼마든지 연준의 금리조정과 화폐 발행조절, 해외 금융위기 조성, 세계 정세 이용, 심지어 전쟁발발 같은 것으로 충분히 제어할 수 있다.

아시아 금융 외환위기를 조장하여 미국 월(Wall)가의 금융재벌 '빅 브라더스'는 막대한 이익을 챙겼다. 예를 들면, 당시 퀀텀 펀드를 운영하고 있었던 헝가리 이민자 출신의 조지 소로스(George Soros) 라는 사람이 짐 로저스(Jim Rogers) 라는 사람과 97년도에 미 달러화에 대해 고정환율제였던 태국 바트화를 건드렸다. 태국 바트화를 건드리니까 태국이나 인도네시아에 투자를 많이 했던 일본, 한국의 종합금융회사나 은행들은 큰 타격을 입게 된다.

당시 동남아시아는 인플레이션도 크게 없었고 경제성장도 안정적으로 상승하고 있었으므로, 단지 투기세력의 장난으로 일어난 사태처럼 보였다. 그러나 실상은 몇 년 전부터 미리 시나리오에 의거해, 많은 기업들이 단기 외자를 쓰도록 유도를 하고, 정부관료의 자제나 힘쓸 수 있는 유력한 인물을 고용하여 각국의 은행이나 금융회사에 단기 금융상품 판매에 열을 올리게 만드는 작업이 있었다. 그러면서 통화의 불안전성을 거론하며 군불을 때면서 D-day를 잡는 것이다.

그 당시 한국이나 일본은 동남아시아의 여러 금융권에 투자를 굉장히 많이 했다. 주로 자국의 크레딧(Credit)을 이용했다. 즉, 미국이나 유럽의 투자금융은행에서 이자를 1%-2%대에 빌려서 그 돈을 태국, 필리핀, 베트남 등 다른 동남아 국가나 러시아에 3%-4%에 파는 것이다. 동남아 국가들이 구제금융을 신청하게 되자 한국도 해외에서 빌려온 단기채권을 갚아야 할 상황이 되니, 달러가 급하게 모자라는 상황이 벌어진다. 그러다 한국마저도 구제금융이 불가피하게 된 것이다. 반면에 미국이나 유럽 금융회사는 투자 리스크가 거의 없었다. 항상 중간에 충돌해도 죽지 않을 정도의 버퍼 존을 두는데 그것에 이용당한 것이 한국하고 일본이다.

조지 소로스가 퀀텀 펀드를 이용해 달러 매입, 바트화 매도를 선도하면, 다른 투기세력들도 힘을 합해서, 태국같이 비교적 경제력이 약한 나라를 상대로 헤지 펀드로 휘젓고 나오면 5배-10배 이익을 챙겨 나갈 수 있다. 환율만 해도 외환위기 전에 1달러당 25바트가 60바트까지 치솟았다. 이렇게 주가가 반 토막 이상이 나고 환율은 3배 정도 차이가 나게 되니 그 정도는 가볍게 챙겨 나간다.

우리나라도 1997년 11월 22일 IMF에 구제 금융을 신청할 당시, 대 달러 교환환율이 800원에서 2,400원까지 올라갔다. 인도네시아 루피아화는 1달러당 2,400에서 16,000으로 무려 7배, 말레이시아의 링깃화는 80% 통화 가치하락을 맛보기도 했다.

아시아의 자산, 주식이 아주 짧은 시간 안에 다 거덜났다. 아시아인들은 일 년, 24시간 피땀 흘리며 일하는데, 그네들은 잠깐 몇 개월 동안 여러 명 손잡아서 잠시 들어갔다 나오면 초토화되는 것이다. 우리나라뿐만 아니라, 경제력이 부실한 나라들은 다 무너졌다. 미국의 거대한 금융력, 금융자산이 다른 나라를 건드려서 칠 수 있는 케이스이다. 기초경제가 튼튼했던 일본은 아시아 금융위기의 영향을 비켜갈 수 있었지만 동남아에 각종 제조기지를 만들고 기업들의 투자와 진출로 본국의 경제부진을 벗어나고, 이 지역을 엔화경제권으로 삼고 헤게모니를 쥐고 갈려던 꿈은 완전히 포기해야만 했다.

심지어 당시 외환위기 때에 한국의 재무부에서 일본의 재무부에 달러를 빌리러 갔을 때, 일본 재무부 관료가 당시 미국 재무부장관 로버트 루빈(Robert Rubin)이 '한국에 달러를 빌려주지 말라는 요구가 있었다'라고 전할 정도로, 미 정부관료조차도 투기세력과 한통속으로 '한국과 일본 길들이기', '아시아 금융지배'의 목표로, 온갖 전방위적인 압박을 가하는 것이다. 화폐전쟁(Currency Wars)이라는 책으로 유명한 쑹훙빙(宋鴻兵)은 이를 "양털 깎기(Fleecing of the Flock)"로 표현한 바 있다.

당시 눈여겨볼 나라가 바로 말레이시아였다. 말레이시아 화폐 링깃은 원래 대 달러변동환율제(Flexible Exchange System)였다. 자국의 모든 자산이 무차별적으로 헐값에 팔리고 빠져나가니, 달러당 3.8링깃으로 고정환율제(Fixed Exchange Rate-Peg System)를 고수하고 외국자본을 철저하게 통제했다. 온갖 세계 금융그룹들이 힘을 합해 압력을 가하고, 그것을 해체하고, 국가신용도를 낮게 평가하고, 무너뜨리려고 했어도 당시 수상 마하티르(Mahathir)는 꿈쩍도 하지 않고 IMF 구제금융을 거부하고, 배짱있게 고정환율제를 고수하고 외국계 은행의 국내은행 지분율을 30% 이하로 제한했던 것이다(한국은 무제한의 IMF 지시를 받아 들였음).

물론 이러한 배짱을 부린 배경에는 이슬람의 종주국을 표방해왔던 사우디의 오일 머니파워(Oil Money-Power)에 기대는 심리가 있었다. 이런 위기를 극복한 몇 년 후에는 결국 관리형 변동환율제(Managed Flexible Exchange Rate)로 바꾸긴 했지만, 마하티르의 계산이 맞아 떨어지면서 한국과는 달리 국부를 지키게 된 것이 사실이다.

금융위기 후에 한국은 IMF에서 210억 달러의 구제금융을 받았고 불과 몇 년 후에 다 갚았지만, 자본시장 개방을 그 대가로 지불하여 단기간에 약 15배인 약 3,000억 달러의 국부유출이 되었다. 물론 그 후로도 계속 안방을 내주며 발목을 잡힌 케이스임은 말할 필요조차 없다.

같은 시기에 한국은 어느 나라에게도 손을 벌릴 수도 없는 형편인데다가, 생명보험 8개 업체, 손해보험 12개 업체, 증권업 19곳(100% 외국증권회사 직접설립 14곳)뿐만 아니라, 대구은행, 부산, 경남은행 등, 지방은행은 외국인지분이 60-70%를 넘어서게 되었고, 시중은행 8개 중에서 제일, 외환, 한미은행 등 3개 은행이 100% 외국 금융자본의 손으로 넘어갔다.

나머지 시중은행(우리은행을 제외한, 신한, KB 국민, 하나은행)의 외국계은행 시장 지배율 역시 60-70%로 매우 높아졌다. 말레이시아의 경우는 오히려 점유율이 떨어졌다. 다행히 두 나라 모두 추후 외환위기를 잘 극복했지만, 다음 자료는 누가 더 근본적인 피해를 봤고, 위급상황에서 외국자본에 대해 자국의 경제를 어떻게 보호했나 하는 차이를 보여준다.

국내 7대 시중은행의 외국인 지분율 변화(IMF 금융위기 전 1997년 말과 2005년과 2013년)

	1997	2005	2013	2013년 5% 이상 주주
신한은행 외자비율	23.4%	57.05%	62.86%	BNP Paribas S.A(6.35%)
국민은행 외자비율	41.2%	85.68%	65.62%	Bank of New York(9.07%) ING Bank(4.02%)
하나은행 외자비율	21.3%	72.27%	62.00%	골드만삭스(9.34%)-2005, Capital Group(8.97%)
우리은행 외자비율	8.6%	11.10%	23.75%	우리 파이낸셜 그룹(77.97%)
한국외한은행 외자비율	2.7%	74.16%	하나은행 합병-	론스타(50.53%-2005년)
한미은행 외자비율	29.4%	99.90%	시티은행 합병-	시티그룹(99.91%-2005년)
제일은행 외자비율	0.1%	100.0%	SC 은행 합병-	스탠다드 차타드(100%-2005년)

2014~2015 변화율 : KB국민 63%--68.6%, 하나 61%--70%, 신한 64%--68%(외국인 지분율 변화)
출처 : 김성훈, "외국자본에 '퍼주기만' 하는 재벌 경제", 오마이뉴스, 2013-06-20.

IMF 금융위기 후에 외국자본이 한국의 시중은행과 더불어 대기업의 지분율을 대폭 높인 사실도 잘 살펴봐야 한다. 한국 금융연구원이 2014년 발표한 "우리나라 은행산업의 구조평가와 정책적 시사점" 자료에 따르면, 각국의 외국자본의 은행산업 시장점유율(지분율 50% 이상 은행)은 멕시코가 85%, 한국이 76.8%, 일본 6.1%, 중국 1.9%, 말레이시아 21.6% 등 다음 도표와 같다.

국가별 외국자본의 은행산업 시장점유율

구분	국명	점유율(%)	구분	국명	점유율(%)	구분	국명	점유율(%)
남미	멕시코	85.0	동구	체코	84.4	선진국	뉴질랜드	94.6
	파나마	62.1		헝가리	82.8		영국	18.0
	칠레	39.4		폴란드	62.0		미국	8.5
	우루과이	54.4		루마니아	84.1		노르웨이	29.5
	베네수엘라	16.9		러시아	18.0		스위스	11.8
	페루	48.6	아시아	한국	76.8		핀란드	74.0
	볼리비아	33.0		말레이시아	21.6		일본	6.1
	아르헨티나	26.3		필리핀	11.8		이탈리아	17.9
	브라질	17.7		태국	6.8		캐나다	7.2
	콜롬비아	19.8		중국	1.9		독일	11.8

주 : 1) 2010년 말 기준: 외국인 지분율이 50% 이상인 은행 기준, 2) 볼리비아, 캐나다, 중국, 체코, 일본, 미국은 2005년 말 기준

출처 : World Bank, Regulation and Supervision Survey(2012), 한국 금융연구원 "우리나라 은행산업의 구조평가와 정책적 시사점"(2014. 9. 4.)에서 재인용.

이것은 한국 금융산업이 얼마나 해외자본에 취약한 구조를 가지고 있는지 전적으로 말해준다. 멕시코와 한국 같은 나라는 GDP 총액은 매우 큰데 정치 경제적으로 미국의 자본이 쉽게 들어가서 종속화하기가 가장 만만한 나라이기 때문이다. 오죽하면 한국은 해외자본가 그룹의 ATM이라고 하겠는가.

혹자들은 해외자본이 한국으로 들어와서 체질개선이니, 경영 투명성 확립이니, 유리한 면도 많다고 주장한다. 그 진위여부와 이해득실을 떠나 그야말로 금융자본의 침식 면에서는 금융식민지처럼 초토화된 것이 사실

이다.

한국 대기업의 외국금융에 의한 지배구조도 잘 살펴봐야 한다. 이미 많은 한국의 주요 기업들이 거의 외국 금융자본에 잠식되어 있다. 대우자동차, 삼성 자동차는 물론 GM과 르노(Renault)에게 팔려 나갔고, 삼성전자, 삼성화재, 포스코, 한국전력, SK 하이닉스, SK 텔레콤, 현대 모비스, 현대산업개발, 대림산업 등, 한국의 가장 핵심산업들의 거의 모두가 총 주식 50% 이상은 이미 외국계 금융자본의 손에 들어가 있다. 그리고, 75% 이상의 국내 굴지회사(20대 대기업)들의 경영권도 실상은 소위 한국 재벌가의 대주주나 국가가 동원할 수 있는 특수관계인 지분이 외국금융 지분보다 훨씬 적다.

순위	종목 명	특수 관계인 지분*(%)	외국인 지분율 (%)	5% 이상 주요 외국인 대주주*(%)
1	삼성전자	17.65	49.17	Citibank ADR(5.14)
2	현대차	25.97	43.78	
3	POSCO	5.99	51.41	Bank of New York Mellon(15.86), NIPPON STEEL & SUMITOMO METAL CORPORATION(5.04)
4	현대모비스	30.17	49.62	The Capital Group(6.61)
5	기아차	35.63	33.74	JP MORGAN(6.17)
7	SK하이닉스	21.05	28.8	
8	한국전력	51.11	24.13	
9	삼성전자 우	0.15	83.04	
11	LG화학	30.09	32.92	
12	SK텔레콤	25.22	44.77	Citibank ADR(24.0)
13	현대중공업	21.32	17.65	
14	LG전자	37.70	20.04	
15	NHN	9.25	53.38	Oppenheimer Developing Markets Fund(5.54)

17	SK이노베이션	33.40	35.06	템플턴 자산운용(6.42)
18	롯데쇼핑	69.36	14.63	
19	LG	48.59	26.38	First State Investment Management(5.03)
20	KT&G	6.93	59.64	라자드 에셋 매니지먼트 엘엘씨(5.49), First Eagle Investment Management, LLC(5.49)

출처 : 한국증권거래소(2013.4.30 기준), 금감원 전자공시 시스템

기존 재벌의 경영은 말로만 소유주 행세를 하는 것이지, 외국자본이 기존의 재벌을 내세워 지켜보고 있다는 표현이 정확하다. 이들은 한국 재벌이 순환출자로 계열사 지분이 모두 연결되어 있다는 커다란 약점을 잘 알고 있다. 가장 중요한 핵심만 지배를 하면 경영권 확보 및 한국 산업의 하청구조 꼭대기에 서게 되는 것을 너무도 잘 안다. 또한 계속 높은 배당을 받아나가면서, 이미 확보된 주식이나 채권을 한꺼번에 전부 빼면, 언제 어느 때라도 제2의 금융위기를 쉽게 일으킬 수도 있다. 속칭 "양털 깎기(Fleecing of the Flock)"를 구사하는 것이다. 한국경제는 아직도 금융의 펀더멘털(Fundamental)이 너무도 약하다.

우리사회연구소 김성훈 선임연구원에 의하면 "현대증권과 대신증권에 따르면 지난 20년간 외국인은 주식 매매차익으로 310조~320조 원을 챙겼을 것으로 추산됐다. 이를 나누면 1년에 최소 15조 원 이상이 된다. 또한 지적재산권 독점에 의해 외국으로 지급되는 돈은 2012년 기준으로 연간 9조 원에 달했다. 채권 매매차익과 각종 이자를 빼더라도, 외국자본은 일 년에 적어도 29조 원 내지 30조 원 정도를 가져가고 있는 셈"[38]이라고 한다.

38) 김성훈. '외국자본에 '퍼주기만'하는 재벌 경제.' 오마이뉴스. n.p., 20 06 2013. Web. 4 April 2017. http://www.ohmynews.com/NWS_Web/View/at_pg.aspx?CNTN_CD=A0001877664

이들 금융 동업자들끼리 또 보이지 않는 손이 있다. 예를 들어서 1992년도에 조지 소로스가 영국을 상대로 파운드화를 건드렸다. 그러나 영국도 미국을 위시한 다른 나라의 투기세력이 영국 파운드화를 떨어뜨리기 위해서 던지고 나가는 것에 당해낼 수가 없었다. 단기간에 조지 소로스가 10억 달러를 벌고 나왔다. 그런 방식으로 97년도에는 태국에서 시작해 동아시아에서 금융위기를 촉발시켜 몇 십억 달러를 벌고 나왔다.

소로스의 퀀텀펀드 동업자였던, 짐 로저스 같은 사람은 앞으로 중국이 엄청나게 발전할 것이라는 이유로 '나는 미국에서 살기 싫다'고 하며 자식과 함께 중국어를 배우면서 싱가포르에 살고 있다. 그는 오토바이나 자동차로 중국을 포함한 세계 모든 오지를 여행한다. 세계의 투자가들은 투자를 잘하는 사람의 말을 들어서 따라가게 되어있다. 그런 실물 경제에 대한 정보력이 한국이나 일본은 매우 약해서 금융 컨트리 보이(Country Boy)로 불리며 세계 열강에 이용당하곤한다. 세계를 주도하는 사람들이 미국이나 유럽 쪽에 있으므로 모든 힘에서 밀리기 마련이고, 또 약하므로 항상 금융 전쟁(Finance War)에서 지는 것이다.

미국 같은 나라는 달러를 자꾸 찍어내며 자기들 주도로 전 세계를 계속 이끌어 나가려고 개방 압력을 넣는다. 그리고 찍어낸 달러로 상대국가의 주식을 사든, 채권을 사든, 은행을 지배하든 간에 갖은 방법의 금융의 힘으로 패권을 장악한다. IMF 직후 취해진 '외국인 주식 투자한도 폐지 조치(1998년 5월)로 한국만 해도, 전 주식시장의 시가총액의 40%가 외국자본의 손에 들어가게 된다. 외국자본은 배당은 물론, 일부 우수 회사는 상기 기술한 대로 50% 이상을 소유하고 경영권까지 가져가는 경우도 많이 있다.

미국의 2008년 리만 사태로 금융자산이 자국으로 회귀하면서 28%까지 낮아진 적도 있으나 다시 꾸준히 그 점유율이 높아지고 있어 지난 15년간 평균은 35%인 상태를 유지하고 있다. 대한민국은 다른 아시아 국가에 비해서도 특히 높은 비중으로 외국자본이 들어와 있다.

외국자본의 각국 시가총액 점유율 :
일본(23.7%), 대만(17.5%), 중국 상하이B(25%)
자료 : 금융감독원 2015년 기준

참고 : 김성훈, 외국자본의 놀이터, 한국 주식시장, 우리사회연구소(http://newssh.net/m/post/109)

세계의 무역체계는 과거 무역관세일반협정(GATT: General Agreement on Tariffs and Trade)에서 세계무역기구(WTO: World Trade Organization)로 바뀌고, 최근에는 미국이 주도하여 지역적이지만 TPP(Trans-Pacific Partnership)라는 것을 조직하고 일본도 거기에 가입시키려고 하고 있다. 미국은 좀 더 무대를 확대해 나가려고, 환태평양 경제체계를 자꾸 언급한다. 지금은 트럼프 새 정부가 들어와서 중단하고 있지만, 과거 한국은 이곳에 가입하는 것을 거절당했다.

한국은 미국과 이미 FTA를 하고 있고, 다른 국가와도 FTA가 꽤 많이 진행되었으니, 진행이 안 된 일본하고 하겠다면서 미국은 TPP 체제를 가동하고 있다. 중국에 대해서는 미국의 수준과 맞추어야 가입을 허가한다고 하지만 실은 중국 봉쇄를 목표에 둔 견제정책의 일환이기도 하고 일종의 '한국 길들이기'로 보인다. 한국이 너무 중국과 밀접한 경제관계를 가지고 있기 때문이다. 미국이 자국의 이익을 위해 자꾸 새로운 구상을 내놓는 것이다.

우리는 이것을 잘 들여다 볼 필요가 있다. 무조건 미국을 따라간다고 좋은 것이 아니다. 그렇다고 전 세계적인 추세에 안 따라갈 수도 없다. 다만 본인뿐만 아니고 국가가 처한 현실을 정확히 들여다봤으면 좋겠다. 현

시점에서는 오히려 한중일 삼국의 FTA 무역체계 타결이 급하다. 왜냐하면 이렇게 함으로써 한중일 각국의 GDP와 수출입이 늘게 될 뿐만 아니라, 역내의 금융, 통신, 서비스개방, 일자리창출에도 지대한 영향을 미치기 때문이다. 한국의 외화자금유입의 다변화에도 더욱 바람직한 현상이 되며, 급격한 외화반출의 충격완화에도 도움이 될 것이다.

동아시아 3국은 정치, 경제를 철저히 분리해 나가야 되는 정책을 견지해야 되고, 한중일 삼국이 정치 논리에 다른 모든 것을 희생하는 우를 자꾸 범하는 것은 결코 바람직하지 않다. 이러한 동아시아 경제공동체 논의 과정에서 자연스럽게 남북간의 통일에 대한 논의도 포괄적으로 같이 끌어와야 한다.

동아시아 공동체의 목표

왜 인류는 전쟁과 역병으로 수 천만 명이 죽어 나가는 일이 닥쳐야 힘을 모으는가? 왜 인류는 인류 전체의 역사를 봤을 때 좁쌀만큼도 안 되는 자존심의 각을 세우고 상대방을 몰아 세우며 결코 평화에 전혀 도움이 되지 않는 일만 골라서 하는가? 인류의 불행이 뻔히 보이는데도, 이데올로기나 종교의 믿음으로 서로 대립하는 것이 그렇게 중요한 것인가? 우리 모두는 이러한 문제에 대해 스스로 물어보고 인류 공영의 답을 찾아야 한다.

우리 인류의 적은 자기가 속한 소수의 이익을 전체적인 이익보다 지나치게 앞세우고 평화를 해치는 집단이다. 누구나 자기이익을 추구할 수는 있다. 그러나 남의 어려운 처지를 생각해 주는 호혜평등과 배려, 포용과 아량의 원칙, 기본적인 양심은 있어야 한다. 크게 눈에 띄지 않는다고 거대한 체제를 이용해서 지나친 투기 금융자본주의에 입각한 돈과 더러운 권력의 욕심을 채우고, 이 과정에서 심지어 분란과 전쟁을 일으켜 인간 삶의 본질을 흩뜨리는 비윤리적 행위는 간접적인 도적질과 살인행위인 것이다.

우리는 미국, 러시아, 중국, 일본, 어떠한 나라의 국민과도 최선의 우호관계를 가져야 마땅하다. 친미, 친중, 친일, 친러시아, 친북조차도 모두 환영해야 한다. 평화와 공영을 원하는 대부분의 그 국민들에게도 더 이상 인류를 파멸에 이끄는 어리석은 정책과 행위를 막도록 호소를 해야 한다. 거의 모든 국가는 극히 일부 세력이 거대한 집단을 오랫동안 이끌며 자기들의 입맛에 맞게 대부분의 국민을 이용하고 또 희생시켜왔다. 이것을 빨리 자각하고 이러한 작태에 적극적인 제동을 가해야 한다.

MIT 대학은 세계적인 공과대학으로서 제롬 위즈너(Jerome B. Wiesner–MIT 총장 1971–80), 필립 모리슨(Philip Morrison), 코스타 치피스(Kosta Tsipis)와 같은 양식과 지성이 있는 교수들이 반전, 군축, 평화를 이끈 산실로도 유명하다. 이 교수들은 "Beyond the Looking Glass: The United States Military in 2000 and Later"라는 책을 1993년에 발간했다. 이들은 이 책에서 미국이 군사적인 팽창에 집착하는 것을 꼬집고, 미국의 군수물자, 전략방위구상(SDI–Strategic Defense Initiative–Star Wars) 및 무기구입, 국방예산의 대폭적인 감액과 핵무기 비확산, 군축(Disarmament)을 강력하게 주장했다.

이들뿐만 아니라, 같은 대학의 노엄 촘스키 교수도 평생을 미국의 잘못된 정책에 제동을 가하는 데 혼신을 다했다. 미국뿐 아니라 어떤 국가의 경우라도 국가가 여러 방면에서 잘못을 저지르고 국가 정책 자체가 문제투성이인데 이것을 그대로 바라보고 있다면 그것은 엄연한 직무유기인 것이다.

미국의 잘못 중 꼭 짚고 넘어가야 하는 것은 미국의 중국 견제를 위한 아시아 리밸런싱(Rebalancing to Asia) 정책이다. 겉으로는 중국과의 긍정적이고 안정적인 협력을 추구하는 것처럼 보인다. 그러나 결국 미국은 본국의 군대가 주둔해 있는 한국, 일본에 가상의 태평양 방어라인을 긋고, 중국 봉쇄(Containment) 정책의 일환으로 양국의 국방비 지출 증가와 미군의 주둔비용 분담을 더욱 많이 요구하고 있다.

한일 양국에 미국의 전략무기나 사드(THAAD)와 같은 미사일 방어시스템을 도입하도록 하여, X-Band와 같은 감시체제(Surveillance System)를 작동하여 정보를 공유하고, 자국의 미사일 방어 체계(MD)로 편입을 더 이상 피할 수 없도록 집요하게 강요해 왔다. 일본은 벌써 2003년부터 미국의 MD체계에 참여를 선언하고 2006년 아오모리 샤리키, 2014년 교가미사키 미군 통신기지에 각각 하나씩 총 2대의 AN/TPY-2 레이더를 설치한다. 일본은 주권국가로서 본국의 뜻을 제대로 펼쳐보지 못한 것인지, 선택의 여지가 전혀 없이 하라는 대로 한 것인지 과연 의문이다. 이것은 장기적으로 볼 때 오키나와 미군기지 철수와 같은 일본 정치군사 정책에 커다란 발목을 잡는 일이 될 것이다.

최근에 미국은 중국 길들이기를 위해, 환율 조작이니, 남중국해의 남해구단선(실제로 문제가 있지만)을 꼬투리 삼으며, 지금까지 금기시해왔던 "하나의 중국" 정책(One China Policy)에 반하여, 타이완까지도 접근해 무기를 더욱 사들이도록 길들이는 공작을 하고 있다. 일본의 아베 정권은 이러한 미국의 준동에 적극적으로 호응하여 군비를 GPD대비 지금까지 1% 이하로 유지해 왔던 훌륭한 정책을 1.2%까지 상향 조정하려는 매우 위험한 정책을 추진하고 있는데, 역사를 역행하는 우매한 일이라고 말하지 않을 수 없다.

이는 미국이 동북 아시아에서 북한을 포함한 각국의 사이가 멀어지게 만들어 긴장을 조성하고, 지속적으로 헤게모니를 잡으며, 정치 군사적 우위를 점하고, 무기 판매에 유리한 환경을 조성하려는 것이다. 한국과 일본은 미군의 방위비 분담금 요구를 무분별하게 수용해서는 안 되며, 오히려 비용 감축을 요구하는 것이 더욱 현명하다. 먼저 나가라고 하지는 않되, 그들이 철수를 하면 그렇게 내버려 둘 일이다.

우리는 이미 수없이 반복 되었던 세계역사 속에서 어떻게 지역적으로 흥망이 갈렸는지 보아왔다. 결론은 간단하다. 결국 교역의 문제이다. 교역이 활발할수록 각 지역의 특성과 우세한 점은 더욱 더 개발에 박차가 가해졌으며, 경제, 문화 등 모든 면에서 교역국 간의 두드러진 상호 번영과 발전이 이루어져 왔다.

그리스 문명의 번성도 결국 당시 지중해를 둘러싸고 있던 수 많은 도시국가들의 교역이 활발했었고 로마 문명(Pax-Romana)도 유럽, 아프리카 각 지역으로 퍼져나가며 속주 출신의 황제도 여러 명일 정도로, 개방성과 포용정책을 펼쳤던 이유로 번창하였다. 그 후 서양의 대서양, 인도양 무역이 활성화 되면서, 서양의 문명이 동양보다도 앞서나갈 수 있었다.

중국의 15세기 전까지의 교역을 봐도, 결국 수나라 문제와 양제가 남북을 연결하는 인프라의 핵심이었던 대 운하를 건설하면서 강북과 강남의 활발한 교역이 시작되었고, 그 이후에는 출중한 강남의 농업생산을 중국의 어느 패권 세력도 간과하거나 버릴 수가 없게 된다. 그리하여 중국은 지속적으로 통일 제국을 지향할 수밖에 없었고, 분열된 중국의 왕조는 나타나지 않았다. 교역의 폭이 크고 빈번해짐에 따라 경제, 정치적 통합이

가속화되는 것을 잘 보여주는 예이다.

당나라의 번성도 결국 코스모폴리탄을 지향했던 개방정책의 효과였다. 반면에 쇄국을 표방했던 명나라와 청나라 시대에 와서는 중국은 물론 동아시아문명이 한없이 위축되었다. 개혁 개방 이전의 중국은 '죽의 장막'으로 꽉 틀어 박혀서 옴짝달싹할 수 없는, 거의 감금상태와 마찬가지였다. 이러한 폐쇄적 환경 때문에 내몰리듯 자국 내 권력다툼으로 번졌고, 추악의 극치로 치달았던 문화혁명이라는 엄청난 문명 후퇴를 경험했다. 또 이러한 암흑의 지경에서, 중국은 동아시아에서의 이념전쟁에 종지부를 찍고 소련 견제책을 추구했던 미국에 의한 타의 반, 등소평의 자의 반 개혁개방에 의한 거듭된 발전으로 인하여 이제는 세계 최강을 목전에 두게 된 것이다. 우물 안의 올챙이였던 조선도 쇄국의 테두리안에서 하릴없이 사색당파 싸움으로만 일관했다.

일본 도쿠가와 막부도 기본적으로는 쇄국이었지만, 실제적으로는 조선, 중국과는 아주 다르게 엄청난 양으로 해외와의 교역을 해왔고, 기본적으로는 당시 국내의 교역이 상상을 초월할 정도로 활성화 되어 있었던 까닭에 번창을 거듭한다.

이같은 교역의 중요함은 현재의 북한과 같이 전혀 교역을 할 수 없는 나라를 봐도 쉽게 알 수 있다. 북한에 의해 섬나라와 같이 지역적으로 막혀 있는 한국은 동북아시아, 중앙아시아, 러시아로 뻗어 나갈 수 있는 절호의 기회를 놓치고 있다. 교역과 발전의 긴밀한 관계를 미뤄 볼 때, 공동운명체인 동북아에서 서로의 교역을 막는 어떠한 행위도 결국 스스로 발전 기회에 족쇄를 박는 일인 것이다. 동아시아의 모든 국민은 교류를 막는 어떠한 장애요인도 제거하는 방향으로 나가고, 전면적인 개혁 개방만이 모두가 살 길임을 명심해야 한다.

이를 위해 동북아의 평화 관계를 모색해야 한다. 동북아시아에서의 평화는 한, 중, 일이 좀 더 국방비를 줄이고, 경제적 협력과 보건, 복지, 환경보호, 기후변화 방지 등을 통한, 이 지역의 공동번영을 추구하는 방향으로 노력해야 한다. 이에 반하는 어떠한 정책과 긴장을 조성하는 시도와 실행을 삼가야 한다. 나아가 삼국은 현대 유럽에서 보여지는 바와 같이 공동방위 조약 체결을 목표로 지속적인 군축의 표본이 되어야 할 것이다.

그래야 이 지역이 세계 평화를 주도하는 모범이 되어, 인류의 미래에 불을 밝히게 될 것이다. 이러한 해결책의 핵심은 삼국이 마음껏 활개를 펼칠 수 있고 무한한 공동의 금융, 교역, 문화 활동 무대를 보장하는 동아시아 공동체 설립이다. 갈 길이 뻔히 보이고 이 길밖에 없는데 어렵다고 포기하고 다른 길을 택하는 것은 어리석은 일이다.

대한민국 국민에게 드리는 제언(MENIFESTO)

내가 꿈꾸는 나라

나는 우리 민족이 세상에서 가장 반짝반짝 빛나는 민족이 되었으면 좋겠다. 이상주의적 국가로서 온 세상을 리드하고, 국가적으로 지속적인 평화와 번영이 있고 갈등이 없는 나라, 사랑이 넘치고 휴머니티와 지성이 넘치고, 문화가 발달되어 누구라도 본인이 관심있는 분야를 흥미롭고 즐겁게 만끽할 수 있는 나라, 도덕적, 윤리적으로도 세상 모든 나라의 모범이 되고(결국 인간은 도적적으로 우월성이 있어야, 행동에 무게가 실리고, 당당하게 어떤 일이고 주도를 할 수 있으므로, 무언가 감추고 부끄러운 일이 마음속에 있게 되면 항상 불안하고, 힘이 실릴 수 없으므로), 모든 나라가 본받고 싶어하고, 따라가고 싶은 나라. 전국민, 대다수 국민의 심기가 불편함이 없이 도둑, 사기가 없고 치안이 최상으로 유지되는 세상, 학벌과 직업에 차별받는 계층이 없고, 소득 격차를 느끼지 않을 정도로 노력한 만큼 보장받는 공정 사회, 부정 부패없는 사회기반이 형성이 되어서 국민 누구나가 신뢰와 투명성을 느끼는 나라가 되었으면 좋겠다.

우리 국민은 스스로에게 물어봐야 한다. 본인은 세계경쟁력을 얼마나 갖추었는지를. 남에 대한 배려심, 건강, 높은 윤리의식, 심지어 체력이 얼마나 강한지도 물어봐야 한다. 본인이 과연 세계 어느 곳에 가서도 경쟁력 있는 상식과 학식, 교양, 양심, 도덕성, 시민성, 언어 능력, 세련됨을 갖추고 행동할 수 있는지 스스로 계속 물어봐야 한다. 그렇지 않다면 부족한 부분에 대해서는 끊임없이 노력하고 다음 세대에까지 그러한 부족함이 대물림되지 않도록 노력해야 한다.

민주주의가 발달하여, 국가와 사회의 공정성과 투명성이 확보되면, 국민 각 개개인의 인권이 보장이 될 것이다. 그러면 국민은 본인의 이익과 편의를 위해 더욱 더 기술개발이나 생산력 향상에 대한 궁리를 할 것이다. 기술력, 과학, 문화력의 동력은 민주주의가 발달되지 않은 나라보다 앞서는 원인이 되는 것이다. 이는 서구 사회에서 보이는 바와 같다. 민주화가 일찍 진행되어 바로 국민 개개인의 인권과 자질이 향상되면, 본인의 노력에 의해서 얼마든지 부와 명예가 형성될 수 있는 토대가 저절로 마련되기 때문이다.

실상 현재의 대한민국이 강대국의 현실에 비해 크게 일반 사회, 가정생활에서 뒤떨어지는 면은 없다. 현재의 미국, 영국, 프랑스 등 전통적인 구미 선진 강대국을 봐도, 각국 국민들이 정치, 사회, 경제면에서 자신감을 잃어가고 있고, 인터넷, 전자 통신, 우편, 의료보험, 대중 교통, 수준 높고 신속한 애프터 서비스, 쓰레기 분리수거 등을 비교해 봐도, 일상생활의 편리함에서 오히려 한국이 훨씬 앞서 있는 부분이 많다.

한국은 다만 국가의 전반적인 체계가 문제이다. 선진국들에 비해 군입대 제도, 과도한 국방비, 예산 낭비와 비효율적 운용, 환경, 보건 복지, 실업급여, 교육환경 등등의 분야에서 많이 뒤떨어지는 것이 현실이다. 이 같은 부분에 대해 속히 기반을 마련하고, 잘못되어 가고 있는 것은 바로 잡도록 최선의 노력을 쏟아야 할 것이다.

미국의 대통령 선거 토론 과정을 지켜봐도 과거의 실용주의(Pragmatism)

와 청교도주의(Puritanism), 개신교(Protestantism) 윤리에 입각한 미국 건국의 아버지(Founding Fathers)들에서부터 지속되어 왔던 지도자 층의 전통적인, 도덕적이고, 여유 있고, 심지어 유머마저 있었던 과거의 미국이 아니라, 품위 없고 원색적인 상대방 비난과 비신사적인 행동이 난무하고, 정책제안에 있어서도 갈팡질팡하는 미국의 초초함이 여과 없이 배어져 나오고 있는 실정이다.

이러한 구미 선진국들은 북유럽의 일부를 제외하고는 하나 같이, 선거비용 모금과정의 부패나 낭비(서로 흑색선전하는 TV 광고에 수백만 달러를 쓰고, 그것도 단기간의 레이스에서 중도 탈락하면 회수 불가), 과도한 군사비용 지출, 이미 중산층까지 사정없이 만연되어 있는 마약문제, 총기사고, 수시로 터지는 테러, 불법 이민과 난민의 진입, 웬만한 대도시에서 저녁에 마음대로 외출조차 할 수 없는 불안한 치안상태, 인종차별 문제 등등, 각종 사회문제를 보면, 한국보다도 훨씬 더 골치를 썩고 있는 형편이다.

우리 대한민국은 이들과 또다른 면에서 심각한 문제에 처해 있다. 북한과의 대치상황, 소득격차, 청년실업 및 여성 실업문제, 출산율 감소, 경기불황에 따르는 대규모 실업사태 등이다. 자조적인 말로 헬 조선(Hell Joseon)이라든지 "흙 수저"와 같은 계층 문제 및 세대 차이에 대한 신조어도 유행한다. 그러나 이러한 것은 세계 모든 국가가 공통으로 겪고 있는 문제이지 대한민국만의 문제는 아니다.

전 세계에서 북유럽의 몇몇 나라를 빼고는, 대한민국만큼 소득 재분배가 그나마 잘 이루어져 있고 안정적인 중산층이 두터운 나라도 별로 없다. 세계적으로 소득 불균형의 격차가 점점 벌어지고 있고, 전 세계적인 불경기로 인해 중산층의 고용과 생활안정감이 점점 불안해지고 있는 지금이 문제이고, 지금이야말로 바로 잡아야 할 도전에 직면한 것이다.

이런 상황에서 대한민국이 세계 최고 모범국가로서 우뚝 서기 위해서는 국가 개혁이 이루어져야 한다. 철저하게 근본부터 파고 들어서 완결 지을 수 있는 대혁명과 대개혁이 필요한 것이다. 개혁은 너무도 어려운 과제이다. 하지만 이런 저런 핑계를 대고 피해 나가면 대한민국은 영원히 세계 일등국가가 될 수 없다.

토인비는 일찍이 말했다.

"전 세계는 유대교적인 단일신 체계를 버리고, 또 과학에 대한 후기 기독교적 무신론적 믿음도 버리고, '신토'와 같은 범신론적인 예처럼, 서양인들의 과학을 민간과 무기산업에 적용하는 무차별적 망동을 저지하고, 보편적인 유교를 통하여, 일본, 중국, 한국, 베트남의 축을 이루면, 세계 통합의 장을 마련할 것이다"

대한민국이 세계 개발도상(Developing) 및 저개발(Underdeveloped) 국가와 종교, 관습을 달리 하는 제삼세계 여러 제국에 대한 역할 모델(Role Model-Paragon)이 되어야 한다. 또한 남북한 통일을 이루어 세계 평화의 훌륭한 예를 보이는 모범국가가 되어야 한다. 교육혁명(MOOC-Massive Open Online Course)을 통한 기술, 인문 평생교육을 발전시키고, 기후문제(화석연료-Fossil Fuel 단계적 금지, 기업의 이산화탄소 사용권 의무), 에너지 문제(친환경 청정에너지 개발-여러 조력, 풍력, 태양광, 초소형 원자력 발전기 등), 점점 끝을 모르고 치닫는 자본주의 문제점 해결(공유경제, 재능기부, 일부 무소유개념의 확산)에 대한 답을 제시해야 한다.

또 기술혁신의 첨병으로 청년들의 벤처와 새로운 아이디어가 가득하고 활발한 이노베이션(Innovation-소형 모듈화 된 Foldable 전기차, 3D 프린터, 건축/물류에 Drone 사용)과 디자인 혁명(건축, 패션, 자동차, 전자 등의 산업제품), 과학혁명(로봇, 생명공학)을 이끌어나가고 세계적으로도 주도해가야 한다. 급속한 산업화로 인한 대기 오염, 대규모 전염병(Ebola, Zika, MERS-CoV, AI etc.) 확산방지에 대해서는 가장 신속하게 대응하고 그 해법을 제시하기 위해 WHO와 같은 국제기구와 국제 공조를 필수로 하는 태스크 포스(Task Force)를 운영할 필요가 있다. 생태계 위기를 극복하는 해답으로써, 에너지 자급자족 문제(현재 가장 성공 가능성이 큰 고성능 고효율의 태양광 발전에 의해 각 가구당 생산 및 자급자족과 초과 생산된 전기를 스마트 그리드/Smart Grid로 연결해 쓰고 남은 전력은 다른 곳으로 보내고, 보낸 만큼 포인트를 얻게 되는 전체의 가구가 연결되어 있는 스마트 컨트롤 시스템 구축), 식량 문제(첨단 City Farming-도시 농업과 각 가구 내의 지속 가능한 자급 자족의 독립생산 체계확립) 등등 세계가 직면하고 있는 각종 문제점에 대한 모범 답안을 주도적으로 먼저 찾아서 전 세계에 제시해 줄 수 있다면 좋을 것이다. 그리고 일관된 Look Korea 정책(평화와 공존, 번영의 상징)으로, 국내외의 주목을 받고, 여론도 공감대(Consensus)가 형성되도록 조성해 나가고, "한국이 못하면 결국 다른 나라도 못할 것"이라는 슬로건 하에 모범 답안지 제출의 지속적인 리더 역할을 다한다면, 종국에는 대한민국이 동아시아 중심축으로서의 한중일 연맹의 매개체 역할도 저절로 하게 될 것이다. 이로써 세계 평화와 번영의 시금석을 동북아에서 한국이 선도하여 마련하게 될 것이다. 한국국민은 모두 이 점을 명시하여 국민 개개인이 각자 최선을 다해 높은 수준의 문명 국가 건설에 박차를 가해야 마땅하다.

어떤 나라건 30-50년만 열심히 뛰면 세계 최강국중 하나가 될 수 있다. 우리는 세계 역사 속에서 이러한 사례를 여러 번 봤다. 묵특 선우, 페리클레스, 진시황, 아틸라, 징기스칸, 누루하치, 티무르, 표트르 대제도 그러했고, 메이지 유신을 이끈 이들과, 히틀러와 스탈린도 방향이 심각하게 잘못됐지만 그랬다. 문제는 어떻게 국민들이 결집하느냐 그리고 이 일치 단결된 힘으로 모두 함께 더욱 바르고 꿋꿋하게 지속적이고 비약적인 발전을 도모하느냐, 시대가 달라진 현대에 와서는 전 세계의 화합, 평화, 공존의 길도 동시에 모색할 것이냐의 문제이다. 그러한 엄청난 리더십 하에 응집력을 보이면 어느 누구도 세계 최강이 될 수 있다.

한국은 지난 40-50년간 괄목할 만한 발전을 이루었다. 피나는 노력으로 거의 세계 최하의 빈민국에서 세계 10대 강국으로 올라갔다. 실로 대한민국은 굉장한 강대국으로 성장했다. 여기에 만족하여 경제, 사회를 살리지 못하면 언제 다시 하향곡선을 그리며 추락할지 모른다. 지금 여러 경제지표가 그렇게 나타내고 있다. 우리는 지금까지와는 다른 관점과 각오로 다시 시작해야 한다. 그리하여 세계 최강의 행복한 나라를 만들어야 한다. 분명히 이렇게 할 수 있고, 또 이룰 수 있다.

부록

일본 역사와 문화 탐구

1.
한반도와 일본의 고대사 관계

일본의 시초는 조몬시대라고 알려져 있다. 조몬시대는 일본 중부에서 BC 10,000년 전부터 시작되었고, 그 다음이 야요이시대로, 벼농사, 수경재배가 BC 300년에서 고분시대가 시작되는 AD 250년까지 지속되었다. 조몬은 빗살무늬토기와 비슷한데, 조몬이 스스로 자생했는지는 모르지만 일본 중부에서 BC 10,000년도부터 시작됐다. 한국이나 일본은 국수주의 때문에 역사의 시작을 앞당기려고 하는 경향이 있는데 실제로 한반도 내에서와 일본 열도의 강력한 고대국가가 형성된 시점은 중국이나 소아시아, 그리스 및 로마보다 늦다. 한국과 일본의 고대국가 형성은 중국 중원에서 주나라, 그 뒤에 일어난 춘추전국시대가, 또 에게해 문명권에서 페르시아와 고대 그리스의 대치, 마케도니아의 알렉산더 대왕이 활발히 활동했던 시기보다 7-8세기 뒤의 일이다.

세계사적으로 보면 문화 유입이나 씨족국가, 부족국가, 고대국가 같은 것들의 성립이 전 세계 주류적인 흐름에 비해 굉장히 늦었던 편이다. 물론 우리나라에서도 구석기 유물도 많이 발견이 되고 일본에서도 발견되었지만, 이것들은 국가 기조 형성과는 무관하다. 지금 우리 역사와 문화의 주요 흐름을 본다면 홍산문화로 대표되는 요하문명의 찬란한 과거가 있었음에도 불구하고, 한반도로의 인구와 문화 유입은 상당히 소규모적이고 시기적으로도 늦었다.

일본에서 논농사 중심의 야요이시대가 시작되는 BC 300년이면 중국은 하, 은, 주(B.C 1046-B.C 256)시대 이후이다. 중국은 고대 왕권이 진작에 형성되어 있었는데 한반도와 일본에서는 아직까지 씨족국가, 부족국가도 이루지 못했다. 인구유입 부족과 농사와 경제의 작은 규모, 그에 따르는 세입이 적었기 때문이다. 우리 나라도 부족국가에서 고대 신라의 왕권을 겨우 확립한 것이 AD 300년대 중반, 흉노족 계열의 김씨 왕의 세습이 확정된 내물 마립간 때부터라고 보고 있다. 그 전에는 씨족, 부족국가 수준이었다고 세계적인 역사가들이 보고 있다.

일본도 마찬가지이다. 일본도 씨족, 부족국가 수준을 겨우 넘어 왕국으로 발전된 것은, 야요이시대를 지나 고분시대로 들어가서 4세기 중반, 야마토 정권 성립시기라고 여겨진다. 그만큼 페르시아, 그리스, 로마, 중국의 메인 줄기보다는 몇 세기나 늦게 고대국가의 형성이 시작되었다고 봐야 한다. 인류의 이동경로로 봤을 때도 그나마 모여 살 만한 곳으로는 거의 지역적으로 끝자락이었기 때문이다.

일본이 '임나일본부'라는 말을 많이 하는데, 4세기에서 6세기에 걸쳐 왜가 한반도 남부 가야국에 설치한 통치기구를 가리킨다. 당시 왜라는 나라는 애당초 그 근본이 한반도 남부에 근원을 갖고 있는 세력으로 집단 거류지는 한반도와 일본 열도 여기 저기 분포된 것으로 보이고, 그 중의 하나인 가야지역의 집단 거류지에서 자치기구가 형성된 것이다. 초창기 왜는

가야와 완전히 같은 세력이었고 가야의 분국이었다.

위지 왜인전에 나오는 북 규슈 일대의 야마타이국(A.D 2-3세기 가라-가야의 분국, 30여개 소국의 연합)의 히미코라는 일본 최초의 무녀여왕도 실은 김수로 왕의 딸인 묘견 공주(모계성 허묘견)라고 하며 야마토 왕조를 설립한 오진천황의 어머니 진구 황후의 실제 모델이라고 한다. 그러나 일본서기에서는 사건이 일어난 주체와 장소가 어디인지 불분명하게 쓰여 있어서 일본의 지배세력이 결국 한반도에서 건너갔다는 사실만을 더욱 확인시켜 줄 뿐이다.

일본의 고대 지배세력은 크게 두 가지로 분류를 할 수 있는데, 북부여족이 고구려, 백제를 넘어 일본까지 갔고 또, 일부 북방의 본류 세력다툼에서 밀려난 만주 선비 흉노족 역시 한반도 신라, 가야를 거쳐 일본까지 간 것이다. 참고로 일본어는 대부분 일본 지배층이 썼던 고구려어와 백제어 같은 부여어 계통이고 오늘날의 한국어는 신라가 통일을 했기 때문에 신라어에서 대부분 유래했다.

이들은 한반도의 지배세력과 크게 다름이 없는 똑같은 친족의 정복세력들이다. 크게 봐서, 아주 초창기 가야와 신라에서 넘어가 북 규슈 왜(가야 계통)와 이즈모 지방의 동 왜(신라 계통)를 지배한 통치세력이 한 무리, 또 한참 후에 부여, 고구려, 백제 계에서 넘어가 또 다른 지방의 남 규슈 왜를 지배한 집단이 한 무리로서, 한반도의 근본 지배세력과 거의 같은 뿌리의 패밀리(Clan)라고 봐야 된다. 고대에는 이들이 새로운 씨족 토착민들을 정복하고 지역을 여기저기 나누어 통치하고, 또 새로운 지배세력으로 이곳 저곳 침략해 들어갔을 것이다. 그 결과 가야와 일본 건국신화가 비슷해졌으리라 추정된다.

한국 고대사에서 가장 큰 오류는 "왜"라는 세력을 너무 일찍 분리하여, 일본열도의 역사로 내몰았던 것이다. 왜는 애당초 우리 역사의 일부이다. 아주 초창기의 "왜"는 당연히 한반도 남부 해안가에 머물러 있었던 그룹에서 그 근원을 갖는 하나의 세력으로 봐야 한다. 초창기 주요 세력은 한반도 남부의 마한, 진한 및 주로 변한 해안가 지역에 걸쳐 있었고, 차츰 그 일부 지배세력은 경작하기 더 좋고, 따뜻한 날씨와 살기가 쾌적한 일본 열도로 소규모 이주집단을 이끌고 지속적으로 넘어갔다.

하니와라 카즈로(埴原 和郎) 동경대 자연 인류학교수는 고대 분묘의 두개골과 뼈 형태의 변화 실험으로 "도래인들이 야요이 시대에만 150만 명이 한반도에서 왔으며 서기 600년대에는 조몬 토착인과 도래인의 비율이 1:8.6명"이라는 놀라운 사실을 밝혀낸 바 있다. 어디라고 꼭 집어 말할 것도 없이 초기 일본의 전체가 실상은 한반도 도래인의 무대였던 것이다.

일본 고대시대 초창기에는 항해 기술과 선박이 발달하지 못해 경남 해안지역에서 쓰시마, 이키, 쓰쿠시섬을 징검다리 삼아 지리상 제일 가까운 특히 일본 규슈 북쪽으로 이동해 갔고, 그 후 신라, 가야를 지배한 훗날의 흉노세력에 밀려 그 중심축이 거의 일본으로 건너갔다. 이들은 계속 한반도의 남부와 연계돼 있었다. 물론 토착세력과 합해지고, 서로 쫓고 몰아내고 했겠지만 초기 주요 지배층은 다 같은 신라, 가야계였다. 국가의 개념이 전혀 없었던 고대인들은 다 같은 씨족, 부족이었으니 한반도와 일본열도를 이처럼 넘나들었던 것이다.

즉, 한반도 아주 초기 고대역사에 삼한과 초창기 왜(임의로 붙인 이름으로서 이름을 달리해야 함)를 한반도 남부 역사에 포함시켜야 마땅하다. 그래야 모든 의문점과 숙제가 저절로 해결된다. 이 "왜"라는 세력이 한반도에서 일본 열도로 몰려나갔기 때문에 추후 일본서기, 고지키에서도 그 원류를 생각해내서 자꾸 중복되게 한반도에서 이루어졌던 일을 다시 기술하게 되는 것이다.

김해의 옛 가야지방 구지봉에 가면 일본 건국신화 태양의 여신 "아마테라스 오미카미"의 손자 '니니기노 미코토'의 천손강림 신화가 한국에서 유래했다는 것이 분명한 증거로 남아있다. 가야와 일본 건국신화의 내용이 똑같다. 이뿐만 아니라, 대부분의 고대한국, 부여, 고구려의 주몽 출생신화, 해모수, 신라의 김알지, 가야의 김수로 신화, 아메노 히보코(신라왕자 천일창) 신화, 스사노오의 이즈모, 다카미무스 히노카미(高御産巣日神) 신화들이 일제히 태양을 숭배하며, 천손사상으로 일본과 일치한다.

즉, 일본의 고대 역사는 당시 일본열도와 한반도 남부에서 같은 친족(Clan)들이 동시에 지배하였다는 것이 역사적 사실로, 건국신화도 구분 없이 공유해서 썼기 때문에 많은 중복과 혼란이 있는 것이다. 이러한 건국신화뿐만 아니라 일본서기, 고지키의 수많은 역사적인 부분도 한반도에서 일어났던 일을 섞어 쓰고, 반복하여 지칭하는 것이 너무도 흔히 나타나고 있다.

그 다음은 고분시대(AD 250-AD 538)로 넘어가는데 사카이, 아스카, 나라지방을 중심으로 많은 대형 고분이 조성되어 있다. 이러한 고분은 당시 한반도의 무덤형태와 많이 다르다. 전방 후원형(열쇠 고리형)으로 발달했고 '하니와'라는 토기 매장품(토용)을 무덤 주위에 파묻는 전통이 있었다. 초기에는 전국 각지의 지방 호족들을 중심으로 지배층의 권위를 상징하는 대형 매장 문화가 형성 되었는데, 차츰 야마토 정권의 행정력이 안정적으로 지방까지 미치면서 사라지게 되었다.

한반도에도 해남, 광주지역이나 함평과 같은 영산강 유역에서 전방 후

원형 고분들이 많이 나오는데 그에 대한 해석은 아직 정확하게 나온 것이 없다. 이것들은 주로 6세기 초반에만 나오는데, 아마도 일본에 머물러있던 동성왕(AD 479-501) 때 일본에서 같이 건너왔던 500여 명의 왜인 용병 집단들이 마한 각 지역을 개척하러 파견 나가면서 정착해 생긴 무덤들로 보인다. 그리고 일부는 백제의 힘이 못 미쳤던 마한, 변한지역에서 "백제가 힘이 강할 때는 일본으로 건너갔다가 백제의 힘이 매우 약할 때 다시 돌아와서 그 지역을 장악한 일본과의 연계가 강한 호족세력들의 무덤"이 아닌가도 추정된다.[39)]

북방의 또 다른 세력인 흉노세력이 중국최초의 통일왕조인 진(秦)나라 때부터 시작해, 고조선 낙랑지역을 거쳐 한무제에 의해 B.C 108년 고조선(위만 조선)이 망할 때에, 대규모 한반도로 내려왔다. 그 후 이들은 동남부의 새로운 지배계층으로 자리잡아 기존의 진한 토착 지배세력과 처음에는 연합한다. 그러다 결국 세력을 완전히 잡아, 진한이 신라, 변한이 가야로 바뀐다. 진한, 변한의 풍습에 흉노와 같은 편두의 풍습이 있었고, 어휘체계가 마한과는 완전히 달랐다. 신라, 가야의 왕조는 이러한 북방의 흉노세력이 내려와 토착세력을 몰아내고 왕권을 잡은 것이며, 이들은 한참 후에 중앙아시아에서 카스피해, 흑해 쪽으로 서진한 훈족(Huns)과 같은 뿌리의 흉노족들이다.

이들은 또한 신라, 가야(가라-임나)의 해변지역에서 일본 시마네현 이즈모(주로 신라계) 지역과 규슈 북부(히나타-지쿠시 지역-주로 가야계) 지역으로 이주한다. 이때 이들의 1차 대규모 이민이 이루어져 일본의 건국신화에 등장하는 초기 지배세력이 되었다. 아마도 초기에는 현 경남 지역과 북 규

39) 조유전, 이기환. '왜 일본식 무덤이 영산강에 있을까.' 이기환 기자의 흔적의 역사. 경향신문 25 12 2015. Web. 4 April 2017.
http://leekihwan.khan.kr/entry/%EC%99%9C-%EC%9D%BC%EB%B3%B8%EC%8B%9D-%EB%AC%B4%EB%8D%A4%EC%9D%B…

슈 지방의 변한/왜 연합국가 형태로서 교류하다가 사실상 스진 일왕(숭신 천황) 때부터 일본 열도의 최초 "왜" 독립왕국으로 발전된 것으로 보인다. 이들은 기나이(畿內-오사카 교토 지역) 지방으로는 지배력이 확대해 나가지 못했다.

결국에는 후에 더욱 강력한 북부여-고구려-백제 등의 지배세력과 같은 뿌리의 클랜(Clan)인 기마민족 일파인 야마토(大和)에게 새로운 지배권을 물려주게 되면서 야마토가 기나이 지역까지 진출한 최초의 고대 통일국가로 형성된 것이다. 다시 말해서 야마토라는 신진세력은 북부여의 지배세력이 고구려를 거쳐 일부는 졸본부여로 정착해서 남고, 또 백제에서 주된 세력을 형성하다가, AD 4세기 초반(320년경)에 2차의 대규모 이민으로, 규슈 남부에 진출해(규슈 북부는 이미 가야계의 세력이 기원전부터 자리잡음) 강력한 통일 왕권을 형성했다.

그 후 일본 오사카 지역 남바(나니와)로 다시 이주를 시작하여 아스카, 나라 등지의 '기나이'로 차츰 도읍을 옮겨가며 대형세력으로 커지며 발전한다. 일본 최초의 실제적인 통일을 이룬 왕인 오진(응신), 닌토쿠(인덕)도 사실은 이 북부여 계통의 백제와 같은 지배세력이다. 3세기 고분시대까지 260만의 도래인이 일본열도로 넘어 들어왔다는 통계도 있다. 그러니 이때에 갑자기 오진, 닌토쿠와 같은 강력한 왕권이 형성될 수밖에 없었던 것이다.

사실상 한반도에서 초기에 건너간, 쓰쿠시 지역을 포함한 수많은 각 지방 호족 세력(ex: 키비-오카야마 지방, 이즈모-시마네, 코시-후쿠이, 케누-간토 등 등)들을, 신진 야마토 정권이 모두 물리치고 통일시키기까지는 2-3세기 걸린다. 그 후 6세기에 가서야 대략적인 통일국가를 형성했다. 소가 집단과 모노노베와 나카토미 집단이 결국 야마토 정권 내에서 실세를 잡았고,

천황은 제사만 관장하는 명목적이고 실권이 없는 세력으로 변했다.

아스카로 도읍을 옮기고, 다이카 개신(大化改新)이 일어났는데 이것도 실은 역사기술에서 약간 조작된 것이다. 다이카 개신(645년)은 일본서기에서 제시된 것보다 한참 후에 일어난 일이다. 나카토미 가마타리가 당시 소가 이루카(백제대신 목라만치의 자손)라는 사람이 천황 대신 4대째 섭정을 하고 있었던 것을 나카노오에라는 천황 후보를 내세워 반정을 일으킨 것이었다. 일본은 오키니(왕)가 있어도 별로 세력이 없었는데 나카토미(나중 후지와라 성을 하사 받음)가, 추후 텐지천황이 될 나카노오에와 합작해 소가 씨를 죽이고 대개혁을 일으키게 된다.

일본에서는 3대 정변 중 하나이다. 그러면서 나라의 왕권이 강화된다. 그 전까지는 섭정시대였는데 왕권이 강화되면서 비로소 천황제가 된다. 모든 귀족과 호족이 사유재산이었던 토지와 농민을 국가에 반납하고 토지 국유화개혁, 조세개혁, 호적제 확립 등의 전반적인 중앙집권화에 착수하여 큰 성공을 거두게 된다. 왜냐하면 당시 그런 정치적 수요가 있었다. 견수사, 견당사 출신의 유학생을 중심으로 수, 당의 율령제도나 선진화된 군현제도, 강력한 왕권과 중앙집권제, 조용조 세제개혁, 이런 것들을 강력한 군주를 내세워 국가다운 국가로 만들고 싶었던 것이다. 그렇게 하려면 호족의 힘을 빼고, 강력한 시스템을 구축해야 한다는 것이 당시 대부분 정치하는 사람들의 생각이었다.

그래서 다이카 개신을 일으켰고 그 후, 672년 진신의 난(壬申の乱)으로 정권을 탈환한 신라계 오아마 왕자(텐무)가 백제계 '텐지' 세력을 몰아내고 비로소 최초로 제정을 겸비한 일본의 왕다운 왕이 된다. 텐무 서거 후 텐무의 아내 지토(의자왕의 조카 교기-텐지의 딸)여왕이 또다시 백제계로 모든 실권을 바꾸면서 이때부터는 계속해서 백제계 '교기'의 자손이 왕위를 계

승하였다. 815년에 쓰인 신찬성씨록에는 30대 비다쓰 천황이 백제 왕족이라고 쓰여있다.

엄밀히 말해 오늘날 많은 연구결과로는 일본 야마토 정권은 '열도 부여'라고 칭해도 될 정도로 "같은 세력의 같은 집안 인물들"이 야마토와 백제를 오가며 지배하는, 백제와 완전히 "똑같은 혈통의 지배세력"임이 확실해졌다. 몇 세기에 걸쳐 거의 모든 천황의 황비는 백제 계에서 택해졌으며, 1158년에 쓰인 대초자(袋草子)에서는 백제 성왕(聖明王)과 왜의 긴메이(欽明天皇) 왕이 동일 인물임을 확인한 사료도 있다.

수도를 다시 '나라'로 옮기면서 이미 항로개발과 항해술, 선박제조기술의 발달과 견수사, 견당사를 많이 파견했기 때문에 중국에서 많은 선진문물을, 그리고 한국에서도 일부 받아들였다. 고지키, 일본서기를 발간하고, 호류지(法隆寺) 재건, 도다이지(東大寺 728년-세계 최고의 목조건물과 최대 청동불상 소재) 건립, 만요슈 편집(759년) 등으로 나라의 기틀이 상당히 잡히고 덴표문화(天平)의 꽃을 피웠다.

그 당시 세계 역사를 보면 찬란했던 서로마제국은 이미 AD 400년대에 멸망했지만 우리나라나 일본은 AD 600년 중반에 겨우 국가로서의 체계를 갖추었다. 그 전에는 중앙집권체계도 그다지 힘을 발휘하지 못했고 율령도 없었고, 법칙도 유명무실했다. 신라도 삼국을 통일한 후에야 당나라의 여러 제도를 받아들여 비로소 나라의 체계를 세우게 된다.

하지만 백제가 멸망한 후에 나당 연합의 침입 위기의식 속에서 엄청난 자극을 받아, 소위 일본화가 빠르게 진행된다. 쇼토쿠 태자 때부터 이루어진 대규모 혁신과 당나라의 율령제도와 호족의 권한을 약화시키고 대왕을 중심으로 한 강력한 중앙 집권형 정치제도를 도입한 다이카 개신의 대

성공으로, 7세기 중반에 들어서면서 야마토 정권은 중국의 어느 정권과도 견줄 정도로 매우 강력한 세력이 되었다. 실제로 수나라 양제 때인 서기 607년 일본의 견수사가 수나라 황제에 보낸 국서에 "해 뜨는 곳의 천자가 국서를 해 지는 나라에 보내니 별고 없는가"라는 호기에 찬 내용을 보낼 정도였다.

이는 동아시아 역사를 통틀어서 계속 보이는 현상인데, 중국은 어느 왕조에서나 강력한 중앙집권이 형성될 적에는 막강한 국력으로 그 위력과 패권의 강도가 하늘을 찌를 듯 위세가 당당했으나, 실제로 그러한 힘을 발휘할 만한 안정적 시기는 중국 역사를 통틀어 매우 짧은 기간만 있었다. 대부분은 지속적인 분열과 문화적으로 비교적 발달이 덜 되었던 북방민족에 의한 끊임없는 압박과 피지배, 전쟁에 복속되었다. 그밖에도 민란과 내부 결속 부족으로 인한 혼란한 시절이 너무 오래 지속되어, 상당한 기간은 느슨하고 집중력이 흐트러진 상태를 유지해 왔다.

반면 일본은 점차 외부로부터의 침입에서 자유롭고 패권다툼에 비교적 여유로운 환경이 된다. 특히 교토로 이전한 헤이안 시대부터는 매우 안정된 문화를 이루고 밀집된 국력은 더욱 더 강해진다. 그 이후에도 줄곧 일본은 매우 밀집된 국력으로 독자적인 발전을 지속적으로 이루어 왔다. 국가에 점점 왕권이 잡히고 안정된 이후 역사 편찬과 신 수도를 건설할 수 있었다. 고지키를 712년에, 일본서기를 720년에 편찬했고, 수도를 교토로 이전(AD 794년)한다. 이때를 헤이안시대(794-1185년)라고 말한다. 그 후 천황제는 제정일치의 전통을 고수하며 제사를 통해서만 이어지는 상징적 존재로 겨우 유지됐고, 9-10세기부터는 가마쿠라 막부와 같은 무신정권이 섭정을 하기 시작했다. 이러한 무신정권이 700년간 계속되어 메이지 천황 때까지 유지되었다.

미나모토 요리토모가 세운 무인정권인 가마쿠라 막부시대(1185-1333년)에는 원나라 쿠빌라이의 두 차례에 걸친 침입이 있었을 뿐, 대부분 외부에 의한 침입을 그다지 걱정할 필요가 없었다. 심지어 당시 쿠빌라이가 보낸 30여 명 사신의 목을 칠 정도로 배짱을 부릴 만한 밀집된 힘도 갖추고 있었다. 가마쿠라가 분리되어서 남북조 시대(1336-1392년)로 나뉘어 내란을 겪다가, 아시카가 타카우지가 천황편에 서서 가마쿠라 막부를 타도하고, 교토에 세웠던 무로마치 막부(1336-1573년)를 거쳐 아즈치 모모야마 시대를 지나 전국시대(1573-1603년)가 되었다.

이후 오다 노부나가를 이어받은 도요토미 히데요시가 통일한 전국시대를 지나 도쿠가와 이에야스가 에도에 새로운 막부를 설립한다. 그리고 이 도쿠가와 정권(1603-1868년)부터는 모든 산업과 문화방면에 대 약진을 거듭한다. 일본은 당시 동아시아에서 가장 빠르고 적극적으로 1500년대 중기부터 해외의 문물을 가장 잘 받아들이고 소화하였으며, 이미 14-15세기 초부터, 동아시아에서뿐만 아니라 세계에서도 가장 앞서고 안정된 경제와 발달한 문화를 이루고 있었다.

1600년대 이후의 에도시대에는 각 지방의 다이묘가 일년씩 돌아가며 에도에서 근무하게 하는 참근교대(参勤交代) 제도가 정착되었고 그들의 정실과 아들을 인질로 상시 에도에 살게 하는 정책을 유지했다. 이 같은 강력한 중앙집권제로서 지방까지 완전 통제와 장악이 가능했고, 천황과 귀족들은 아예 정치관여가 금지되었다.

또한 260여 군데에 달하는 각 지방 다이묘들의 대규모 정기적 왕래가 화폐경제와 도로, 수로정비를 촉발시켰으며, 이로 인해 대단한 정치적 안정을 이루게 된다. 지방에까지 인프라가 구축되어 전국을 상대하는 대 상인도 출현하고, 사회문화적 안정을 동반하며 비약적인 경제적 번영을 이

루었다. 각 다이묘들은 탈번(脱藩, だっぱん)을 막고 경쟁적으로 각자 영지의 독자적인 발전을 꾀하였는데, 정치의 안정이 얼마나 중요한 역할을 하는지 보여주는 결정적 증거이다.

도쿠가와 막부시대가 오늘날의 일본을 일본다운 경제, 문화, 사회 시스템을 구축한 가장 중요한 시기였다. 그때 지금의 “반도체” 기술처럼 큰 역활을 한 것이 도자기를 만드는 노하우인데, 그 기술자를 한국에서 가져다가 발전시킨 후 수출까지 하기에 이르렀다. 한국은 청나라에게 많이 당하고 기반이 뿌리째 뽑혔으니까 이를 도모할 수가 없었는데, 일본은 무로마치 막부시대인 1500년대부터 이미 명, 조선, 류큐, 베트남, 필리핀 등의 동남아시아 각국들의 매우 다양한 상대와 활발한 무역으로 막대한 이익을 얻는다. 또한 1500년대 중반부터는 혼란한 중국을 대신해 영국, 네덜란드, 포르투갈 등의 무역상들이 해외에서 빈번하게 일본을 드나들기 시작해, 조선에서는 무역할 것이 아예 없다시피 하니, 조선보다 몇 십배, 몇 백배의 대외 무역을 시작하게 되었다.

일본은 해양국가이므로 인도, 인도네시아, 말라카 해협을 거쳐서 각국에서 일본으로 오기가 수월했다. 일본은 이때부터 중국과 조선의 해금정책이 본격적으로 발동이 걸려 반사이익을 취할 수 있었기에 유럽으로도 수출을 많이 하게 된다. 상품의 질이나 품질을 높이기 위해서 포장을 ‘우키요에(浮世絵 うきよえ)’와 같은 컬러 목판화를 만들어서 붙이는데, 경제가 발전하면 문화는 따라서 발전하기 마련이어서, 여러 분야에서 찬란하게 꽃피우기 시작했다.

전통인형극 분라쿠(文楽-人形浄瑠璃), 무사나 귀족상대 가면극인 노가쿠(能楽), 대중 서민오페라 가부키(歌舞伎), 차도(茶道), 분재(盆栽, ぼんさい), 꽃꽂이(生け花), 정원조경 등, 상업의 발달에 따른 귀족, 상인, 대중문화

가 매우 수준 높게 발전했다. 경제분야에서도 이미 오사카에서는 세계 최초로 도지마 쌀의 선물시장이 생겨났고, 신용경제의 상징인 어음, 수표를 취급하는 환전상이나 거상에 의한 전국적인 상업네트워크가 오늘날과 같은 수준으로 이루어진다.

1800년대 후반 메이지 시대 때부터 서구 선진문명에 자극 받아 상당히 늦게 후발 산업혁명이 일어났다. 그렇게 후발 산업혁명을 거친 국가이면서도 이런 비교적 튼튼한 경제, 문화적 백그라운드가 있었기에, 1800년대 말부터 전 세계적으로 강력한 국가로 부상할 수 있었다. 이로써 인구, 경제, 문화 면에서 이미 세계 5대 강국의 수준에 도달한다. 도쿠가와 시대의 안정된 정치, 무역과 경제발달, 문화발달에 의거한 바가 크다. 당시 조선의 당파싸움이나 서민들의 경제적인 몰락, 사회질서의 어지러움과 크게 비교되는 부분이다.

한편, 일본인의 뿌리를 눈 여겨볼 필요가 있다. 일본인의 뿌리에 대해서는 한국에서 이주한 사람들인지, 중국 남부에서 올라갔는지 인종적인 의문점이 많다. 인류가 아시아 지역으로 이동한 2-3만 년 유구한 역사 전체를 놓고 보면, 북방 유목 기마인종 원류가 33% 정도밖에 안 된다. 일본민족 전체 유전자를 추적해보면, 중국 남부 양쯔강 유역이나 광동성, 복건성 쪽 농경문화 민족이 35% 이상이다. 얼굴색이 조금 더 다크하고, 체모도 많고, 쌍꺼풀이 있는 부류는 초창기 일본 열도를 향해 남방에서 북상해서 이동해온 사람들이다.

이는 한국도 남방계 유전자를 소유한 사람에게서 발견된다. 범위를 좁혀 3000년 정도의 역사를 비추어보면 한반도에서 야요이 시기에 건너간 부류가 제일 주류(일본 인구의 약 80% 이상)를 이루어, 세계에서 한국인과 인종적으로 가장 비슷한다. 류큐는 17세기 초에, 북해도는 19세기에 들어와서야 정복 또는 합병으로 인종적으로 약간 희석되었을지 몰라도 일본인종은 여전히 한국인종과 가장 흡사하다.

일본의 토착 원주민들은 문화력이나 전쟁을 수행할 능력들이 약했으니 새로 진입한 발전된 문명에게 쫓겨나게 되었다. 일본 토착인종인 조몬 사람들은 야요이 도래인이 들어오면서 지배당하는 하층민으로 전락했다. 그 후에는 더 새로운 강력한 지배세력인 기마민족들이 남하해 오면서 기존에 있었던 원주민들하고 서로 합쳐지며 계급을 형성하고 고대국가를 형성하게 된다.

2.
일본의 중세와 메이지유신

도쿠가와 막부 시절 일본은 상업이 안정적으로 발달하고, 새로운 부유층으로 등장한 상인(쵸닌)은 문화향유에 대한 욕구가 컸다. 그래서 이때부터 가부키, 스모, 노와 같은 많은 오락문화가 정착을 하기 시작했고, 전쟁 전후로 조선 통신사를 통해 문화적 욕구를 채운 부분도 있다. 어떤 일본학자는 임진왜란, 정유재란과 같은 커다란 전쟁마저도, 또 조선 통신사 교류도, 전체적으로 엄청나게 돈을 많이 썼던 "학문, 문화수행"이었다고 한다.

조선의 발달한 도자기문화, 불교와 유교 경전, 인쇄문화를 탈취하기 위해 그렇게 많은 돈과 군사력을 과도하게 소모했다는 것이다. 요즘으로 말하면 반도체 기술과 비교 가능한 것은 도자기 기술인데 동아시아에서는 중국, 조선, 베트남만이 도자기 제조기술이 있었고, 일본은 도자기를 만드는 기술이 떨어져 있었다. 그래서 일본에서 가장 수요가 많았던 것은 도자기이고 그 다음은 불경을 인쇄한 팔만대장경과 같은 목판 인쇄본 등이었다. 일본은 탄탄하게 다져온 안정적 경제기반 위에 신기술과 신지식에 목말라 있었다.

지리적으로 막혀있었기 때문인데 당시 일본은 중국과 대등한 외교관계에 집착해서, 무로마치 막부시절인 1404년 아시카가 요시미츠가 명의 영락제에게 조공체계를 아주 잠시 인정한 후, 1534년부터는 그 체계에서 다시 완전히 벗어난다. 그래서 일본으로서는 중국과의 관계는 상당히 어렵고 껄끄럽고, 중국보다는 힘이 약한 조선을 통한 상황, 전세판단, 막부의 위세와 타국정권으로부터의 외교적 권위인정에 대한 욕구를 해소했다.

실제로 일본은 AD 600년 초반 쇼토쿠 태자 시절 아스카 시대에 비약적인 발전을 이루고, 이때 이미 견당사 파견을 그만두고 중국과의 책봉, 조공체계를 무너뜨리면서, 무려 천년 가까이(5세기 왜 5왕 책봉 이후) 정치, 문화적으로도 독자 노선을 꽤 오랫동안 걷고 있었다.

일본은 서양을 받아들인 역사가 깊어 이미 1543년 무로마치 막부 후기 때부터 포르투갈을 위시하여 서양문물을 받아들이고, 1623년부터는 나가사키를 통해서 네덜란드 상선들을 허용했다. 아시아는 유럽에 비해서 과학적으로 상당히 뒤떨어져 있었는데 일본에서는 과학 발전을 위해 나가사키 데지마(出島)에 '난학'을 개방했다. 네덜란드만 들어와서 상업활동을 하게끔 허용해줬고 일본 전체에 수백 개의 난학 교습소가 있을 정도로 난학이 대유행을 했다. 일본 사람들은 새 문물을 습득하고, 전승하는 성향이 굉장히 강하다. 그 이유는 지정학적으로 동북아의 가장 끝에 있고 문명의 최종 소비자이기 때문이다. 일본은 대륙문화나 한국에서 들어온 문화를 일본에서 완성시켜야겠다는 생각이 굉장히 강했다.

일본역사에서 일본의 메이지 유신(1868년)은 매우 중요하다. 일본 중세의 오랜 기간을 막부가 지배하고 있었는데 이 막부를 무너뜨린 것이 메이지 유신이기 때문이다. 중세 유럽의 봉건주의가 자립성 지방분권주의(Autonomous Decentralization) 성격이 강한 것과는 다르게, 일본은 각 지역 영주가 막부의 '쇼군'에게 충성을 억지로 하게끔 하는 강제성 중앙집권주의(Coerced Centralization)의 통치형태인 봉건주의였다.

일본 봉건주의에서는 각 지역의 다이묘(大名)가 우두머리인데, 그 다이묘를 에도와 본인의 영지에 각각 일년씩 순환근무를 하게 만들고, 그의 가족들을 도쿠가와 막부의 수도인 '에도'에 인질로 잡아두고 서로 어느 정도 질서(Order)가 형성될 수 있게끔 만들어 놓았다. 그것에 최초로 반항한 것이 가고시마를 중심으로 한 사쓰마 번과 야마구치 중심의 조슈 번이다. 에도의 도쿠가와 막부가 250년간 정권을 잡았는데 메이지 유신이 이를 무너뜨린 것이다.

메이지 유신 전의 일본 사람들이 전 세계가 돌아가는 정세를 살펴보다가 일본이 외세에 지배당하겠다는 위기의식을 느낀다. 그 계기가 된 사건은 1853년 미국의 매튜 페리(Matthew Perry) 제독이 당시로서는 일본이 깜짝 놀랄만한 규모의 흑선 4척을 이끌고 지금의 요코즈카 항에 정박해 무력시위를 벌이며 통상조약을 강요한 일이다. 이 일로 일본은 그 이듬해 화친조약을, 또 그 후에는 엄청난 불평등한 수호조약을 체결한다. 이어서 영국, 프랑스, 네덜란드, 러시아 모두에게 불평등한 조약을 맺게 된다. 그러자 각 번에 있는 하급무사들은 몇 세대를 이어온 자기들의 위치가 그대로 무너질까 두려웠고 해외 문물과 세력이 침범해 들어오는 것에 대한 굉장한 반발심이 있었다.

그런 반발심을 많이 갖고 있는 사람들이 당시에는 사형과 같은 중죄에 해당하는 중형을 무릅쓰고 번을 이탈하기 시작했고, 천황이 있는 교토로 몰려들었다. 존왕양이(尊王攘夷)라고 오랑캐를 내몰고 왕을 받들자는 운동이 일본 전역에서 일어났고, 하급무사들 중심으로 어떻게 하면 힘을 합쳐서 막부를 물리치고, 천황을 다시 세력의 중심으로 만들 것인지에 대해 모색했다.

그러나 실상을 들여다보면, 가장 중요한 요인은 경제적 불평등에 대한 불만이 가장 큰 요인이었다. 당시에는 막부가 대외 무역을 독점하고 있었는데, 서양의 모든 국가들이 물밀듯 밀고 들어와 화친과 개국을 요청하는 등 자유무역의 물결이 너무도 거센 마당에, 각 번들이 직접 나서서 해외무역을 하는 것을 막았다. 또한 세계 최강이었던 영국의 외교적 책략과 경제적 이익추구로 전근대적이고 낙후된 정치시스템인 막부해체에 대한 열망도 무시할 수 없는 요인이었다.

이 일을 도모한 세 사람이 있는데 요시다 쇼인, 사이고 다카모리, 후쿠자와 유키치이다. 후쿠자와 유키치라는 사람은 오사카 출신으로 일본화폐의 만 엔짜리에도 나온다. 그는 게이오 대학의 설립자이고 일본 근대우익정신을 대표하며 당시 하급무사들 운동의 정신적 지주였다. 그리고 사이고 다카모리는 사쓰마 번 출신이다. 이 세 사람이 공통적으로 갖고 있는 생각이 '정한론(征韓論)'이다. 자기네들의 끓는 피를 어디 소화시킬 곳이 없으니까 한국을 정복하자는 것이다.

고대인 680년에 시작해 720년에 완성된 일본서기는 진구 황후(AD 320년경)가 신라에 쳐들어가서 신라를 정복하고 신라왕에게 무릎을 꿇게 하고, 그 사람의 많은 식솔들을 데리고 왔다고 적혀 있다. 이런 것을 보면 임진왜란뿐 아니라 더 오래 전인 과거에도 그들은 한국을 점령하고 초토화시킨 적이 있었다며, 이런 일들을 열거하며 만만한 한국을 침략하자고 주장한 것이다. 그 당시 일본의 실력으로는 조선을 지배할 만했다. 그런데 번과 번의 싸움 때문에 조선반도 침략은 실현되지 못했다.

요시다 쇼인이 "송하촌숙-松下村塾"이라는 학교를 세웠는데, 이 학교를 다녔던 야마구치 현 출신들이 일본의 정계를 후에 장악하게 된다. 후에 총리대신이 된 이토 히로부미가 조슈 번을 대표하는데 이 사람을 위시한 요시다 쇼인의 제자들이 일본 정계를 장악해서 일본의 우익 파벌정치의 근본이 된다. 그것이 결국 자민당의 주류가 되면서 지금까지 계속 내려오고 있다. 아베 신조 현 일본총리의 아버지는 아베 신타로라고 80년대 말 일본외상이었고, 아베 총리의 외할아버지는 기시 노부스케라고 일본이 전후 부흥할 적에 총리대신이었다. 그 동생 사토 에이사쿠(양자로 가서 성이 다르다)도 총리를 역임했는데 모두 야마구치 출신이다.

이렇게 메이지 유신은 하급무사들의 반동에 의해서 사쓰마 번하고 조슈 번이 힘을 합쳐서 '에도'에 있는 도쿠가와 군대를 물리치면서 대정봉환(大政奉還)을 이룬 것이다. 메이지 유신은 일종의 쿠데타인데 이 메이지 유신을 성공시켰던 세력이 아직까지도 일본 우익의 주체 세력으로 명맥을 유지하고 있다. 예를 들어, 고이즈미 준이치로 전 총리의 경우 과거 사쓰마 파벌의 맹주이다. 아소 다로 전 총리는 오이타 쪽 출신인데 그의 외조부가 전후 일본 복구에 매진했던 요시다 시게루 총리이고 장인이 스즈키 젠코 총리이다.

전부 과거 총리들의 후예들이 다시 또 나타나서 과거와 똑같이 세력을 잡아 통치하는 것이다. 메이지 유신 이후에 초대 총리였던 이토 히로부미가 총리를 4번 중임했다. 그리고 20대까지 조슈 번, 사쓰마 번이 번갈아가며 총리를 역임했다. 1대부터 20대까지 모든 총리가 오로지 이 2개의 번에서 나왔고 그 뿌리가 너무도 깊어 육군은 전적으로 조슈 번, 해군은 사쓰마 번 출신이 장악하는 등 여러 군인과 정치인으로서 일본의 대권을 잡았다.

전국시대 때는 각 다이묘들이 합종연횡을 한다. 그 중 하나가 구마모토 성의 맹주인 가토 기요마사이다. 가토는 임진왜란 때 한국정벌에 참가한 이래 조선반도에서의 전쟁에서 당했던 혹독한 시련을 경험으로 성을 지었다. 그 성이 구마모토 성인데 매우 튼튼하게 잘 지어서 일본 3대 성 중 하나로 꼽힌다. 호소카와 전 총리 패밀리가 바로 이 구마모토 성의 영주 출신이다. 그의 선조의 일화는 다음과 같다. 도요토미 히데요시가 가토하고 고니시 유키나가하고 한국으로 출병시켜, 한 사람은 서쪽으로, 한 사람은 동쪽으로 가게 해서 누가 먼저 서울과 평양성에 도착하느냐에 관한 경쟁을 시킨다. 가토는 임란 후에 도쿠가와 이에야스가 일본통일을 도모할 때 그와 같은 편인 동군에 참가하여 구마모토의 초대 번주가 된다. 이때 성주 가토가 그 아들 대와 합쳐 겨우 44년만에 완전 몰락하면서 일본 총리였던 호소카와 패밀리가 대신 패권을 이어 받았다.

이런 사람들이 일본 정치의 메이저 세력으로 대를 이어가며 등장하고 있고, 이런 권력의 세습이 몇 백 년 간다는 걸 증명하고 있다. 또 간파쿠(關白-천황의 섭정)라고 해서 일본 최고의 관직인 태정대신과 함께, 오로지 고노에, 이치죠, 니죠, 구죠, 타카츠카사, 바로 고셋케(五攝家)의 다섯 가문에서만 등용될 수 있었는데, 이 중 고노에 가문은 과거 다이카 개신(A.D 646년) 때에 정변을 일으켰던 그 후지와라 가문의 분파이다.

호소카와 전 총리의 외할아버지가 고노에 후미마로(近衛文麿-후지와라 후미마로)라고 일본의 34, 38, 39대 총리를 역임했는데 재임 시에는 노구교 사건을 빌미로 중일전쟁(1937년)을 일으키기도 했다. 그는 태평양전쟁 후에 전범으로 몰려 재판이 다가오자 미군 앞에서 재판받는 것이 치욕스럽다며 음독자살을 했다. 그는 후지와라 가문의 후손으로 이 가문이 거의

1300년 이상 일본 최고의 명문가로 이어져 내려온 것을 보여준다. 토요토미 히데요시도 명목상 간파쿠가 되기 위해 후지와라 가문의 양자로 입적했을 정도이다.

현대에 와서도 지난 20년간 18명의 총리가 바뀌었는데 60% 이상이 이 지역 출신이다. 다시 후쿠자와 유키치로 돌아와서 이야기해 보겠다. 그는 지금까지도 일본에서 가장 뛰어난 사상가로 추앙된다. 일본이 이런 위대한 사상가를 갖게 된 것이 일본 역사의 가장 큰 행운이라고 춘원 이광수가 말하기도 했다. 그 정도로 당시 서양세력에 대해 일본의 뒤떨어짐을 만회하고자 개혁 개방을 줄기차게 주장한 사람이다. 우리나라 김옥균, 박영효, 유길준, 윤치호 등이 후쿠자와 유키치의 제자이다.

후쿠자와 유키치도 난학에 심취해 있었다. 중간 도매상인 네덜란드 사람들이 영국, 미국, 스웨덴에서 좋은 것은 다 가져다가 번역해서 일본에 갖다 줬기에 네덜란드 기술인 줄 알았다. 그러나 나중에 영국이나 미국도 상당한 힘이 있다는 것을 알고, 난학에서 영학으로 바꿨다. 그 당시 대세는 영국과 미국이었으므로 올바른 판단이었고 우리는 '탈아시아'해야 한다, 일본은 아시아에 머물러있으면 안 된다고 주장했다. 두 군데의 번(조슈 번, 사쓰마 번)에서 태평양전쟁 전까지 일본을 주물렀다. 아직도 이 세력이 일본의 보수우경화 정치인들의 기반이기도 하다. 일본수상 아베 신조는 자기가 가장 존경한 사람이 '요시다 쇼인'이라고 말하곤 한다. 이 같은 것들을 보면 일본은 보수우경화로 갈 수밖에 없다.

조슈 번과 사쓰마 번, 두 세력을 묶은 사람이 있는데 그 사람은 지금의 고치현인 도사 번 출신이다. 하급무사들이 전부 교토로 몰려들었 때 이 사람도 교토로 간다. 그는 바로 사카모토 료마이다. 사카모토 료마가 얼마나 열정적인 사람이었는지는 시바 료타로의 소설 '료마가 간다'에서도 잘 나와 있다. 그는 일찍 자객의 손에 죽었는데 그 사람의 일대기를 보면, 그가 도쿄로 가는 배 위에서 선중팔책(船中八策)이라는 국가혁명의 대안을 구상했다고 전한다. 그가 얼마나 국가를 사랑하고 일본의 문제점을 정확히 집어냈는지, 또 그것을 해결하려고 노력한 그 열정은 이루 말할 수가 없다.

조슈(모리 가문)와 사쓰마 번(시마즈 가문) 쪽이 힘이 막강했던 이유는 다른 번보다 훨씬 남쪽에 위치하여 이모작을 위시한 꾸준한 토지개발과 농업생산력 증강에 힘썼기 때문이다. 1600년대 말에 이미 조슈 번은 100만석에 가까운 고쿠다카(石高 쌀 생산능력)를 인정받는다. 당시 그 두 지역에서는 1650년대부터 19세기 초까지 거의 150여년간 네덜란드의 중계 무역을 통해 유럽으로 도자기 수출을 제일 많이 한다. 또한 가장 중요한 원인은 중국 해적상인들과 당시 포르투갈과의 중계 밀무역 때문에 재정이 매우 튼튼했다.

사카모토 료마는 아편전쟁으로 천문학적 돈을 벌어들인 영국의 군산복합체 자르딘 매디슨(Jardine Matheson & Co.)의 나가사키 지부장이었던 영국인 토머스 블레이크 글로버(Thomas Blake Glover-그의 부인인 쓰루가 푸치니의 오페라 나비부인의 모델)라는 무기상과 담합하여, 도자기 수출과 밀무역으로 벌어들인 막대한 돈을 지닌 두 번(藩)에 첨단 서양무기 밀매입을 중계하였다. 그리하여 두 번의 군사력은 당시 막부의 군사력과는 이미 상당히 벌어져 있어서 메이지 유신의 성공이 가능하게 된다.

또한 사쓰마 번의 번주(시마즈)는 이미 1609년 개인적으로 오키나와를 속국화하는데, 대대로 사쓰마의 시마즈가는 상당히 안정되고 현명한 통치를 해왔다고 일본 전역에도 잘 알려졌다. 오키나와에서 생산되는 아마미산 흑설탕과 류큐를 통한 해외 교역으로 많은 돈을 벌어들이고, 일년에

90만 석(실제 생산력은 그 반 정도)까지 고쿠다카를 인정 받을 정도로 숨은 실력자였다.

보통 임진왜란 때를 전후하여 조선과 일본의 종합적인 국력의 차이는 7-8배 이상 벌어져 있었다고 볼 수 있다. 군사력 면에서 100여 년의 전투를 겪은 전국시대를 거친 일본은, 전체 동원 가능 병력은 50만 정도이나, 훈련된 정예부대가 거의 30만 정도가 준비되어 있었다. 실제로 조선에 파병된 전력은 17만 정도인데, 조선의 경우 후에 명군 참전 이후 정비를 다시 가다듬었다 치더라도, 장부상으로만 8만일 뿐 실제 초기 전투에 투입할 만한 병력은 오합지졸인 4-5만, 그것도 훈련된 정예부대는 만 명이 채 안 되었다.

임진왜란 전의 조선은 50여 년간은 무오, 갑자, 기묘, 을사 사화로 큰 혼란이 일어나 국가 기강이 무너지고, 온갖 부패로 인하여, 신분제, 군납제가 무너져 행정기능을 거의 상실했다. 당시 율곡 이이 선생이 여러 차례 울부짖듯 내뱉은 한탄을 봐도 국가가 지탱할 수 없을 정도로 피폐해 있었다.

인구 면에서 여러 자료가 있는데 당시 일본은 1,850만, 조선은 1,000만 정도로 추산(매디슨 인구조사 참고)된다. 경제력을 비교해보면 당시 15세기 말부터 일본은 대항해 시대를 타고 유럽 각국과 이미 본격적인 무역을 시작하여 신흥상업도시와 신흥 세력들이 각 다이묘의 보호 아래 도처에서 일어나고 있었고, 왜구가 성행했던 고려 말, 조선 초부터도 상인세력의 지원을 받아 포르투갈의 중계무역을 통한 왜구의 비공식무역에서 상당한 경제적인 부와 힘을 쌓았다고 볼 수 있다.

또한 1543년 규슈 남단 다네가시마(種子島)에서 처음 조총(화승총)을 받아들인 이래 계속 발전시키고 생산하여, 당시 전 세계 소총생산량의 50프로를 점하였다. 그리고 가장 대표적인 전 세계 공통 화폐대용인 은을 이와미, 이쿠노 은광을 비롯한 많은 곳에서 세계 두번째로 많이 생산하여, 전 세계 은 생산량의 30프로 이상을 점하고 있었고 이를 기반으로 설탕, 차, 도자기, 무명, 고급 비단 등을 매우 많이 사들일 정도의 경제력이 있었다.

이러한 경제력을 바탕으로 전반적인 국민 생활수준이 비약적으로 높아졌고 다른 여러 아시아지역 국가가 공통적으로 가졌던 후진성에서도 탈피하여 서양문물을 제대로 공부하여 후발 산업혁명도 성공적으로 이루게 되었다. 일본은 다른 아시아제국들과는 달리 서양세력의 진출을 막을 수 있는 국력과 국민의식도 매우 빠른 속도로 갖추어 대비하고 있었을 뿐만 아니라, 서양의 높은 과학기술을 앞세운 침략에 자극을 받아 국내의 초대형 정신혁명과 물질적인 근대화 개혁을 이루어내고, 이를 발판으로 역으로 서양세력의 제국주의를 본받아 다른 아시아지역을 침범하기에 이르렀다.

참고로 지금의 볼리비아(당시는 페루) 포토시(Potosi)에서는 1545년이래 200년이 넘게 전 세계에서 유통되는 은의 50%를 생산하고 있었고, 이 중에서 많은 양이 스페인 카디스항에 도착하자마자 곧바로 유럽 각 지역으로 퍼져나가 엄청난 인플레이션을 일으켰다. 또 중국에서 차, 비단, 도자기 등의 사치품 구매에 지급되어 대 중국 무역적자를 기록하게 되었다. 이는 훗날 아편전쟁의 원인이 되기도 하였다.

3.
현대 일본문화 개황

현대에 들어와서도 일본문화는 한국에도 지대한 영향을 주었을 뿐 아니라, 전 세계적으로도 어떠한 문화보다도 강력한 힘을 발휘했다. 한국인은 기질상 매우 다이내믹(Dynamic)하고 낙천적이고, 감정적이며 명분을 중요시하는 데 반해, 일본인의 특징은 기본적으로 상대에 대한 배려가 깊고, 남에게 절대 폐를 끼치지 않으려는 태도(人に迷惑をかけるな)가 강하다. 이러한 것들 때문에 일본인은 부차적으로 각자 사생활을 존중해주고, 속내를 잘 드러내지 않고, 참을성이 많고 원칙을 잘 지킨다. 특히 정부가 어떠한 재난에 닥쳐 사고처리를 할 때도, 잘못을 하든, 잘하든 간에 일단 신뢰해 주고 기다려준다. 이는 아주 높이 살 만한 일이다. 이처럼 각 국민의 성격은 그 문화에도 고스란히 배어 나온다.

여러 방면에서 일본 문화는 한국이 도저히 따라가기 힘든 정도로 세계적인 리더로서 앞서있는 부분이 이미 많다. 한때 스시를 먹는 것, 후통(布

団 ふとん 일본식 요)을 깔고 자는 것조차도 미국에서도 가장 멋쟁이들인 여피족(Young Urban Professional Yuppie족)의 유행이었을 정도로 매력 있고 독특한 일본문화는 전 세계인의 열광을 받으며 여전히 그 힘을 발휘한다. 한국은 일본 문화의 특성을 더욱 더 깊이 이해하고 피상적으로 우리 문화와 거의 비슷하다고 느끼면 절대로 안 된다. 우리 국가가 어떠한 방식으로 나가야 하는가도 일본을 보고 타산지석의 나침반으로 삼아야 한다.

이렇게 지형적으로 가까운 곳에 세계 최고의 문화 수준을 지키고 있는 일본을 경시해서는 안 되고, 버릴 것은 빨리 버리고, 배울 수 있는 것은 최대한 흡수를 해서 오히려 그들을 능가하는 문명국가로 거듭날 수 있는 지렛대로 삼아야 할 것이다. 그동안 한반도는 고대에서부터 근대에 이르기까지 일본의 무수한 침입과 피 식민지 경험으로 얼마나 치욕스러운 일을 많이 당했는지 모른다. 당한 만큼 더욱 더 일본을 알아야 극일이 되지 않겠는가.

간단한 예를 들어봐도, 우리나라 씨름이 단기간에 승부가 잘 안나는 것에 비해, 일본의 스모 같은 경우는 찰나에 승부가 난다. 사무라이 같은 경우는 할복이라는, 주군을 위해서나 본인의 명예를 위해 간단하게 자살하는 방법도 있다. 1976년 발생했던 록히드 스캔들(록히드 미국 비행기회사가 전 세계를 상대로 로비를 벌였는데, 특히 일본은 당시 재정부 장관이던 사토 에이사쿠, 수상이던 다나카 가쿠에이가 극우파 고다마 요시오를 통해 뇌물을 받은 사건)이나, 1988년 리쿠르트 사건(다케시타 총리 및 나카소네 전 총리, 미야자와 대장성 등이 미공개 주식을 뇌물로 받아 총리사퇴), 1992년 사가와 규빈 사건(가네마루 신 자민당 부총재와 호소카와 모리히로 당시 수상이 일본 제2의 택배회사에게서 뇌물을 받음)과 같은 정경유착 뇌물사건들이 있었을 때마다 자신이 모셔왔던 보스를 보호하기 위해서나, 자신의 부끄러움을 해소하기 위해 자살해 죽은 사람들이 많다.

일본은 몇 백 년의 오랜 봉건주의 전통과 사무라이 제도가 있었던 연유로, 주군과 신하의 엄격한 상명하달의 체계가 잘 잡혀왔다. 비교적 안정된 신분제의 세습에 익숙한 사람들이 현대에 와서도 자기보다 실력과 인품이 뛰어나면 대체로 인정하고 곧바로 고개 숙여 각자 자기 자리를 찾는 전통도 뚜렷하다. 이러한 경향이 자기가 죽음으로써 상부를 보호하고, 모든 것을 간단히 끝내 버리려고 하는 것, 즉 죽음에 대한 것도 상당히 찰나적으로 여기는 정신이 있다. 일본 국화인 벚꽃도 그런 기질이 있는 화종이다. 그리고 너무나 사회적으로 여러 압력 때문에 힘들어서 그러는지 마조히즘이나 사디즘 같은 가학적인 면도 두드러진다.

이와 관련해 주목할 만한 것은 일본 매춘사업의 신 마케팅 방법이 최근에 와서는 "가정의 온기", "엄마의 품" 등의 따뜻하고 포근한 감정을 불러 일으키는 방법을 동원한다는 것이다. 소위 사회의 언저리에 사는 루저(Loser)나 직장생활의 압력에 밀려 정신적으로 황폐해진 샐러리맨의 애환을 어루만져주고, 달래주는 방식(なぐさめる)으로 모객 행위를 하는데, 이것은 일본 사회의 단면을 여실히 보여준다. 80년대 후반에 신조어로서 대 히트를 친 아끼라메 리치(あきらめ リッチ-포기한 부자)라는 말이 한때 유행했는데, 이는 "신 인류"라는 닉네임의 젊은 세대가 집값이 치솟아 도저히 집 사는 것은 엄두를 못 내고 집을 포기하는 대신에 최고급 명품이나 고급여행, 고급 음식만 즐기는 것을 택하는 생활방식을 말한다. 우리나라에도 이런 방식으로 살아가는 새로운 젊은 세대가 많이 생겨나기 시작한 것 같다.

일본문화에 대해서 미술, 건축, 문학, 영화 등 다양한 방면을 들여다보면, 우선 문학에서 와카와 하이쿠라는 정형시가 있다. 와카는 5, 7, 5, 7, 5, 5, 7 로 글자를 맞추는 식으로 해서 만드는데, 우리나라의 시조나 가사문학과 비슷하다. 와카는 6-7세기에 시작되는데, 야마노우에노 오쿠라라고 백제에서 건너간 유명한 와카 시인이 있었다. 17세기부터는 하이쿠가 유행하는데 이것도 17자(5자, 7자, 5자)로 글자수가 정해진 정형시이다. 하이쿠에서 요구하는 것이 촌철살인, 일촉즉발과 같은 찰나적인 아름다움, 서정성이며, 금방 저버리는 느낌을 추구하고 중요시한다. 우리나라 3, 4 또는 4, 4로 글자를 맞추는 시조와 가사문학과는 조금 형식은 비슷하지만 다루는 주제와 내용은 아주 다르다. 한마디로 와카나 하이쿠가 시문이라면, 가사는 산문형식이라고 말할 수 있다.

일본에는 큰 문학상이 두 개가 있는데, 아쿠타가와 상과 나오키 상이다. 아쿠다가와 상과 비교했을 때 나오키 상은 좀 더 신진문학가에게 주는 상이다. '반짝 반짝 빛나는', '냉정과 열정 사이', '도쿄 타워', '호텔선인장'의 에쿠니 가오리가 2004년에 나오키 상을 받았는데, 특히 '냉정과 열정 사이'는 일본 최고의 인기 작가인 츠지 히토나리와 릴레이 소설을 쓴 것으로 유명하다. 츠지 히토나리는 1997년 "해변의 빛"이라는 소설로 아쿠타가와 상을 받았는데 원래는 락 밴드의 보컬 출신으로 본인이 직접 각본도 쓰고 배우, 영화 감독도 하는 등 다방면에서 대단한 활동을 하는 작가이다. 한국의 공지영 작가와도 같은 방식으로 한, 일 릴레이 소설 "사랑 후에 오는 것들"을 쓴 적도 있다. 한국도 신현림 시인같이 사진과 글을 넘나들고, 백현진 작가와 같이 음악(어어부 밴드)과 미술을 넘나드는 작가가 있는데, 이러한 전방위적으로 활동하는 예술가가 많이 나와야 한다.

또 지극히 가벼운 문체의 여성작가 '키친', '달빛그림자'의 요시모토 바나나, '노르웨이의 숲', 'IQ84', '해변의 카프카' 등 감각적인 문체로 일본에서 가장 노벨상후보에 근접해 있다고 여겨지는 무라카미 하루키 등 우리가 흔히 아는 작가들이 나오키 상 출신이다. 아쿠다가와 상은 조금 더 권위적인 일본 최대의 문학상인데, 소설 '라쇼몬'으로 잘 알려진 아쿠다가와 류노스케의 문학적인 업적을 기리기 위해 그 친구인 기쿠치 간이 제정한 상으로 이시하라 신타로가 23살에 '태양의 계절', 무라카미 류의 '끝없이 투명에 가까운 블루', 재일동포 작가 이양지의 '유희', 유미리의 '가족 소나타' 등의 수상작이 있다.

일본 문학가 중에서 미시마 유키오라고 '금각사', '가면의 고백'을 쓴 작가가 있는데, 가와바타 야스나리의 제자이다. 1960년대 갖은 기행과 극우적 행동으로 선풍적인 인기를 끌었는데, 허무주의적이고 찰나적인 탐미주의 미학을 추구했다. 1970년, 이치가야에 있는 일본자위대본부 발코니에서 군국주의 부활과 자위대가 천황을 위해서 혁명을 하자는 연설을 하며 인질극을 벌이다가 할복을 해서 죽었다. 그는 일본의 극우파 중심인물인 "생장의 집: 生長の家 세이쵸 노 이에"라는 신토계의 오모토(大本)를 계승한 신흥종교 단체를 세운 다니구치 마사하루와도 친했는데, 그의 사상을 좋아하고 많은 영향을 받았다.

이 다니구치는 극우단체인 일본의회(Nippon Kaigi) 창립에도 많은 영향을 끼친 인물이다. 미시마 유키오가 극단적 행동을 저질렀던 이유로 혹자들은 미시마가 밤에 잠을 전혀 자지 않아서 정신불안이 심화되어 그렇다고도 하고, 본인이 죽을 때까지 감추고 부정했던 호모 섹슈얼리티의 억압성이 폭발되어 발작적인 행동으로 이어졌다고도 말한다. 미시마는 특히 몸(신체)에 대단한 집착을 했는데 자기 키가 작은 콤플렉스를 극복하기 위해 보디빌딩을 택해 자기 몸을 아름답게 만들고 또 심미적으로 잘 다져진 몸을 표현하는 사진 찍기 놀이에도 집착했다.

또 특이한 작가 중 한 사람이 동경도지사를 2012년까지 역임한 이시하라 신타로라는 극우주의적인 정치인이다. 그는 전후 세대, 소위 비트 제너레이션(Beat Generation)을 이야기 한 '태양의 계절' 이라는 문학소설을 썼는데, 이 작품은 영화로도 제작되어 어마어마한 반향을 일으켰다. 동생 이시하라 유지로가 이 영화의 주인공이었고 그는 일본 국민배우로 엄청난 인기를 구가했다.

이시하라 신타로 역시 일본회의(Nippon Kaigi)의 철두철미한 멤버로서 나중에는 철저한 극우파 정치인으로 변신하는 데 성공한다. 또한 모리타 아키오 소니전자의 창업자와 공저로 쓴 1989년 발간한 "No라고 말할 수 있는 일본"의 작가이기도 하다. 미시마 유키오와는 같은 시기에 서로 친하게 활동하던 동료였다. 전후 세대를 대표하는 문학가들이 대체로 극우주의자들인데 그 이유는 자기네들이 힘들여서 싸웠는데 졌으니 억울한 나머지 '힘을 길러서 다시 한 번 일을 벌여야 하지 않겠느냐'는 생각을 가지고 있었기 때문이다.

가와바타 야스나리는 "설국"으로 1968년 일본 최초의 노벨 문학상을 수상한다. 부모와 누나가 일찍 죽고 거의 고아로 자라 그는 무척 외골수였고, 인생의 허무함, 서정성 있는 일본미학을 가장 잘 표현했다. 가스를 틀어놓고 자살했다고도 하고 그의 죽음에 관한 여러 설이 전해지고 있다. 그의 가정부는 젊은 아가씨였는데, 70살 넘은 노인인 그가 17살 정도의 이 아가씨를 좋아하게 된다. 그것을 알고 그 아가씨가 못 견디고 집을 나와버리자 그는 외로움을 못 이기고 가스를 틀었다고도 하고, 제자인 미시마 유키오의 할복 자살에 너무 충격을 받아 200-300일 동안 미시마에 대한 악몽을 꾸며 혼이 나간 상태에서 자살했다고도 하며, 자신의 무력함과 파킨슨 지병에 대한 두려움과 우울증도 원인이라고 한다.

한편 오에 겐자브로는 프랑스 실존주의 영향을 깊게 받았는데 1958년 '사육'이라는 작품으로 아쿠타가와 상을 수상했다. 그는 반전, 반핵, 천황제 반대, 원전 반대운동을 부르짖고, 일본을 질책하고, 일본의 극우에 대해서 경고도 한다. 1994년 노벨상을 받은 후에 일본 천황으로부터의 수상을 거부하기도 했다. 그는 일본에서 상당한 지식인이고 개인적으로도 파란만장한 삶을 살았다. 자신의 아들이 발달장애자인데 거기에 대한 '개인적인 체험'이라는 소설도 썼다. 한국에서 가장 많이 알려진 시오노 나나미는 '로마인 이야기' '십자군 이야기' 등을 쓴 작가로 이태리 로마에서 살면서 집필활동을 하고 있다.

건축으로는, 현대건축의 노벨상으로 프리츠커(Pritzker)라는 상이 있는데 이 상은 하이야트 재단이 서포트하는 건축의 노벨상이다. 상금은 10만 불 정도로 얼마 안되지만, 권위가 있는 상인데 일본은 벌써 6명이 탔다. 중국은 전통건축방법을 고수하며 폐 기와, 벽돌, 대나무벽 등을 이용해 현대 건축과의 조화를 철학적으로 풀어낸 왕수(王澍) 1명 만이 수상을 했고, 한국은 아직 한 명도 못 탔다. 그나마 세계 무대에서 가장 두드러진 활약을 하는 "빈자의 미학"으로 유명한 승효상 씨는 수상에 근접해 있다고 보여진다.

87년도에 단게 겐죠, 그 제자인 마키 후미히코가 93년, 안도 다다오 95년, 니시자와 류에와 세지마 가즈요는 같이 일하는 파트너인데, SANAA라는 건축사무소가 2010년에 탔다. 2013년에 이토 도요가 타고, 2014년에 시게루 반이 탔다. 시게루 반은 집을 종이(Paper)로 짓는 것으로 유명하다. 후쿠시마 원전사태가 있었을 적에, 거기에 있는 피난민들을 위해서 페이퍼로 임시 피난소나 집을 많이 만들어준 일이 수상 배경이다.

안도 다다오는 세계적으로 알려진 일본의 가장 유명한 건축가인데 우리나라에도 그의 건축이 많다. 안도 다다오는 건축교육을 정식으로 받은 적이 없다. 원래 권투선수였는데, 너무나 건축이 하고 싶어서 프랑스로 갔다. 근대 건축가 3인중 한 사람인 프랑스의 르 코르뷔지에의 영향을 많이 받았다. 그는 특히 르 코르뷔지에가 만든 롱샹성당(Ronchamp Chapel)이라는 건축물에 영향을 받아서 건축가로 들어서게 된다. 가장 프리츠커상 수상이 머지 않아 보이는 건축가로는 도시에서의 자연을 나무나 대나무소재로 주로 표현한 쿠마 켄고와 경계의 모호함을 주제로 한 많은 작품들을 냈던 소우 후지모토가 있다.

일본 패션계에서는 요지 야마모토라는 사람이 있는데 아디다스(Y-3), 에르메스와 콜라보를 하기도 했다. 그의 딸 리미 퓨(LIMI FEUEH)도 일본에서는 유명한 패션디자이너이기에 패션 패밀리로도 유명하다. 파리 컬렉션에 참가하는 것이 참 어려운 일인데, 일본에서 1970-80년대에 대거 파리 컬렉션에 참가했다. 이세이 미야케, 다카다 겐조, 꼼데 가르송의 레이 가와쿠보 등이 파리 컬렉션에 참가했다. 꼼데 가르송은 한국에서도 꽤 유명하다. 이태원에도 꼼데 가르송이라는 거리가 있다. 그 레이 카와쿠보의 연인인 요지 야마모토는 블랙 컬러를 주로 써서 승복, 도복과 같은 부정형 드레이프, 아방가르드한 로브, 망또 등으로 관능적이고 해체적이지만 동시에 경건함, 엄격함, 신성함 등을 표현했다.

다카다 겐조는 여러 가지 화려한 일본의 전통 컬러 감각을 살리면서 다양한 하이브리드 문화를 믹스했다. 하나에 모리는 여자 패션 디자이너로 주로 화려한 이브닝 드레스, 꽃무늬 소재를 연출하고 있다. 일본은 1964년 동경 올림픽을 전후하여 국가적 차원으로 대표적인 패션 디자이너들을 지원했다. 그때 하나에 모리, 야마모토 칸사이, 이세이 미야케 등을 세계에 알리는 데 전폭적인 지원을 아끼지 않았다.

우리나라는 삼성에서 지원을 해서 구호(KUHO-디자이너 정구호) 브랜드를 키운다. 디자인 펀드로 신진 디자이너를 발굴해서 알려진 디자이너로 정욱준, 두리 정, 최유돈, 계한희, 박종우 등이 있다. 그런데 아직 한국은 세계 무대에서 일본을 넘보기에는 너무도 부족하다. 한국이 자랑할 수 있는 재치와 빠르고 경쾌함은 있는데 철학적 배경을 더욱 철저하게 나타내

보이고 선전하고 마케팅 하거나 홍보하는 데는 역부족을 느낀다.

한국의 스피디한 제조력과 순발력있는 디자이너들의 장점을 가장 잘 살릴 수 있는 것이 유니클로, 자라(ZARA), 망고(Mango)나 H&M와 같은 패스트 패션(Fast Fashion)이다. 한국은 아직도 대기업이 명품 브랜드를 잡는 경쟁에 혈안이 되어 이 큰 기회를 놓치고 있다. 명품 브랜드 수입은 중소기업이 하는 편이 좋다. 대기업끼리 출혈 경쟁을 하며 최소 주문량 요구에 끌려 다니고 있고, 무리하게 수입을 해서 엄청난 재고가 쌓여 만성적자에서 헤어나지 못하고 있는 상황에서 왜 이런 것에 사업 에너지를 빼앗기면서 끌고 가는지 도무지 알 수가 없다. 당장 대기업은 면세점사업과 명품의류 수입 사업에서 손을 떼어야 한다. 어느 대기업이든 이 패스트 패션사업에 전력을 기울여서 전 세계적인 유통과 고용창출을 해야 한다.

한국이 한때 세계적으로 좋은 품질의 섬유생산을 해서 60년대 수출 1위의 품목으로까지 성장해 왔다. 그러다 지금은 10위권에도 끼지 못하고 아예 사양산업으로 취급 받고 있다. 이러한 섬유 인더스트리가, 국내 기업이 만들고 성공시킨 대형 유통체계를 갖춘 세계적인 패스트 패션회사와 연계가 되고 원단에서 디자인, 가먼트(Garment)까지 수직화되면 얼마나 많은 시너지효과를 나타낼 것인가는 명약관화하다. 그러므로 이번 기회에 이태리와 같은 부가가치가 높은 섬유산업을 다시 일으켜야만 할 것이다.

일본 문화의 또 다른 특징은 자기 전수를 다음 제너레이션에 잘 넘겨준다는 것이다. 오히려 한국이나 중국보다도 전승, 전통의 개념이 더 강하다. 쥰야 와타나베를 비롯해 3명 정도를 레이 가와쿠보가 영입해서 각자 브랜드를 만들게 해주고, 메인 브랜드로 꼼데 가르송이 대표하여 판매를 이끌게 했다. 그런 쪽으로 일본은 노하우를 전수하고 또 통 크게 콜라보레이션 하는 경향이 매우 크다. 우리나라에서 패션에 관련된 브랜드 중 가장 유명한 앙드레 킴이 있는데, 그 브랜드를 제대로 전수받은 분이 없다. 진작에 후계자를 키워 자기 이름만큼 유명세로 키워주어야 했는데 참 안타깝다. 이런 전승, 계승의 문제는 일본에서 배워야만 한다.

이세이 미야케는 일본에서 가장 추앙받고 있는 패션 디자이너이다. 패션에 대한 철학도 가장 확실하며, 한 피스로 옷을 전부 만들어버리는 제조방법을 오랫동안 추구해 왔다. 미야케는 "옷은 친밀한 건축이다"라는 개념을 넘어서, 패브릭(Fabric)으로 가구, 빌딩 소재를 넘나 드는 진정한 패션 개척자라고 하지 않을 수 없다. 조각 천(APOC-A PIECE OF CLOTH), 오리가미, 지지미(Pleats Please)와 같은 것들을 일본의 젠(ZEN) 문화와 연결을 해서 들고나와 전 세계를 놀라게 한 것이다. 서양에서는 도저히 시도할 수 없는 개념들이 자꾸 나오니, 일본문화에 대해서 굉장한 콤플렉스를 가질 수밖에 없었다.

그리고 일본문화는 전통적으로 해외진출이 빨라서 한국과 격차가 크다. 일본은 G2로서의 지위를 거의 몇 십 년간 누렸는데 그때 유럽에서조차도 일본을 당할 자가 없었다. EU가 생성되기 전에 유럽의 모든 국가가 합산한 지표(GDP, Export Volume 등)들이 일본과 거의 비슷한 때가 많았다. 모든 구미 선진국들이 일본문화에 대해서 상당한 동경심이 있었고 일본의 거의 모든 문화상품이 큰 인기를 끌고 세계 무대로 많이 진출했다.

이세이 미야케는 나오키 타키자와, 다이 후지와라 같은 사람을 계승자로 세웠다. 나오키 타키자와는 새로 떨어져 나와서 자기 브랜드를 만들었는데 지금은 유니클로의 총괄 크리에이티브 디렉터로 일하고 있다. 현재 이세이 미야케는 1997년 파리컬렉션을 마지막으로 은퇴하고, 본인의 디자인 랩에서 디자인 엔지니어로서 여러 분야의 인재들과 같이 일을 한 지 오래되었다.

다이 후지와라와 같은 사람들이 브랜드작업을 이어서 하고 있는데, 한때 하버드 GSD(Graduate School of Design)에서 건축가 도시코 보리 교수가 후지와라를 초대해 이세이 미야케의 패션철학을 강의하게 했다. 세계적인 건축 사무소인 헤르조그 & 드 뫼롱의 피에르 드 뫼롱(Pierre de Meuron)과 미국 모마(Museum of Modern Arts)의 건축, 디자인 큐레이터 파올라 안토넬리(Paola Antonelli) 등이 거리를 마다하지 않고 달려와 그 강연을 들은 적도 있다.

다양한 방면에 지속적인 관심을 가지고 크로스 컬처의 첨예(Cutting Edge)한 생각을 흡수하지 않으면 본인의 전문성도 낙후될 수밖에 없는 것이다. 이세이 미야케는 최근에는 소위 '바오바오'라는 오리가미(종이 접기)에 접목한 가방(It Bag)이 공전의 히트를 치며, 더욱 세계적 명성을 날렸다. 한국의 종이 접기와 같은 간단한 모양이 컴퓨터 프로그램의 도움을 받아 이러한 세계적인 상품이 되었는데 한국에도 시사하는 바가 너무도 크다.

일본의 전수하는 전통을 보여주는 예로 바둑이 있다. 그런데 거의 모든 당대 최고의 프로기사들은 전부 자기 제자들을 키워 놓았다. 세고에 겐사쿠는 우리나라 조훈현 기사를 제자로 키운다. 세고에 겐사쿠는 원래 오청원, 하시모토 우타로를 제자로 받아서 일본 기원을 석권한다. 기타니 미노루는 오청원 9단하고 한때 쌍벽을 이루었는데, 도저히 중국에서 온 오청원 9단을 이길 수 없으니까 기타니 도장을 만들었다. 그쪽 출신들로 한때 일본 기계를 석권했던 오오다케, 다케미야, 이시다와 같은 사람들이 있다.

오청원은 대만에 있었던 임해봉을 불러서 제자로 길렀다. 조치훈도 기타니 출신인데 한때 김수준이라는 한국기사를 받아 제자로 키웠다. 소림광일(小林光一) 이라고 고바야시 고이치라는 사람이 있는데 그 사람도 기타니 도장 출신이다. 자신의 계보를 이어가려고 얼마나 노력하냐면, 기타니 도장의 적손이라는 것을 보여주기 위해서 본인 스스로 기타니의 딸하고 결혼한다. 또 자기 딸 고바야시 이즈미도 바둑기사로 만들었는데, 대만의 장쉬 9단이랑 결혼을 시켜 사위로 삼고, 또 제자를 받아서 기르고 있다. 각 분야에서 제자를 기르는 일본의 깊은 전통을 알아야 한다.

일본영화계에서는 구로자와 아키라가 패션에서의 이세이 미야케처럼 최고로 추앙받는 영화 감독이다. 베니스 영화제를 많이 휩쓸었는데, 이 사람은 성격이 강하고 자기 주장을 반드시 관철시키는 스타일이다. 자기 아버지도 체육교사 출신이어서인지 투사적인 성향이 있는데, 일이 안 되면 자결하려는 성향이 있기도 하다. 전 세계에서 초청받을 때도, 무조건 최고 호텔, 최고 비행기좌석이 아니면 가지 않는다. 성격이 강한 만큼 일본에서는 가장 일본적인 미학을 선도한 뚝심 있는 감독이라고 볼 수 있다.

그의 작품 '7인의 사무라이', '카게무샤', '란' 같은 경우는 세계 여러 곳에 영향을 많이 미쳤다. 스티븐 스필버그, 죠지 루카스 등의 많은 미국의 영화 감독, 제작자들도 구로자와 아키라의 영향을 많이 받았다. 이마무라 쇼헤이는 칸느 영화제에서 황금 종려상을 받은 사람이다. 일본 누벨바그의 여러 리더 중 한 사람으로 '우나기', '나라야마 부시코' 등의 작품들을 발표해서 많은 각광을 받았다. 이마무라 쇼헤이가 오즈 야스지로의 제자이다.

기타노 다케시(ビートたけし | 北野武)는 일본 예능계를 마피아처럼 잡고 있는 사람인데 이 사람을 통하지 않고서는 대성하기 힘들 정도로 큰 힘을 갖고 있다. 그는 1980년대 초반만 해도 저급 코미디언이었다. 처음에는 별로 부각되지 못하다가 대오각성을 해서 일본 3대 유명 코미디언으로 성장, 후에는 자기가 극본도 쓰고, 미술작품을 만들어 순수예술 작가로 데뷔도 하고, 또 영화출연도 한다. "소나티네", "하나비", "자토이치"와 같

은 좋은 영화를 많이 만들었다. 해외에서도 굉장히 팬이 많고 자기만의 독특한 '폭력 미학'이라든시, 일본 특유의 블랙 코미디, 허무주의 미학을 반영한 작품을 많이 만들어냈다.

미야자키 하야오는 환경주의자, 페미니스트, 반전주의자 성향이 강한데, "센과 치히로의 행방불명", "모노노케 히메", "이웃집 토토로" 등 주옥 같은 만화영화를 만들었다. 일본에서 한 작품을 만들면 1,500만, 2,400만의 관객을 동원하고 선풍적인 만화영화 붐을 이끌었다. 요즘은 그의 아들이 그를 대신해 컴퓨터 그래픽으로 작업을 많이 하며 미야자키 하야오는 거의 은퇴를 했다. 일본적 만화의 전통을 현대 컴퓨터 그래픽(CG)에 접목해서 좋은 작품을 많이 만들어냈는데, 이러한 일본의 "망가" 문화와 컴퓨터 그래픽 디자인은 전 세계를 강타했고 그 기여도는 상상을 초월할 정도로 전 세계적인 반향이 컸다.

한국문화가 지금에서야 전 세계를 강타하고 있지만 워낙 다방면에서 앞섰던 일본 현대문화는 이미 60년대부터 그런 시작을 하고 있었다고 보인다. 한국도 이러한 일본문화를 잘 이해하고, 각 분야에서 반드시 일본을 능가하는 장르를 개척해야만 한다. 이미 몇몇 한국이 강한 부분에서는 능가하고 있지만, 그래도 전 세계 무대에서는 갈 길이 멀다고 생각한다.

문화를 알고 즐길 수 있다는 것은 그만큼 세계를 구성하는 한 시민으로서 자기자신의 현 위치파악과 아이덴티티를 자각하는 것이다. 타 문화에 대한 이해로 건강한 역사관, 교양, 성숙한 시민의식을 갖추게 되면 배타성도 그만큼 없어진다. 특히, 현대의 고도화된 정보 통신 사회에서는 문화도 국경이 없고, 어떠한 경쟁력이 있는 문화는 한 순간적으로 세계적인 유행을 불러 일으킬 수도 있으니, 앞으로 이러한 문화에 대한 중요성은 점점 부각될 것이다. 대한민국은 이러한 여러 방면의 문화 수준을 향상시켜 온 국민이 더욱 세련된 눈높이로 문화를 향유할 수 있고 또 비평할 수 있는 문화 최강국이 되어야 한다.

다시 길을 떠나며 (On the road again)

국내외적으로 많은 세미나에 참석하고 강의를 통해 한국의 문화, 역사에 관한 열띤 토론을 해오면서 저는 한국의 과거, 현재를 망라하고 미래에 대한 조망이 간결하고도 포괄적으로 설명되어있는 책이 있으면 참 좋을 텐데라고 늘 생각했습니다. 특히 한국학을 전공하는 국내외 학생들에게 한국이 현재 처한 상황의 문제점과 미래에 나아갈 방향을 제시하는 좋은 참고 자료가 주어진다면 그들이 한국을 더욱더 입체적으로 이해할 수 있게 되지 않을까 하는 기대도 본인이 이 책을 쓴 이유가 되었습니다.

책의 많은 부분은 국내외 대학에서 본인이 직접 강의한 내용을 녹취해 그것을 기초로 재 편집하거나 또 아주 오래 전부터 구상해 온 것들로 이뤄져 있습니다. 많은 시사적인 이슈들은 시대의 변환이 너무도 빨라 예측하기 어려운 방향으로 흘러가기도 하고, 한가지 주제가 책 한 권으로도 모자란 심각한 내용들도 산재해 있습니다. 이러한 방대한 문제점들을 단 한 권의 책으로 묶어 주마간산 식으로 훑어 보기에는 매우 어려운 점이 있지만 그럼에도 불구하고 한번씩은 거론을 해보고 제 나름대로 결론을 내보고 싶었습니다.

이 책의 원고는 2015년 하버드 대학교의 비교문학 및 동아시아 언어문화과 방문학자(Visiting Scholar)로 있으면서 처음 쓰기 시작하여(Inception),

2017년 상반기 하노이 베트남 국립대학교 (VNU)의 인문사회대학(Social Science & Humanities) 방문교수 시기에 거의 완성되었습니다. 원고 내용 모두가 조국을 사랑하고 조국을 어떻게라도 조금 더 발전시켜, 세계 어느 국가보다도 훌륭하고 모범적인 나라로 가는데 이바지할 수 있을까 하는 바램으로 가득 찬 구상들입니다.

저는 지금까지 살아오면서 참 많은 여행을 해왔습니다. 이스탄불의 한 거리를 걷고 있든, 런던, 비엔나, 라고스, 카이로, 리마, 상하이, 리야드, 산티아고의 한 거리를 걷고 있든 간에 항상 제 머릿속을 떠나지 않고 계속해서 천착해 있던 주제가 "어떻게 우리 대한민국이 더 좋은 나라가 될 수 있을까?" 였습니다. 한마디로 인텔렉츄얼 노마드(Intellectual Nomad)로 살아왔다고 볼 수 있을 것입니다. 물론 저는 또 길을 떠날 것입니다. 그리고 계속 보고 느끼며 생각할 것입니다.

20대에는 문학청년으로서 닥치는 대로 많은 문학작품을 읽었고, 또 이후에는 수많은 인문 서적을 비롯해 거의 30여년간 매일 새벽 일간지 몇 개를 몇 시간씩 정독하는 것이 생활의 습관이 되다시피 했습니다. 하지만 앎의 길은 끝이 없는 길이고, 읽고 또 읽어도 항상 모자람을 느낍니다. 최근 10여 년은 세상 모든 지식의 보고가 되어버린 인터넷을 통한 지식의 습득도 간과할 수 없었습니다. 현시대는 인터넷을 통하면 원하는 모든 정보와 지식을 제공받을 수 있습니다. 이 책에 나와있는 대부분의 내용도 얼마든지 인터넷을 통해 사실 여부를 확인할 수가 있을 것입니다. 다만, 그러한 지식 향연의 결과는 항상 인간 스스로가 행동의 방향을 이끌고 결론을 내리고 책임을 져야 한다는 사실입니다. 그러한 점에서 저는 많은 결론을 내보고자 노력했습니다.

20대의 저는 미국 아리조나 대학교(University of Arizona)에서 정치학 학부를 마치고 시카고 대학원(University of Chicago)에서 정치학 박사과정을 밟고 있었습니다. 그때의 지도교수가 국제관계 이론으로 유명한 모튼 캐플란(Morton Kaplan) 박사였는데, 저는 당시 서양의 정치학이라는 학문에 깊은 회의를 느끼고 도중에 일본 상지대학 박사과정으로 건너 갔지만, 그 분의 해박하신 국제관계의 이론에도 일부 영향을 받았습니다.

하지만 귀국 후 전공과는 거리가 먼 사업에 오랜 기간 몸담아 오다가 운명처럼 몇 년 전부터 대학에서 학생들을 가르치는 일을 하게 되었습니다. 사업을 오랫동안 하면서도 제 머릿속은 언제나 앞서 말씀 드린 것처럼 보다 나은 우리나라가 되는 길에 대한 탐구로 가득 차 있었습니다.

그 과정에서 제 나름의 역사관이 형성되는 데 더욱 깊이 영향을 준 학자는 두 사람의 역사가였습니다. 한 분은 이미 작고한 프랑스 아날학파의 페르낭 브로델(Ferrand Braudel)이고 또 한 분은 지금도 왕성하게 집필을 하고 있는 영국의 기자출신 역사학자 폴 존슨(Paul Johnson)입니다. 이 분들의 주옥 같은 역사물 시리즈는 참으로 제게 무한한 감동과 역사를 보는 색다른 시각을 갖게 해 주었습니다. 이때 갖추게 된 시각도 이 책을 집필하는 데 큰 도움이 되었습니다.

실은 박정희 대통령에 관한 부분은 출판사측에서 제 생각을 많이 축소하여 '일부 독자들에게 반감을 사지 않는 것이 좋을 것이다'라는 의견을 강력히 제시했지만, 그럴 수가 없었습니다. 왜냐하면, 당시의 국가 재건과 산업화 과정은 우리 역사속에서 통치행위(국방, 외교, 건설, 문화, 사법, 입법, 행정, 교육, 고용, 보건 복지 등 국가발전 노력의 98% 이상)의 메인 줄기에 해당하는 것이고, 민주화 투쟁이나 노동 분투(정치행위 중에서도 정당외 활동으로 권력다툼 및 인권투쟁의 일종: 국가발전 기여도 2% 이하 또는 때때로 마이너스) 등은 곁가지에 불과했던 것이 명확한 일인데, 이제와서 이를 거꾸로 역사 해석하는 경향이 있는 것에 경종을 울리고 싶었습니다. 그리고 현재의 우리 국민과 국가가 마땅히 대접해야 할 사람을 대접하지 못하고 역사 왜곡에 희생당하는 모습에도 많은 실망감이 있었습니다. 이는 반드시 바로 잡아야 할 일로 여겨져 문맥에 맞지 않게 느껴져도 게재를 강행했습니다.

저는 보수주의자도도 진보주의자도 아닙니다. 단지 휴매니티에 입각한 실용주의자로 불리기를 원합니다. 한정된 지구자원이 어떻게 더욱 많은 인류에게 최적의 상태로 혜택이 돌아가야 되는가에 많은 관심이 있습니다. 토니 블레어(Tony Blair) 영국 수상이 보수당 정권을 무너뜨리고 사회민주주주의와 신 자유주의를 혼합한 앤서니 기든스(Anthony Giddens)의 중도 좌파 실용주의 노선인 "제 3의 길"이라는 정치이념을 들고 나왔는데, 제가 생각하는 새로운 정치이념은 인터넷이 가져다 준 엄청난 지식정보(Knowledge information)와 연결성(Connectivity)을 기반으로 하고 사해 동포주의(Cosmopolitanism)에 입각한 공유경제, 공정사회, 재능기부 및 각 개인과 다국적 기업의 자각을 통한 정치, 경제, 사회 시스템 체인지를 목표로 하는 "제 4의 길" 입니다. 언젠가는 이 주제로 책을 쓰고자 합니다.

어쨌든 저의 독서 편력과 독자적인 개념형성의 최종 관심은 항상 우리 민족의 번영과 나아갈 길로 귀결되어 왔습니다. 독자 여러분께서도 이 부족한 책을 끝까지 잘 읽어보시고, 조국의 현재와 미래에 대해 다시 한번 깊이 생각해 보는 계기로 삼아, 모두가 대한민국의 무궁한 영광을 위해 언제라도 대 토론의 장에 참여해 주시고, 조국을 위해 가장 훌륭한 국민 여론을 형성하는 데 이바지해 주시길 바랍니다. 그럴 수만 있다면 제게는 더 할 나위 없는 영광이겠습니다.

이 책을 내는 데 도움을 주었던 출판사 여러분들, 미리 읽어 주시고 코멘트를 주셨던 동료이자 친구인 이마뉴엘 페스트라이쉬 경희대 교수, 선배 김의형 변호사, 고교 동창 김경근 전북대 교수와 김정훈, 후배 오덕환 사장, 항상 따뜻하게 멀리서 응원하고 마음깊이 격려해 주신 형님 정덕진, 그리고 주석과 많은 출처를 확인해 주었던 숙명여대 안세원 조교, 영역을 도와 주었던 경희대 이희수 조교 등 여러분들에게 다시 한번 무한한 감사를 드립니다

저의 결혼생활은 올해로 32주년입니다. 그 동안 집사람과 단 한번도 다툼을 해 보지 않았습니다. 이 모든 것은 실수투성이인 나의 모든 것을 감싸고 이해해 주는 한없이 영특하고 지혜롭고, 또 바다와 같이 넓은 아량을 가진 집사람이 아니면 불가능했을 것입니다. 세상도 이런 이치로 평화롭고 사이 좋게 협조하며 살아갈 수 있다면 좋을 것입니다. 여러분께서도 부디 너그럽고 평온한 마음으로 이 책을 읽어 봐 주셨기를 바랍니다.

끝으로 나는 이 책을 내가 이 세상에서 가장 사랑하는 나의 아내 박경미에게 바칩니다.